RE*f*LETS

Méthode de français 2

Guy Capelle
Noëlle Gidon

HACHETTE *Livre*

Français langue étrangère

58, rue Jean-Bleuzen, 92170 VANVES

http://www.fle.hachette-livre.fr

CRÉDITS PHOTOGRAPHIQUES :

AKG Photo / Yves Klein : 155 ; Paul Gauguin (1848-1903) : 61h ; Rouget de Lisle (1760-1836) : 47h ; René Magritte (1898-1967) © ADAGP, Paris 1999 : 103h. **Altitude** / Y. Arthus-Bertrand : 32bg. **Diaf** / F. Berthillier : 159 ; P. Cheuva : 145hg ; G. Guittot : 118 ; H. Gyssels : 145b ; J.-P. Langeland : 173h ; R. Rozencwajg : 173m ; J.-D. Sudres : 102hd ; D. Thierry : 47b. Ph. César © Hachette-Réalités : 172. **Explorer** / J. Dupont : 44hg ; L. Giraudou : 44bd ; J.-P. Nacivet : 130h ; D. Reperant : 89b. **Jerrican** / Gaillard : 171. **Gamma** / Dambier : 146 ; Debuigne : 145hd ; Photo news : 114. A. Gonin : 170. Ph. J.-F. Hamon / P. Petit : 131b. **Hoaqui** / P. Body : 32bd ; C. Boisvieux : 160hg ; T. Borredon : 89h ; G. Bosio : 99hg. B. Chemin : 44bg ; S. Dupont : 142 ; S. Grandadam : 32mg ; J.-P. Gratien : 16h ; J.-D. Joubert : 46 ; Krafft/I. & V. : 116 ; C. & J. Lenars : 44hd ; Morand-Grahame : 61b ; Ph. Renault : 74, 74b ; D. Reperant : 88d ; X. Richer : 32md, 32hd, 153, 157 ; G. Rigoulet : 88g ; P. Roy : 160b ; Tréaal/Ruiz : 19b ; C. Vaisse : 131h ; C. Valentin : 16b ; E. Valentin : 29 ; P. de Wilde : 158 ; B. Wojtek : 102hg, 32m ; K. Zefa : 141. Éditions Photoguy / C. Blanc-Pattin : 113. Le Printemps de Bourges : 173b. **Kid** / Bouflet : 60 ; Kervella : 160hd. **Rapho** / Mehrak : 18h. H.W. Silvester : 18b. **RMN** / J.-G. Berizzi : 130b. **Stills Press** / 19h ; Arnal/Geral : 99d ; E. Catarina : 72 ; C. Geral : 34. **Sygma** / J.-P. Amet : 99bg ; J.-B. Vernier : 30. **Urba Images** / J.-C. Pattacini : 144. **Roger Viollet** : 20, 73h, 73b.
Astérix et Obélix contre César, Etienne George / H & K : 85 ; La fille sur le pont, Catherine Cabrol / © Films Christian Fechner : 85.

Avec nos remerciements à : la Mairie de Falicon : 15 ; SAEM Sophia-Antipolis Côte d'Azur : 19 ; Le Bellevue : 43 ; Francoscopie © Larousse-Bordas : 99 ; Ariston : 101 ; Electrolux : 101 ; Éditions Bréal : 117 ; Éditions Robert Laffont : 118 ; La Croix : 127 ; La Fabuloserie : 131 ; Le Printemps de Bourges : 173.

Réalisation : O'Leary.
Secrétariat d'édition : Claire Dupuis.
Couverture : Sophie Fournier.
Conception graphique : Avant-garde et O'Leary.
Illustration : Catherine Beaumont.
Cartographie : Hachette Éducation.
Recherche iconographique : Any-Claude Médioni.
Photogravure : Nord Compo.

ISBN : 2 01 15 51 20 X

© HACHETTE LIVRE 2 000, 43 quai de Grenelle, 75 905 PARIS CEDEX 15.

Avant-propos

Comme **REFLETS 1, REFLETS 2** est une méthode de français pour adultes et adolescents qui associe plusieurs médias.

Support privilégié de l'apprentissage, la vidéo de **REFLETS 2** comprend douze émissions correspondant aux douze épisodes du feuilleton. Les épisodes, chacun divisé en deux parties, forment une histoire continue. C'est cette histoire, chronique de l'installation de Parisiens dans un petit village de l'arrière-pays niçois, qui fournit une toile de fond concrète et vivante à l'apprentissage du français.

La démarche est la même qu'au niveau 1. On comprend d'abord ce qui se passe, puis on analyse et on fixe les formes linguistiques, on apprend, enfin on utilise le français appris dans de nouvelles situations d'écoute et de production au cours de la troisième phase d'acquisition.

REFLETS 2, comme **REFLETS 1**, travaille particulièrement la communication orale. Or, pour enseigner la communication orale, il est important de la présenter sous ses deux aspects verbal et non verbal. De plus, il faut la mettre en scène dans des situations socioculturelles authentiques, car langue et culture sont les deux faces indissociables d'une même réalité. C'est la possibilité qu'offre la vidéo de **REFLETS**.

Au niveau 2, la communication écrite prend également davantage d'importance : ainsi, dans **REFLETS 2**, les techniques et les stratégies de compréhension sont renforcées et développées et une approche systématique de la production de textes est mise en œuvre dans le manuel et dans le cahier d'exercices.

Avec un contenu d'apprentissage et une progression de niveau 2, **REFLETS 2** couvre 120 à 150 heures de cours. Par son approche des compétences orale et écrite, il prépare aux épreuves A2 et A3 du DELF 1er degré et complète ainsi les acquis du niveau 1.

Le livre de l'élève comprend douze dossiers correspondant aux douze émissions de la vidéo et qui se décomposent ainsi :
– 1 page d'ouverture avec le contrat d'apprentissage,
– 2 pages d'exploitation pour chaque partie du feuilleton (4 pages au total) : on retrouve les rubriques *Découvrez les situations*, *Observez l'action et les comportements* et la transcription des dialogues,
– 2 pages *Découvrez la grammaire* : des tableaux et des exercices d'apprentissage des formes et des emplois,
– 1 page pour les rubriques *Sons et lettres*, un approfondissement de la phonétique, et *Visionnez les variations*, une exploitation des « Variations » de la vidéo,
– 1 page *Communiquez* avec un travail sur la compréhension et la production orales,
– 1 double page *Écrit* qui permet de travailler sur la compréhension et la production écrites,
– 1 double page *Civilisation* qui présente des régions françaises et des pays francophones à partir de documents vidéo et écrits,
– en alternance, une page *Littérature*, *Projet* ou *Bilan*.

Nous espérons que, comme pour le niveau 1, l'ensemble multimédias dont ce manuel fait partie suscitera l'intérêt et la créativité des apprenants et les amènera à un bon niveau de maîtrise du français.

	DOSSIER 1	DOSSIER 2	DOSSIER 3	DOSSIER 4	DOSSIER 5	DOSSIER 6
Situations de communication	– réflexions de gens du village sur de nouveaux arrivants – rencontres entre Parisiens et villageois – échanges de renseignements	– problèmes et inquiétudes soulevés par un déménagement – offres de service de voisins et naissance d'une amitié	– conversations de café – complicité entre une mère et sa fille – accueil d'un client/la commande – prise de congé d'un client – chez le médecin	– à propos des affaires du restaurant – conversation amicale – mise à la disposition des villageois d'un ordinateur	– le service des clients du café – échange sur les résultats du restaurant – recherche d'un artisan plombier – discussion entre un artisan et son client	– projets pour l'accueil d'amis – discussion autour de l'achat d'une maison – des parents curieux
Actes de parole	– interrompre une conversation – faire un reproche – exprimer un souhait – demander et exprimer des opinions et des appréciations – justifier une opinion – rassurer quelqu'un	– demander et proposer de l'aide/un service – faire une invitation/accepter/refuser – exprimer des opinions – faire des reproches – exprimer des doutes et des craintes – exprimer des souhaits et des sentiments	– faire une suggestion – se présenter dans un restaurant – remercier en quittant un restaurant – faire des hypothèses à partir d'une condition supposée – faire des demandes polies – donner des conseils aimables	– exprimer une certitude – changer de sujet de conversation – mettre fin à une conversation et partir – s'informer sur la vie des gens – faire des critiques – porter un toast	– montrer son intérêt pour qelqu'un ou quelque chose – encourager quelqu'un – se féliciter de quelque chose – dire qu'on ne s'intéresse pas aux affaires des autres – demander à quelqu'un de faire quelque chose – mettre en valeur l'auteur et l'objet d'une action	– exprimer des regrets – faire des suppositions au passé – exprimer des sentiments – exprimer des opinions – exprimer des faits antérieurs à d'autres faits passés
Grammaire	– l'emploi des temps de l'indicatif (révision) – *être en train de* + infinitif – *aller* + infinitif – *venir de* + infinitif	– le subjonctif (révision) – des conjonctions suivies du subjonctif – *sans* + nom ou infinitif – des adverbes en *-ment*	– le conditionnel présent – *si* + imparfait, ... conditionnel – la double négation : *ni ... ni* – des compléments de nom sans article	– le discours indirect et la concordance des temps – le participe présent et le gérondif	– l'interrogation indirecte et quatre constructions du verbe *demander* – des phrases impératives au discours indirect – la transformation passive – le passif avec les verbes *devoir* et *pouvoir* – la préposition *par* introduisant un complément d'agent	– le plus-que-parfait – le plus-que-parfait dans le discours indirect – le double comparatif – l'infinitif passé
Phonétique	l'intonation du reproche et du souhait	l'intonation du refus	l'intonation de la suggestion et de la surprise, de la certitude et du doute	– futur/conditionnel – les voyelles nasales	– les voyelles moyennes – le [j] en finale	– le *e* caduc – l'accord
Écrit	– le paragraphe : la phrase clef – écrire une lettre officielle *Les Français et les vacances*	– les échos internes dans le texte – écrire une lettre de réclamation *Un fait de société : le patin à roulettes*	– les transformations du thème – écrire une lettre amicale *Des carnavals de province*	– l'organisation et la fonction du texte – exprimer un point de vue et donner des conseils *La gestion du temps*	– l'organisation chronologique d'un texte – écrire un récit *Histoire du rap en France*	– l'organisation spatiale – faire une description ordonnée *Une maison adaptée à la Provence*
Aspects Socio-culturels et civilisation	– le premier contact avec un petit village et le mode de vie de ses habitants – le contraste entre comportements de gens de milieux différents – deux grands chefs cuisiniers – la Côte d'Azur et l'art	– un village où tout le monde se connaît – les raisons d'une installation dans le Sud-Est – les activités d'un syndicat d'initiative – les monuments et les institutions de la République	– l'ouverture d'un restaurant – la composition d'un repas/un menu – des malaises et maladies – Strasbourg et l'Alsace	– les débuts difficiles d'un commerce – la création d'un mini cybercafé dans un village – les jeunes et Internet – la Bretagne	– recettes, comptes et bénéfices – le devis d'un artisan plombier – des rapports entre employés et employeurs – Montréal et le Québec	– Saint-Paul-de-Vence, un vieux village – une visite de maison à vendre – des rapports jeunes-parents – profession promoteur – des critiques de films – le Périgord et l'Aquitaine

CONTENUS

DOSSIER 7	DOSSIER 8	DOSSIER 9	DOSSIER 10	DOSSIER 11	DOSSIER 12
– commérages – projets de vacances – création d'un site pour un commerce – indignation suscitée par de fausses informations	– annonce d'une nouvelle inattendue – contribution des villageois à la préparation du vin d'honneur – à propos de l'absence d'un voisin	– discussion entre jeunes et prise de décision – hypothèses à propos d'un message – échange de conseils	– célébration d'un mariage – rappels de souvenirs personnels – explication entre mère et fille – conversations autour d'un verre – scène de réconciliation	– façon détournée de faire accepter un projet – hypothèses sur l'origine d'une panne – offre d'aide – critique d'art spontanée	– explications sur le jeu de pétanque – discours du président de l'Amicale des joueurs de pétanque – accueil d'un client de retour au restaurant – à propos d'une guérison – projets d'avenir
– s'indigner – faire des suggestions – faire des projets – exprimer qu'un fait futur est antérieur à un autre fait futur – demander et donner des informations	– marquer son étonnement – exprimer de l'inquiétude – faire une faveur – rassurer quelqu'un – mettre en valeur un élément de la phrase – exprimer la cause et la conséquence	– s'inquiéter de l'opinion de quelqu'un – reprendre un mot pour changer de sujet – faire une hypothèse – faire des hypothèses non réalisées dans le passé – exprimer des regrets – faire des reproches	– avoir une réaction indignée – essayer de savoir ce que l'autre pense – empêcher quelqu'un de parler – exprimer l'opposition et la concession – exprimer la possession	– tenir compte de l'avis de l'autre – atténuer une affirmation – approuver l'opinion de quelqu'un – modaliser l'expression de ses opinions, intentions, appréciations	– accueillir quelqu'un chaleureusement – interroger quelqu'un sur sa santé – faire des projets d'avenir
– le futur antérieur – les pronoms compléments doubles + en/y – l'infinitif et ses fonctions	– c'est.... qui / que... – des prépositions et des conjonctions de cause et de conséquence – le causatif faire + infinitif	– le conditionnel passé – si + plus-que-parfait, ... conditionnel passé – des adjectifs et des pronoms indéfinis	– les conjonctions alors que, tandis que, même si + indicatif, bien que, quoique + subjonctif – les adverbes cependant, au contraire, pourtant, toutefois, en revanche, par contre – des pronoms possessifs – les pronoms compléments d'objet indirect de personne	– des verbes dits modaux : savoir, devoir, pouvoir, vouloir + infinitif – des constructions impersonnelles – des adverbes de modalisation – des adjectifs de couleur invariables – les relatifs dont et lequel et ses composés	– les cas d'emploi des articles (révision) – des cas où l'article n'est pas employé – des adjectifs placés devant le nom – des adjectifs dont le sens change selon leur position par rapport au nom
les consonnes doubles	– l'intonation : s'inquiéter/rassurer – le [r]	– les liaisons – l'intonation du regret et du reproche	– l'accent d'insistance – l'intonation de l'opposition	– le h aspiré – l'accent d'insistance	– le e caduc – l'intonation de la joie et de l'enthousiasme
– la description – exposer des opinions et présenter un objet Le livre électronique	– les liens de cause/conséquence – présenter des réactions en chaîne Le dopage des sportifs	– le récit littéraire : événements et descriptions – écrire un récit Robinson Crusoé de Michel Tournier	– les modes de développement (opposition, comparaison, hypothèse) – analyser un sondage Les rapports homme-femme	– les procédés argumentatifs – exprimer des opinions et argumenter La rénovation de tableaux anciens	– la situation de communication – écrire une lettre de demande d'informations Une séance d'essais au technocentre Renault
– la découverte du port de Villefranche-sur-Mer – le développement de l'informatique – les Français et les médias – Bruxelles et la Belgique	– la fête au village et la préparation du vin d'honneur – la description de plats régionaux – le discours du maire – la Réunion et les DOM-TOM	– le lycée international de Sophia-Antipolis – la solidarité entre jeunes – un sondage sur les jeunes – la Bourgogne	– un mariage dans une petite mairie – une réception de mariage – l'évolution des mariages en France – la préparation d'une fête de mariage – le Nord-Pas-de-Calais	– à la brocante du cours Saleya à Nice – les causes possibles d'une panne de moteur – une exposition de tableaux – critique d'art et peinture moderne – des conseils pour éviter les accidents – Rhône-Alpes	– un concours de pétanque – une remise de prix – une critique gastronomique – Chambord et le Centre

PRÉSENTATIONS

Bernard Lemoine, 43 ans, informaticien de formation. Grand passionné de cuisine, il a suivi des cours chez les plus grands chefs et a décidé de quitter l'entreprise où il travaillait à Paris pour monter un restaurant.

Corinne Lemoine, 41 ans, a travaillé dans la publicité. Elle a encouragé son mari, Bernard, à changer de métier. Ils ont découvert ensemble le café restaurant Le Bellevue à Falicon, petit village

dans l'arrière-pays niçois, et ont décidé de s'y installer. Elle est très intéressée par tout ce qui touche la culture et en particulier la peinture.

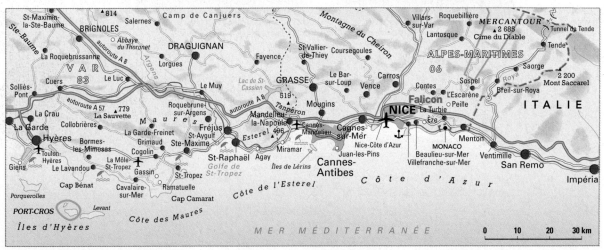

Laura Lemoine, la fille de Bernard et Corinne, entre en terminale L (section littéraire) au lycée de Sophia-Antipolis.

Joseph et Raymond, deux habitants de Falicon, sont à la retraite et passent une grande partie de leur temps, assis sur un banc, à observer et commenter la vie du village. Ils ont des caractères opposés mais sont inséparables.

François Larodé, 44 ans, veuf né dans le village, a repris la pépinière de son père. Il fait aussi partie du syndicat d'initiative.

épisode ①

1re PARTIE   # L'ARRIVÉE

2e PARTIE   # LA VISITE DU **RESTAURANT**

VOUS ALLEZ APPRENDRE À :

– interrompre une conversation
– faire un reproche
– exprimer des souhaits
– demander et exprimer des opinions et des appréciations
– donner des raisons pour justifier une opinion
– rassurer quelqu'un

VOUS ALLEZ RÉVISER :

– l'emploi des temps de l'indicatif
– *être en train de* + infinitif
– *aller* + infinitif
– *venir de* + infinitif

ET VOUS ALLEZ AUSSI :

– analyser et construire des paragraphes
– écrire une lettre officielle
– découvrir quelques aspects de la Côte d'Azur

Découvrez les situations

1 INTERPRÉTEZ LES PHOTOS.

1 Où se situe l'action ?
- **a** Dans une grande ville.
- **b** Dans un village.
- **c** Au bord de la mer.

2 À quel jeu jouent les hommes qui sont debout sur la place ?
- **a** Au tennis.
- **b** À la pétanque.
- **c** Au football.

3 À quelle région de la France associe-t-on ce jeu ?
- **a** Au Nord.
- **b** Au Sud.

4 Qui est assis sur le banc ?

5 En quelle saison sommes-nous ?

2 OBSERVEZ LES IMAGES.

Visionnez sans le son.

1 Décrivez la place du village et ce qu'il s'y passe.

2 Qu'est-ce qu'il y a sur la voiture qui arrive ?

3 Que font les deux nouveaux personnages devant le restaurant ?

4 Ils ont l'air : **a** inquiet ; **b** heureux ; **c** énervé.

3 FAITES DES HYPOTHÈSES.

1 Les nouveaux personnages sont-ils des touristes ? Qu'est-ce qu'ils viennent faire ?

2 Les deux hommes assis sur le banc regardent la voiture arriver. Qu'est-ce qu'ils disent ?

3 Pourquoi l'homme et la femme ont-ils l'air inquiet à la porte du restaurant ?

4 Pourquoi la jeune fille n'a pas l'air content ?

Observez l'action et les comportements

4 VÉRIFIEZ VOS HYPOTHÈSES.

Visionnez avec le son.

1 D'où viennent les Lemoine ?

2 Pourquoi sont-ils là ?

3 Dans quel domaine travaillait Bernard Lemoine ?

4 Avec qui Bernard et Corinne ont-ils rendez-vous ?

5 Pourquoi Laura n'est-elle pas contente ?

5 QUI DIT QUOI ?

Dites qui prononce ces phrases et trouvez la réplique suivante.

1 Tiens, des touristes ! En cette saison, c'est rare.

2 Qu'est-ce qui se passe ?

3 Si elle continue à faire cette tête, je vais vraiment me fâcher.

6 COMMENT L'EXPRIMENT-ILS ?

Dans les dialogues du feuilleton, trouvez :

1 une expression ironique (Joseph) ;

2 une façon de contredire quelqu'un (Raymond) ;

3 une prédiction (Joseph) ;

4 une demande de confirmation (Corinne).

7 REGARDEZ LES PHOTOS.

Décrivez les expressions des personnages et choisissez la phrase qui vous semble correspondre.

1 a S'il a vendu son restaurant, c'est justement parce qu'il ne marche pas bien.

b C'est vrai qu'il a encore de nombreux clients dans son restaurant.

2 a Tu as raison, on ne passe pas facilement de l'informatique à la restauration.

b Tu vois toujours le mauvais côté des choses…

3 a Je sais bien que ça ne va pas durer, on a le même caractère.

b De toute façon, même si elle n'est pas contente, ça ne change rien !

Sur la place d'un petit village pittoresque près de Nice, des hommes jouent à la pétanque. Deux hommes âgés, Raymond et Joseph, sont en train de discuter assis sur un banc. Une voiture chargée arrive et s'arrête sur la place.

JOSEPH   Tiens, des touristes ! En cette saison, c'est rare.

RAYMOND   C'est pas des touristes. C'est les Parisiens qui ont racheté le café-restaurant de Maurice.

JOSEPH   Eh, il a pas fait une mauvaise affaire, Maurice. Il y avait qu'un Parisien pour l'acheter.

Le restaurant est fermé.

CORINNE   Tu es sûr qu'on avait rendez-vous ici ?

BERNARD   Ben oui… oui, j'en suis sûr.

Laura, une adolescente de 18 ans, sort de la voiture, l'air mécontent.

LAURA   Qu'est-ce qui se passe ?

BERNARD   Il se passe, il se passe… que Maurice n'est pas là et que le restaurant est fermé !

LAURA   Eh ben, ça commence bien !

RAYMOND   Pourquoi tu dis ça, il ne marche pas si mal son restaurant… D'après Maurice, ce n'est pas un restaurateur. Il était dans l'informatique ou quelque chose comme ça.

JOSEPH   Il y retournera peut-être plus tôt que prévu, dans l'informatique !

Bernard et Corinne, les deux Parisiens qui ont acheté le restaurant, regardent à l'intérieur.

Elle repart.

BERNARD   Si elle continue à faire cette tête, je vais vraiment me fâcher.

CORINNE   Il faut la comprendre. Quitter Paris pour aller vivre dans un petit village où elle ne connaît personne… Mais ce n'est pas grave. Tu la connais, elle ne va pas faire la tête

LA VISITE DU

Découvrez les situations

1 OBSERVEZ LES IMAGES.

Visionnez sans le son.

1 Vers qui se dirige Bernard ?
2 Quelle heure est-il à l'horloge de l'église ?
3 Qui est l'homme que Corinne accueille ?
4 Comment est l'intérieur du restaurant ?
   Que font-ils ?

2 FAITES DES HYPOTHÈSES.

1 Pourquoi Bernard va-t-il parler à Raymond et Joseph ? Qu'est-ce qu'il peut leur demander ?
2 Joseph rit après avoir vu l'heure à l'horloge de l'église. Pourquoi ?
3 Raymond se lève pour parler à Bernard. Qu'est-ce qu'il peut lui demander ?
4 Pourquoi les tables et les chaises du restaurant sont-elles empilées les unes sur les autres ?
5 Laura sourit dans le restaurant. Pourquoi ?

Observez l'action et les comportements

3 VRAI OU FAUX ?

Visionnez avec le son.
Dites si c'est vrai ou faux et rétablissez la vérité.

1 Les Lemoine avaient rendez-vous à 13 h 30.
2 La fille de Maurice habite dans le village.
3 Bernard a oublié les clefs du restaurant.
4 Les jeunes du village fréquentent beaucoup le café.
5 Laura est déçue par le restaurant.

4 QU'EST-CE QU'ILS DISENT ?

Retrouvez les répliques.

1 Quelle réplique de Joseph montre que la notion de temps n'est pas la même à Paris et dans un village ?
2 Quelle(s) réplique(s) de Raymond nous fait/font deviner le caractère de Joseph ?
3 Bernard est fier de ses talents de cuisinier. Comment l'exprime-t-il ?
4 Que pense Joseph des grands chefs et de la nouvelle cuisine ?

5 CARACTÉRISEZ-LES.

Vous pensez que :

1 Joseph est : a râleur ; b ironique ; c amusant.
2 Raymond est :
   a gentil ; b sympathique ; c coléreux.
3 Corinne est :
   a souriante ; b désagréable ; c charmante.
4 Bernard est :
   a autoritaire ; b sympathique ; c fier.
5 Que pensez-vous de Laura ?

6 QU'EST-CE QU'ILS PENSENT ?

Regardez les photos, décrivez les expressions et imaginez ce qu'ils peuvent penser.

7 VOUS VOUS EN SOUVENEZ ?

Mettez les événements de l'épisode dans l'ordre.

a Maurice gare sa voiture devant son restaurant.
b Bernard se dirige vers le banc où sont assis Joseph et Raymond.
c Laura descend de voiture et fait la tête.
d Bernard et Corinne regardent à l'intérieur du restaurant.
e Joseph et Raymond font des commentaires sur les Parisiens.
f Maurice fait visiter le restaurant aux Lemoine.
g Les Lemoine arrivent au village.
h Raymond interroge Bernard sur ce qu'il faisait avant.

dossier

RESTAURANT

Bernard s'approche de Joseph et de Raymond.

BERNARD Bonjour, Messieurs… Excusez-moi de vous déranger, je suis le nouveau propriétaire du restaurant. Nous avions rendez-vous avec Maurice. Il n'est pas là. Vous ne savez pas où il est, par hasard ?

JOSEPH Vous aviez rendez-vous à quelle heure ?

BERNARD Ben… à 14 heures.

RAYMOND Qu'est-ce que tu peux être râleur ! Eh bien, moi, j'ai hâte de la goûter, votre cuisine.

JOSEPH Et notre café ? Qu'est-ce que vous allez en faire ?

BERNARD On a quelques petites idées… Il y a beaucoup de jeunes qui le fréquentent ?

RAYMOND Oh, les jeunes, ils préfèrent aller sur la côte. Mais si vous pouviez les faire

JOSEPH 2 heures et quart et vous appelez ça en retard ? Eh ben… On voit bien que vous êtes pas du pays, vous !

RAYMOND Il est allé déjeuner chez sa fille, à Nice. Il ne va pas tarder. C'est l'heure où il revient d'habitude. Mais, dites-moi, vous êtes le propriétaire… et vous n'avez pas les clefs ?

BERNARD Ben, on ne signe que demain. C'est le notaire qui nous remettra les clefs après la signature.

JOSEPH Ah, vous n'avez pas encore signé ! Alors, il a peut-être changé d'avis, Maurice.

RAYMOND Ne l'écoutez pas, c'est un farceur, mais il est pas méchant. Ne vous inquiétez pas. Il va venir, Maurice… *(Raymond se lève.)* Mais, dites, si c'est pas indiscret. On m'a dit que vous étiez dans l'informatique, c'est vrai, ça ?

BERNARD Oui. Je créais des logiciels pour une grande entreprise.

RAYMOND Eh… C'est loin de la cuisine, l'informatique.

BERNARD *(assez fier)* Mais j'ai suivi des cours chez les plus grands chefs.

JOSEPH Les grands chefs, avec leur nouvelle cuisine, ils ont trouvé le filon. Rien dans l'assiette et, après l'addition, plus rien dans le porte-monnaie. Comme ça, on se sent plus léger !

rester au village… Tiens ! voilà celui que vous attendiez.

CORINNE Ah ! Monsieur Constant, je suis contente de vous voir. On commençait à s'inquiéter.

MAURICE Bonjour, Madame Lemoine. Et pourquoi vous étiez inquiets ?

Bernard les rejoint.

BERNARD Pour rien, Maurice. Mais on est pressés de revoir notre restaurant.

MAURICE Eh bien, allons-y !

Maurice, Bernard et Corinne entrent dans le restaurant.

CORINNE C'est bien, hein ?

MAURICE Alors, ça vous plaît toujours autant ?

BERNARD Oui, c'est ce qu'il nous faut. C'est aussi ton avis, chérie ?

CORINNE Tout à fait. Et c'est vraiment très bien que la salle du restaurant et le café soient séparés.

MAURICE Et qu'est-ce que vous voulez faire de spécial dans le café ?

CORINNE Vous verrez…

LAURA Bonjour, Monsieur.

MAURICE Bonjour, Mademoiselle.

BERNARD Alors, ça te plaît ?

LAURA Hum… Pas mal. C'est plus grand que ce que je croyais. Vous m'embaucherez pendant les vacances ?

DÉCOUVREZ
LA GRAMMAIRE

Révision de l'emploi des temps

Le **présent** indique :
– une action en train de se faire :
Qu'est-ce qui se passe ?
– un état : *On se sent plus léger.*
– une action habituelle :
C'est l'heure où il revient d'habitude.
– une vérité générale :
Des touristes en cette saison, c'est rare.

❗ Avec *être en train de*, on peut insister sur le déroulement de l'action :
Joseph et Raymond sont en train de discuter.

1 À quoi sert le présent ?

Dites de quel emploi du présent il s'agit : action en train de se faire – état – action habituelle – vérité générale.

1 Ils mangent.
2 Ils mangent à midi.
3 Joseph est un râleur, mais il n'est pas méchant.
4 Ils arrivent.
5 Ils arrivent tous les jours à la même heure.
6 On mange quand on a faim.

2 Des vérités bien générales !

Vous êtes optimiste et votre voisin est pessimiste (ou le contraire). Chacun à votre tour, vous énoncez une vérité générale.

Exemple : Il fait bon vivre dans le Midi.
→ **Tu plaisantes ! Ils ont autant de problèmes que les autres !**

Le futur simple

Le futur exprime :
– **une probabilité** : *Le notaire nous remettra les clefs.*
– **une prédiction** : *Il y retournera peut-être plus tôt que prévu, dans l'informatique !*
– **une promesse** ou une demande de promesse : *Vous m'embaucherez ?*
– **un ordre** : *Vous étudierez cette leçon pour demain.*

❗ Autres manières d'exprimer le futur :
– *aller + infinitif* (futur proche et futur d'intention) : *Il va venir, Maurice.*
– *devoir au présent + infinitif* : *Il doit arriver aujourd'hui.*
– le présent suivi d'un adverbe de temps futur : *On ne signe que demain.*

3 Quelles sont les prédictions de Joseph ?

Quand il voit les Lemoine, Joseph pense qu'ils ne pourront pas réussir. Qu'est-ce qu'il prévoit que Bernard et Corinne ne sauront ou ne pourront pas faire ?

Exemple : Faire de la bonne cuisine.
→ **Ils ne sauront pas faire de la bonne cuisine.**

1 Se faire des amis.
2 Comprendre les besoins des gens.
3 S'adapter à la vie du village.
4 Garder la clientèle du restaurant de Maurice.
5 Rester dans la région.

4 Quel temps employer ?

Mettez les verbes entre parenthèses au temps et à la forme qui conviennent.

Les Américains et les Russes (être en train) de construire une station orbitale. Ils (avoir) déjà plusieurs modules dans l'espace. Ils (envoyer) plus de quarante navettes pour transporter les éléments de la station. Les astronautes (assembler) déjà ces éléments dans l'espace. On espère que la station (être) prête dans quelques années. Elle (servir) de base pour des expériences et de futures aventures. Ce (être) la plus grande réalisation du début du XXIe siècle.

DÉCOUVREZ
LA **GRAMMAIRE**

Révision de l'emploi des temps

• Le **passé composé** indique **une action passée présentée comme terminée** :
– Tu déjeunes avec moi ? – Non, j'ai (déjà) **déjeuné**.
Il n'a pas **fait** *une mauvaise affaire, Maurice.*

Il sert à rapporter des **événements** :
Les Lemoine **sont arrivés** *à 2 heures et ils* **ont attendu** *Maurice. Maurice* **est arrivé** *en retard.*

! On peut rapporter des événements passés récents avec **venir de + infinitif** :
Les Lemoine **viennent d'arriver**.

• **L'imparfait** ne situe pas le début ni la fin d'une action dans le passé.

– Il exprime des **circonstances** et des **états passés** :
Il **faisait** *beau et Joseph et Raymond* **parlaient** *sur le banc.*
– Il exprime également des **habitudes passées** :
Je **créais** *des logiciels dans une grande entreprise.*
– On peut exprimer un souhait avec **si + imparfait** :
Ah, **si j'avais** *de l'argent !*
Ah, **si vous pouviez** *les faire rester au village !*

---

⑤ Passé composé et imparfait.

Mettez les verbes au temps du passé qui convient.

Un étranger dans la ville.
Quand il (entrer) dans le café, les gens (discuter).
Un garçon (faire) le service. Un autre, derrière le bar, (préparer) des cafés et (parler) aux deux hommes qui (être) en face de lui. L'étranger (s'asseoir) et (se mettre) à lire un journal qui (cacher) son visage.
Un à un, les regards (se tourner) vers lui. On n'(avoir) pas l'habitude de voir un étranger pénétrer dans cette salle. Que (pouvoir)-t-il faire dans ce café ?

⑥ C'était avant !

Racontez au passé pourquoi les Lemoine ont décidé de venir au village. Mettez le texte suivant au passé.

Bernard travaille dans une grande entreprise. Il crée des logiciels. Mais il ne supporte plus la vie à Paris et les embouteillages pour aller au bureau. Sa femme et lui discutent longuement du problème et, un jour, ils décident de s'installer dans le sud de la France. Bernard suit des cours de cuisine : c'est sa passion. Ils ont quelques économies. Ils décident donc d'acheter un restaurant. Ils en parlent à leurs amis qui les encouragent à partir. Un jour, ils lisent une annonce intéressante : un restaurant est à vendre dans un village tout près de Nice. C'est peut-être une bonne occasion ! Ils viennent de Paris et ils font la connaissance de Maurice Constant, le propriétaire du restaurant à vendre. Le restaurant est bien situé avec une belle vue jusqu'à la mer. Ils prennent rapidement la décision d'acheter. Et voilà comment on devient restaurateur !

⑦ Passé récent ou futur proche ?

Répondez aux questions en utilisant soit **venir de** *+ infinitif, soit* **aller** *+ infinitif.*

1 – Il y a longtemps que les Lemoine sont arrivés ?
– Non…
2 – Maurice est très en retard ? – Non…
3 – Il y a longtemps que Bernard parle à Raymond et à Joseph ?
4 – Les Lemoine n'ont pas les clefs ?
5 – Est-ce que Laura a des projets pour ses vacances ?

⑧ Que souhaitent les gens ?

Des gens, interrogés dans la rue, ont formulé leurs souhaits avec ah, si + imparfait. Retrouvez ce qu'ils ont dit.

Exemple : Ils voulaient du travail pour tous.
➜ **Ah, s'il y avait du travail pour tous !**

1 Ne travailler que quatre jours par semaine.
2 Gagner davantage d'argent.
3 Vivre en paix.
4 Ne pas craindre l'avenir pour leurs enfants.
5 Avoir une société plus juste, etc.

L'intonation du reproche

En général, elle est caractérisée par un ton de voix élevé et un accent d'insistance.
Dans le cas des reproches commençant par **quel**, on met un accent d'insistance sur le nom ou l'adjectif qui exprime le reproche.

1 Reproches avec *quel* + (adjectif +) nom.

Prononcez ces reproches et comparez avec l'enregistrement.

1 Quel râleur tu fais !
2 Quel sale caractère tu as !
3 Quelle mauvaise impression tu donnes !
4 Quelles mauvaises manières tu as !
5 Quelle indifférence tu montres pour les autres !

2 Formulez des souhaits.

Formulez des souhaits commençant par
Ah, si nous... *à partir des expressions suivantes.*
Puis écoutez l'enregistrement.

Exemple : Connaître plus de gens.
→ **Ah, si nous connaissions plus de gens !**

1 Avoir plus d'amis.
2 Être plus riches.
3 Sortir plus souvent.
4 Pouvoir changer de voiture.
5 Ne pas être à la fin des vacances.

Visionnez les variations

1 EXCUSEZ-VOUS.

Jouez la scène suivante avec votre voisin(e) après avoir visionné la variation.
Vous êtes à la poste, à un guichet de banque ou de gare. Plusieurs personnes font la queue. Vous êtes pressé(e) et vous n'avez qu'un renseignement à demander. Vous interrompez poliment la conversation de la personne qui est au guichet. Vous posez votre question et vous vous excusez à nouveau.

2 ATTENDEZ LE BON MOMENT.

Vous avez quelque chose d'urgent à dire à une personne qui est en train de parler à quelqu'un. Vous interrompez la conversation.

Interrompre une conversation

1 Excusez-moi de vous ✓ déranger !
2 Je peux vous interrompre ?
3 Désolé de vous déranger, mais je peux vous parler une minute ?
4 Vous pouvez m'accorder un moment, s'il vous plaît ? — *très polit*

3 JAMAIS D'ACCORD !

Un(e) de vos ami(e)s critique tout : un livre que vous venez de lire, des gens, la mode...

Faire un reproche

1 Qu'est-ce que tu peux être râleur !
2 Quel mauvais caractère tu as !
3 Toujours en train de critiquer !
4 Tu ne trouves jamais rien de bien ! ✓

4 UN CONCOURS DE SOUHAITS.

Faites un concours de souhaits avec votre voisin(e). Trouvez d'autres façons d'exprimer vos souhaits.

Exprimer un souhait

1 Si vous pouviez les faire rester au village !
2 Si seulement on pouvait les faire rester au village !
3 S'ils pouvaient rester au village, ce serait bien !
4 Les faire rester au village, c'est tout ce qu'on demande ! ✓

dossier 1

1 DIALOGUE.

Joseph interroge Maurice sur les Parisiens. Est-ce que le restaurant leur plaît toujours ? Comment réagit leur fille ? Qu'est-ce qu'ils vont faire du café ?... Imaginez la conversation à deux et jouez la scène.

2 RENSEIGNEZ-VOUS.

Vous avez l'intention d'aller visiter le village de Falicon un dimanche. Mais vous ne savez pas très bien où c'est et vous téléphonez au syndicat d'initiative.
Jouez avec votre voisin(e) qui possède les renseignements ci-dessous. Demandez quelles sont les curiosités. Vous voulez savoir si vous pouvez y déjeuner, etc.

Nom du village : Falicon.
Situation : 7 km au nord de Nice,
au sommet d'une colline.
Altitude : 365 mètres.
Origine : ancien village fortifié,
entouré de remparts.

CURIOSITÉS :
– la chapelle Sainte-Croix date de 1619 ;
– l'église construite en 1624 avec sa façade peinte en trompe-l'œil ;
– petites rues typiques avec façades de maisons décorées ;
– magnifique panorama sur la région.

RESTAURANTS :
– Le Bellevue, sur la place Bellevue, où Jules Romains a écrit *La Douceur de vivre*, le volume 18 des *Hommes de bonne volonté* ;
– Le Thé de la reine, où la Reine Victoria venait prendre le thé au siècle dernier.

Départ de sentiers de randonnée.
Village jumelé avec Merchweiler en Allemagne.

3 L'INTERVIEW.

Lisez les questions, puis écoutez l'interview entre un journaliste et un chef et répondez.

1 Quel homme célèbre parlait déjà de *nouvelle cuisine* ?
2 Quand le concept a-t-il été remis à la mode en France ?
3 Pourquoi la nouvelle cuisine répondait-elle mieux aux souhaits de la clientèle de l'époque ?
4 Quels reproches a-t-on faits à la nouvelle cuisine ?

4 PORTRAIT TOQUÉ.

1 Écoutez l'enregistrement et prenez des notes.

1 Auguste Escoffier.
Date de naissance et de mort : ...
Lieu de naissance : ...
Âge du début d'apprentissage : ...
Lieu d'apprentissage : ...
Pays où il a vécu : ...
Récompense : ...
Influence et renommée : ...
2 Fernand Point.
Date et lieu de naissance : ...
Lieu d'apprentissage : ...
Nom du restaurant familial : ...
Originalité de la cuisine : ...
Influence et renommée : ...

2 Vous êtes journaliste d'une rubrique grande cuisine dans une radio locale. À partir de leurs courtes biographies, présentez les deux chefs.

5 JEU DE RÔLES.

Vous voulez vous installer en province. La cuisine, c'est votre passion. Vous cherchez à louer ou à acheter un restaurant.
Un(e) ami(e) essaie de vous montrer la difficulté de ce changement de vie et, à partir des petites annonces ci-dessous, vous décrit les risques et les dangers de l'entreprise. Vous lui expliquez vos raisons...

URGENT, à vendre, dans arrière-pays niçois, hôtel-restaurant 80 couverts, 25 chambres, belle exposition entre mer et montagne, travaux à prévoir, grand parc, piscine – écrire journal.

À VENDRE pour cause départ : restaurant-ferme en Auvergne, 30 couverts, dans lieu touristique proche de station de sports d'hiver, 3 chambres, vue sur montagne – écrire journal.

Douce France, cher pays de nos vacances[1]...

Temps de travail, durée des congés, temps libre…
Nous sommes au cœur d'un vrai débat de société.
Et nos vacances dans tout cela ?

DESTINATION FRANCE
Chaque année, le littoral français est occupé par 25 millions de visiteurs (français et étrangers).
La France est la première destination touristique au monde avec 67 millions de visiteurs étrangers en 1997.

Depuis une trentaine d'années, le nombre des vacanciers français a doublé et leurs habitudes se sont transformées. Les premiers congés payés[2], en 1936, étaient plus un effet d'annonce qu'un phénomène de masse. À l'époque, si on avait des jours de vacances, il fallait avoir les moyens de partir. Ce n'est qu'après la Libération[3] que le vacancier est entré dans la peau du personnage, rougi par ses premiers coups de soleil, une glacière dans une main, un parasol dans l'autre, photographié avec femme et enfants devant sa caravane. Aujourd'hui, le vacancier est devenu un professionnel, un consommateur qui s'évade souvent, quelle que soit la période de l'année, même si les mois de juillet et août restent les périodes les plus fréquentées.

Mais les destinations sont devenues plus proches, plus originales aussi. Quatre Français sur cinq ont choisi de rester en France en 1997, loin du bruit, du stress et de la pollution des villes. Selon un récent sondage, 35 % des Français privilégient la découverte de la nature pendant leurs vacances, même si un séjour à la mer, reposant et adapté aux enfants, séduit plus particulièrement les moins de 35 ans et les couples avec de jeunes enfants.

Les vacances à la campagne étaient hier les seules destinations possibles faute de moyens. Elles sont aujourd'hui devenues un vrai choix. « Pour beaucoup, écrit Jean Viard, sociologue au CNRS[4], la campagne donne l'image de traditions conservées, d'enracinement, l'image de la vraie France. » De plus, le vacancier, attentif à sa santé et à son bien-être, veut aller à son rythme, être libre dans un cadre naturel, en famille, et privilégie la qualité de la vie et des rapports avec les autres.

D'après un article
de Sylvie Moisy,
Club Camif
n° 10, avril 1999.

1. Le titre de l'article rappelle une chanson très populaire de Charles Trenet : « Douce France, cher pays de mon enfance ».
2. Congés payés : c'est en 1936 qu'une loi a imposé aux employeurs de donner des jours de vacances payés à leurs employés.
3. La Libération : la fin de la guerre de 1939-1945 et de l'occupation allemande.
4. CNRS : Centre national de la recherche scientifique.

1
dossier

ÉCRIT

1 QUEL EST LE SENS DES MOTS ?

Associez le mot et son équivalent de sens.

1 Au cœur de.
2 Un effet d'annonce.
3 Phénomène de masse.
4 Avoir les moyens.
5 Entrer dans la peau d'un personnage.
6 Séduire.

a Devenir vraiment un personnage.
b Avoir l'argent nécessaire.
c Attirer, avoir la préférence de.
d Fait qui concerne un très grand nombre de gens.
e Au centre de, en plein dans.
f Une façon d'annoncer ce qui allait se passer.

2 HIER ET AUJOURD'HUI.

Analysez le premier paragraphe.

1 Quelle est la phrase qui annonce le contenu et l'organisation du paragraphe (la phrase clef) ?
2 Relevez les expressions de temps. Combien de périodes sont évoquées ?
3 Quels types de vacanciers est-ce qu'on y oppose ?
4 Pourquoi n'y a-t-il pas de vacancier type pour la première période ?

3 DESTINATIONS.

Trouvez la phrase clef du deuxième paragraphe et remplissez le tableau ci-dessous.

Phrase clef : …	
Campagne/nature Raison : …	Mer Raison : …

4 EN RÉSUMÉ.

1 Sur quelles valeurs insiste la fin du troisième paragraphe ?
2 Résumez en une phrase chacun des trois paragraphes.
3 Résumez le texte en une phrase.

5 ET DANS VOTRE PAYS ?

Faites le point sur la situation dans votre pays. Pour écrire, inspirez-vous du texte que vous avez lu.

1 Faites une liste des idées que vous suggère le thème.
2 Organisez-les sous trois rubriques : historique, destinations actuelles, motivations des vacanciers.
3 Écrivez un texte de trois paragraphes en dix minutes.
4 Comparez avec ce qu'a fait votre voisin(e), puis, à deux, écrivez un nouveau texte reprenant les meilleures idées et les meilleures formulations des deux textes.

6 DEMANDER DES INFORMATIONS.

Complétez la lettre de demande d'informations suivante. Donnez toutes les précisions : nombre et âge des personnes, période de l'année, lieux de préférence, type de logement (maison, appartement), confort que vous désirez…

> Paris, le 5 février 1999
>
> *votre adresse*
>
> Orion (Club Camif)
> 66, rue de Villiers
> 92532 Levallois-Perret Cedex
>
> Monsieur,
> J'ai noté votre adresse dans le numéro « Spécial Voyages » du Club Camif où vous proposez en location, en page 15, « des studios ou appartements de qualité, tout équipés » pour des séjours de vacances.
> …
> Je vous remercie à l'avance de la suite que vous voudrez bien donner à cette demande d'informations.
> *Formule de politesse*
>   *Signature*

Lettre officielle
– Écrivez votre adresse en haut et à gauche et indiquez l'adresse de votre correspondant sous la date, en haut à droite.
– Formule initiale de politesse (si on ne sait pas si le destinataire est un homme ou une femme) : *Monsieur,*
– Choisissez une formule finale de politesse : *Veuillez agréer, Monsieur/Madame, l'expression de mes salutations distinguées.*
ou : *Veuillez croire, Monsieur/Madame, à l'expression de mes sentiments distingués.*

Un paradis pour les artistes

Le musée Matisse

Il est situé à Nice sur la colline de Cimiez, dans une villa italienne du XVIIe siècle. On y découvre les premières toiles du peintre, ses années niçoises et ses illustrations de livres.

Le musée Picasso à Antibes

Il est installé dans le magnifique château Grimaldi, construit au XVIe siècle, là où se trouvait un ancien camp romain. En 1946, le peintre y avait son atelier. À son départ, il donna à la ville la plupart des œuvres qu'il y avait réalisées.

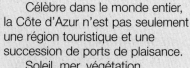

Célèbre dans le monde entier, la Côte d'Azur n'est pas seulement une région touristique et une succession de ports de plaisance.

Soleil, mer, végétation luxuriante... ces dons de la nature qu'offre la Côte d'Azur ont séduit de nombreux artistes éblouis par sa beauté.

Et, depuis plus d'un siècle, les plus grands maîtres de la peinture moderne y ont découvert lumière et couleurs : la Côte d'Azur est devenue un lieu privilégié pour les artistes.

En bord de mer ou dans l'arrière-pays, les artistes ont témoigné de leur présence.

Comme à Vence, où Matisse a décoré une chapelle dont nous apercevons le toit bleu vernissé et la flèche.

Ou à Villefranche-sur-Mer dont les vieilles rues gardent le souvenir d'un peintre-poète, nommé Jean Cocteau.

Tous les lieux nous rappellent que la région est aussi le berceau d'une tradition artisanale très ancienne. À Biot, des artisans-verriers créent sans cesse de nouvelles formes et de nouvelles couleurs.

À Saint-Paul-de-Vence, la fondation Maeght symbolise à elle seule cette harmonie entre l'art et la nature.

Les sculptures de Giacometti, de Miró, nous accueillent en toute liberté à l'ombre reposante des pins et des oliviers.

1 QUE SAVEZ-VOUS DE LA CÔTE D'AZUR ?

Avant de visionner la séquence, répondez à ces questions.

1 Où est située la Côte d'Azur ?
2 Pourquoi est-elle célèbre ?
   Qu'est-ce qu'elle évoque pour vous ?
3 Quels artistes associez-vous à la Côte d'Azur ?
   a Des peintres. b Des écrivains. c Des sculpteurs.

2 QU'EST-CE QUE VOUS AVEZ VU ?

Visionnez la séquence, puis dites ce que vous avez vu et dans quel ordre.

a La chapelle Matisse à Vence.
b Les vieilles rues de Villefranche-sur-Mer.
c La chapelle décorée par Jean Cocteau.
d Des créations des artisans verriers de Biot.
e Des sculptures dans un parc.
f La côte et des villes de la côte.
g Des ports de plaisance.
h La ville de Nice.

dossier **1**

La Côte d'Azur, c'est aussi...

Une des régions les plus ensoleillées de France.
Plus d'un million de personnes vivent sur la côte entre Menton et Cannes et ce nombre est
deux fois plus grand en été. L'aéroport de Nice accueille 7 millions de passagers par an !
La Côte d'Azur est l'endroit choisi pour l'organisation de nombreux festivals, dont ceux de
jazz à Nice et à Juan-les-Pins. La partie située entre Menton et Cannes se nomme « Riviera ».

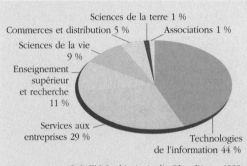

Sciences de la terre 1 %
Commerces et distribution 5 %   Associations 1 %
Sciences de la vie 9 %
Enseignement supérieur et recherche 11 %
Services aux entreprises 29 %
Technologies de l'information 44 %

© SAEM Sophia-Antipolis Côte d'Azur, 1999.

Sophia-Antipolis

La Côte d'Azur, c'est aussi le parc de Sophia-Antipolis, situé entre Valbonne et Antibes sur 2 300 hectares, soit le quart de la surface de Paris, et qui continue à se développer. Plus de 1 200 entreprises françaises et étrangères et plusieurs centres de recherche en télécommunication et en haute technologie s'y sont implantés depuis une trentaine d'années pour créer une « Silicon valley » à la française. Les entreprises emploient 14 000 ingénieurs et techniciens de 63 nationalités.

Le Festival de Cannes

Le Festival international du film à Cannes a fêté ses 50 ans en 1996. En un demi-siècle, le festival est devenu l'événement mondial du cinéma qui attire l'ensemble de la profession. Pendant deux semaines en mai, toutes les télévisions du monde ont leurs caméras tournées vers la Croisette et la montée des marches du palais des Festivals. On projette plus de cinq cents longs métrages et on vient vendre ou acheter un peu de rêve dans cet immense marché du septième art.

Des villages fortifiés

Eze.

Dans l'arrière-pays niçois, on trouve de vieux villages très pittoresques.

Pendant tout le Moyen Âge et la Renaissance, pour se protéger pendant les guerres, les paysans construisaient leurs maisons au sommet de collines et les entouraient de remparts. Bâtis avec la pierre de la colline, ils se confondaient presque avec elle comme à Coarazé, à Eze, à Peille, à Falicon… On ne peut aller dans les petites rues en pente de ces villages qu'à pied. Elles sont coupées d'escaliers, elles passent sous des voûtes. Les maisons entourent l'église et, souvent, le château qui les domine. Parfois, des remparts entourent encore ces villages et c'est par une porte fortifiée qu'on y entre.

1 EN BREF.

1 De nombreux touristes vont sur la Côte d'Azur. Donnez quatre raisons qui expliquent cet intérêt.
2 Quel est l'intérêt de Sophia-Antipolis pour la région ?
3 Qu'est-ce qui fait l'originalité des vieux villages de l'arrière-pays niçois ?

2 DÉBAT.

Y a-t-il un ou plusieurs festivals consacrés au cinéma dans votre pays ?
Y a-t-il d'autres festivals. Lesquels ?
Quels festivals pensez-vous qu'il faudrait créer pour mieux faire connaître votre art et votre culture ?

dossier 1

LITTÉRATURE

P.C.
Action specifique
- un fois

imparfait
-descriptif

Un paysage méditerranéen : la plage d'Alger

Le héros de « L'Étranger », Meursault, va se promener, un dimanche, avec son amie Marie sur une plage d'Alger. Il raconte.

Nous sommes descendus dans la banlieue d'Alger. La plage n'est pas loin de l'arrêt d'autobus. Mais il a fallu traverser un petit plateau[1] qui domine la mer et qui dévale[2] ensuite vers la plage. Il était couvert de pierres jaunâtres et d'asphodèles[3] tout blancs sur le bleu déjà dur du ciel. [...] Nous avons marché entre des files de petites villas à barrières vertes ou blanches, quelques-unes enfouies avec leurs vérandas[4] sous les tamaris[5], quelques autres nues au milieu des pierres. Avant d'arriver au bord du plateau, on pouvait voir déjà la mer immobile [...]. Un léger bruit de moteur est monté dans l'air calme jusqu'à nous. Et nous avons vu, très loin, un petit chalutier[6] qui avançait, imperceptiblement, sur la mer éclatante. Marie a cueilli quelques iris[7] de roche. De la pente qui descendait vers la mer nous avons vu qu'il y avait déjà quelques baigneurs.

L'ami de Raymond habitait un petit cabanon de bois à l'extrémité de la plage. La maison était adossée à des rochers et les pilotis[8] qui la soutenaient sur le devant baignaient déjà dans l'eau.

Albert Camus, *L'Étranger*, © éd. Gallimard.

1. Plateau : terrain plat sur une hauteur.
2. Dévaler : descendre rapidement.
3. Asphodèle (masc.) : plante à fleurs blanches.
4. Véranda : pièce ou balcon vitré pour laisser passer la lumière et le soleil.
5. Tamaris : petit arbre aux fleurs roses.
6. Chalutier : bateau de pêche.
7. Iris : plante à grandes fleurs blanches, bleues ou violettes.
8. Pilotis : longues pièces de bois qu'on fixe dans le sol pour soutenir des constructions, le plus souvent au-dessus de l'eau.

1 UN PAYSAGE MÉDITERRANÉEN.

1 Que décrit ce passage de *L'Étranger* : une promenade ou un paysage ?
2 Combien y a-t-il d'indications de couleurs ? Faites-en la liste.
3 Quelles sont les couleurs dominantes ?

2 UNE IMPRESSION.

1 Relevez les verbes de mouvement.
2 À quel aspect du paysage s'opposent-ils ? Relevez les noms et les adjectifs qui évoquent la tranquillité, l'immobilité.
3 Recherchez des contrastes.
4 Quelle est l'impression générale ?

3 DÉCRIVEZ UNE SCÈNE COMPARABLE.

Pensez à un paysage de votre pays et décrivez-le.

dossier 1

épisode ②

1ʳᵉ PARTIE QUEL **BUFFET** !

2ᵉ PARTIE UN NOUVEL **AMI**

VOUS ALLEZ APPRENDRE À :

– demander et proposer de l'aide / un service
– faire une invitation / accepter
– faire une invitation / refuser
– exprimer des opinions
– faire des reproches
– exprimer des doutes et des craintes
– exprimer des souhaits et des sentiments

VOUS ALLEZ UTILISER :

– le subjonctif (révision)
– des conjonctions suivies du subjonctif
– *sans* + nom ou infinitif
– des adverbes en *–ment*

ET VOUS ALLEZ AUSSI :

– repérer les échos internes dans un texte
– écrire une lettre de réclamation

– découvrir les monuments et les institutions
de la République française

Découvrez les situations

1 INTERPRÉTEZ LES PHOTOS ET FAITES DES HYPOTHÈSES.

1 Qui est l'homme appuyé contre le buffet ?
2 Que fait le personnage à côté de Raymond ?
3 Qui est la dame qui apparaît à sa fenêtre ?
4 Qu'est-ce que Bernard et les autres hommes sont en train de faire ?

2 OBSERVEZ ET FAITES DES HYPOTHÈSES.

Visionnez sans le son.

1 Qu'est-ce qui se passe chez les Lemoine ? Qu'est-ce qui le montre ?
2 Qu'est-ce qui a l'air de poser un problème ? Pourquoi ?
3 Où habite Angèle, la femme qui ouvre la fenêtre ?
4 Que peut lui demander l'homme qui l'appelle ?
5 Pourquoi Angèle est-elle à côté du buffet ?

Observez l'action et les comportements

3 VRAI OU FAUX ?

Visionnez avec le son. Dites si ces affirmations sont vraies ou fausses. Rétablissez la vérité si nécessaire.

1 Le buffet de Corinne a plus de 200 ans.
2 Elle l'a acheté chez un antiquaire.
3 Le démonter n'est pas un problème.
4 François est l'un des déménageurs.
5 Joseph ne fait pas de remarque ironique à François.
6 Le buffet ne peut pas passer par la terrasse d'Angèle.

4 QU'EST-CE QU'ILS DISENT ?

Regardez les photos et retrouvez les répliques.

5 COMMENT SE COMPORTENT-ILS ?

1 Le déménageur n'est pas content. Qu'est-ce qui le montre dans ses gestes, ses expressions, son comportement, le ton de sa voix ?
2 Qu'apprend-on de nouveau sur le caractère de Corinne ? (Plusieurs réponses sont possibles.) Elle est :
   a Peureuse. **b** Autoritaire. **c** Timide.
   d Obstinée. **e** Sentimentale.
3 Quel ton a-t-elle ?
   a Aimable. **b** Hésitant. **c** Sec.
4 Angèle change de sentiment au cours de l'action. Comment se marque ce changement d'attitude et quelle en est la cause ?

6 COMMENT EST-CE QU'ILS L'EXPRIMENT ?

Associez ces répliques au bon acte de parole et trouvez une façon de le dire autrement.

1 JOSEPH : Elle a raison, Madame Lemoine. C'est fragile, ces vieux meubles.
   a Accepter.
   b Être d'accord avec quelqu'un.
   c Informer.
2 ANGÈLE : Mais avec plaisir. Qu'est-ce que je peux faire ?
   a Offrir de l'aide. **b** Refuser. **c** Regretter.
3 ANGÈLE : Pourvu qu'ils ne cassent rien !...
   a Faire une supposition.
   b Exprimer de l'inquiétude.
   c Exprimer son désaccord.

BUFFET !

Un camion de déménagement est arrêté sur la place. Un gros buffet est sur le trottoir. Corinne parle avec l'un des déménageurs. Raymond s'approche d'eux.

RAYMOND	Bonjour, Madame Lemoine.
CORINNE	Doucement !
RAYMOND	Alors, elle vous plaît cette maison ?
CORINNE	Oui. Elle a beaucoup de charme.
RAYMOND	Dites, vous avez un beau buffet.
CORINNE	Oui, oui. Il était à ma grand-mère et j'y tiens beaucoup… Mais il y a un problème. Pour qu'il passe par

FRANÇOIS	Il est bien beau, votre buffet. Mais j'ai peur qu'il ne passe pas, même sans les portes.
JOSEPH	Heureusement que tu le dis. On s'en était pas aperçus !
FRANÇOIS	Et pourquoi vous ne passez pas par chez Angèle ? Et après, vous passez par les terrasses…
JOSEPH	Finalement, c'est peut-être bien que tu sois là.

François appelle la voisine.

FRANÇOIS	Angèle ! Angèle !

	la porte, il faut le démonter et, ça, pas question !
LE DÉMÉNAGEUR	Il ne passe pas par la porte. Il ne passe pas par la fenêtre. Et vous ne voulez pas qu'on le démonte. Et, moi, je ne suis pas le bon Dieu !
RAYMOND	Et pourquoi vous ne voulez pas le démonter ?
CORINNE	Parce qu'il a plus de cent ans et je ne veux pas qu'on l'abîme.

Joseph arrive.

JOSEPH	Elle a raison, Madame Lemoine. C'est fragile, ces vieux meubles. Tu retires la porte, les côtés, une planche, une deuxième, et ils tombent en morceaux. Et après, il te reste du petit bois pour allumer le feu.
RAYMOND	Il faut toujours que tu exagères et que tu fasses peur aux gens !
LE DÉMÉNAGEUR	En tout cas, moi, je n'ai pas l'intention de coucher ici. Alors vous prenez une décision : ou je le laisse dehors, ou je le démonte.

Un nouveau personnage, François, se joint au groupe.

Une femme d'un certain âge ouvre une fenêtre.

ANGÈLE	Eh bonjour, François !
FRANÇOIS	Bonjour, Angèle. Est-ce que tu peux rendre un petit service à Mme Lemoine ?
ANGÈLE	Mais avec plaisir. Qu'est-ce que je peux faire ?
FRANÇOIS	Pour qu'on rentre le buffet sans le démonter, il faut passer par chez toi.
ANGÈLE	Devant, ça passera pas. Mais, par-derrière, pas de problème. Je descends.

Le déménageur, François et Bernard soulèvent le buffet. Angèle est inquiète.

ANGÈLE	Attention ! Doucement… Attention ! Oh, la, la, la la, la la…

Angèle s'approche de Joseph.

JOSEPH	Moi, je ne crois pas qu'ils puissent y arriver.
ANGÈLE	Je ne sais pas si j'ai eu raison de les laisser passer par ma terrasse. Pourvu qu'ils ne cassent rien !…
JOSEPH	Finalement, ce buffet, je ne pense pas qu'il aille avec le style du pays.

Découvrez les situations

1 OBSERVEZ LES IMAGES.

Visionnez sans le son.

1 Quelles personnes sont parties ?
2 À quel moment de la journée se déroule l'action ?
3 Où se trouve le buffet ?
4 Que fait François chez les Lemoine ?

2 FAITES DES HYPOTHÈSES.

À qui attribuez-vous ces répliques ? Et à quel moment de l'épisode ?

1 Si vous revenez dans le village, passez nous voir au café.
2 Entre voisins, il faut s'entraider.
3 Évidemment. Mais vivre dans une belle région, ça aide…
4 Avec tous ces beaux projets, vous n'allez pas vous ennuyer.

Observez l'action et les comportements

3 QUELLES SONT LEURS MOTIVATIONS ?

Visionnez avec le son.
Les Lemoine sont venus s'installer dans le Midi pour différentes raisons. Lesquelles ?

1 Ils ne supportaient plus les embouteillages.
2 Il y a du soleil.
3 Laura veut faire ses études à Nice.
4 La vie est plus calme.
5 Corinne a de la famille dans la région.
6 Bernard rêvait de monter un restaurant.
7 Paris est devenu trop cher.
8 Les rapports avec les gens sont plus chaleureux.

4 TROUVEZ LA RÉPLIQUE PRÉCÉDENTE.

1 BERNARD : Justement, c'est pour changer.
2 FRANÇOIS : On a aussi nos problèmes, vous savez.
3 CORINNE : Pas de la cuisine, en tout cas !
4 CORINNE : Oui, attends, je viens t'aider.

5 COMMENT EST-CE QU'ILS L'EXPRIMENT ?

Trouvez dans les dialogues…

1 un remerciement et un compliment ;
2 une invitation ;
3 une acceptation ;
4 une demande d'information personnelle.

6 REGARDEZ LES PHOTOS.

Regardez les expressions et/ou les gestes des personnages. Dites ce qu'ils expriment et retrouvez les répliques.

7 VOUS VOUS EN SOUVENEZ ?

Enlevez les événements qu'on n'a pas vus.
Mettez les autres dans l'ordre et faites un résumé de l'épisode.

1 Bernard veut changer le buffet de place.
2 François reste à dîner chez les Lemoine.
3 Les déménageurs ont cassé quelque chose chez Angèle.
4 Corinne a refusé qu'on démonte le buffet.
5 Bernard et Corinne ont invité François à prendre un verre.
6 François a demandé à Angèle s'ils pouvaient passer par sa terrasse.
7 Le buffet ne pouvait pas passer par la porte.
8 Joseph pense que le buffet ne va pas avec le style du pays.
9 Le buffet est resté devant le restaurant.
10 Angèle a accepté que les déménageurs passent par sa terrasse.
11 Laura et Corinne rangent la vaisselle dans le buffet.

dossier 2

AMI

Quelques heures plus tard... François, Corinne et Bernard disent au revoir au déménageur.

LE DÉMÉNAGEUR	Allez, au revoir.
FRANÇOIS	Au revoir.
LE DÉMÉNAGEUR	Au revoir, Madame.
CORINNE	Au revoir.
BERNARD	Merci, vous avez fait du bon boulot.
LE DÉMÉNAGEUR	(souriant) Je ne vous dis pas à la prochaine, hein...

FRANÇOIS	Et vous aussi, Madame, vous allez vous en occuper de ce restaurant ?
CORINNE	Pas de la cuisine, en tout cas ! Je voudrais surtout m'occuper du café, le transformer, rajeunir un peu la clientèle, en faire un lieu de rencontres où il se passe des choses.
FRANÇOIS	Avec tous ces beaux projets, vous n'allez pas vous ennuyer. Si je peux

CORINNE	Pourquoi pas ? Si vous revenez dans le village, passez nous voir au café.
LE DÉMÉNAGEUR	Alors ça, je ne dis pas non !

Le camion démarre. Corinne, Bernard et François le regardent partir.

BERNARD	(à François) Venez prendre un verre, vous l'avez bien mérité. Sans vous, le buffet restait dehors.
FRANÇOIS	Entre voisins, il faut s'entraider. Mais je prendrai bien un verre.

François, Bernard et Corinne sont dans le salon qui n'est pas encore installé.

FRANÇOIS	Je ne veux pas être indiscret, mais pourquoi avez-vous choisi cette région ? Ça va vous changer de Paris !
BERNARD	Justement, c'est pour changer. Et puis, il y a le soleil, une vie plus calme, des rapports chaleureux avec les gens...
FRANÇOIS	On a aussi nos problèmes, vous savez. Il ne faut pas croire que tout est toujours rose ici.
CORINNE	Évidemment. Mais vivre dans une belle région, ça aide... Et puis, mon mari rêvait de monter un restaurant.

	vous aider... Je connais tout le monde, ici. Je suis né dans le village et j'ai repris la pépinière de mon père. Et je suis aussi bénévole au syndicat d'initiative.
CORINNE	Ah oui ! Et vous organisez des manifestations culturelles ?
FRANÇOIS	Mais oui, des concerts, des rencontres avec des artistes... Il faudra que vous passiez nous voir.
CORINNE	Bien sûr, dès que je pourrai...

Laura interrompt la conversation.

LAURA	Maman ?
CORINNE	Oui ?
LAURA	La vaisselle, je la range dans le buffet ?
CORINNE	Oui, attends, je viens t'aider. Si vous voulez bien m'excuser...

Corinne s'éloigne.

BERNARD	Vous savez, il avait peut-être raison, Joseph... Je ne crois pas que ce buffet soit bien à sa place, dans le salon. Si on le mettait au rez-de-chaussée ?

Corinne entend et avance vers Bernard, furieuse.

CORINNE	Ah non, les déménagements, ça suffit, hein !

DÉCOUVREZ LA GRAMMAIRE

Révision : le subjonctif

• **Formation**
– Les deux premières personnes du subjonctif pluriel ont la même forme que celles de l'imparfait :
*Il faut que vous **veniez**.*
– Les quatre autres personnes se forment sur le radical de la troisième personne du pluriel du présent des verbes : *vienn-, boiv-, peign-…*
*Il faut qu'ils **viennent** et qu'ils **voient** ce village.*
– Les terminaisons sont régulières : ***-e, -es, -e, -ions, -iez, -ent**.*

▌ Formes irrégulières :
Que je sois, que j'aie, que je puisse,
que je veuille, que j'aille, que je fasse,
que je sache, que ça vaille, qu'il faille.

• **Emplois du subjonctif**
Le subjonctif s'emploie dans une proposition subordonnée après des verbes qui expriment :
– **la volonté** et le **souhait** :
*Je ne veux pas qu'on l'**abîme**.*
– **l'obligation** :
*Il est nécessaire que vous **passiez** nous voir.*
– **le doute** :
*Je ne crois pas qu'ils **puissent** y arriver.*
– **le sentiment et l'appréciation** :
*Je suis content qu'il **soit** là.*
– **la probabilité** :
*Il est possible qu'il **vienne**.*

◼ Quels sont les subjonctifs ?

Écoutez et dites quelles sont les propositions subordonnées qui ont un verbe au subjonctif.

◼ Elle fait des souhaits.

Cette femme n'est pas heureuse. Dites ce qu'elle voudrait.

> *Exemple :* Son mari ne lui fait que des critiques.
> ➜ **Elle voudrait que son mari ne lui fasse pas de critiques.**

1 Son fils n'est pas souvent à la maison.
2 Sa sœur ne vient jamais la voir.
3 Ses amis ne peuvent pas lui rendre visite.
4 Nous ne lui parlons pas assez souvent.
5 Vous ne lui écrivez pas.

◼ Exprimez des doutes.

Vous ne pensez pas que ces informations sur les habitudes culturelles des Français soient vraies.

> *Exemple :* **Je doute que 30 personnes sur 100 visitent des monuments dans l'année.**

En 1997, sur 100 personnes de 15 ans et plus :

• 30 personnes ont visité un monument ;
• 28 personnes sont allées dans un musée d'art moderne et contemporain ;
• 21 personnes sont inscrites dans une bibliothèque ;
• 74 personnes ont lu au moins un livre ;
• 13 personnes sont abonnées à un club de lecture ;
• 16 personnes ont vu une pièce de théâtre.

Ministère de la culture, « statistiques de la culture – chiffres-clés 1998 » – la Documentation française – Paris 1999.

L'infinitif

• Lorsque **le sujet est le même pour les deux verbes**, le deuxième verbe se met à l'infinitif :
*Il ne veut pas **démonter** le buffet.*
• On emploie aussi l'infinitif **après un verbe impersonnel** dans les formules à valeur générale :
*Il faut **s'entraider**.*
*Il ne faut pas **croire** tout ce qu'on vous dit.*

◼ Infinitif ou subjonctif ?

> *Exemple :* LE DÉMÉNAGEUR : Je veux (le démonter).
> ➜ **Je veux le démonter.**
>
> CORINNE : Mais, moi, je ne veux pas…
> ➜ **Je ne veux pas qu'on le démonte.**

1 JOSEPH : J'aime (faire peur aux gens).
RAYMOND : Mais moi, je n'aime pas que tu…
2 FRANÇOIS : Je veux que tu (rendre un service) à Mme Lemoine.
ANGÈLE : Moi aussi,…
3 LE DÉMÉNAGEUR : J'ai peur de (ne pas y arriver).
ANGÈLE : Moi aussi, j'ai peur que vous…
4 BERNARD : Ça nous ferait plaisir que vous (revenir).
LE DÉMÉNAGEUR : À moi aussi,…

dossier 2

La préposition *sans*

Sans peut être suivi :
– d'un nom avec ou sans article :
Sans doute, **sans** l'ombre d'un doute.
Je le ferai, **sans** faute. Cette situation est **sans** espoir.
– d'un infinitif :
Restez ici **sans** parler et **sans** bouger.

5 *Sans* + infinitif.

Elle n'arrête pas de critiquer son mari. Transformez les phrases comme dans l'exemple.

> **Exemple :** Il rentre à la maison et il ne dit même pas bonjour.
> → **Il rentre à la maison sans dire bonjour.**

1 Il mange tout ce que je prépare, mais il ne fait jamais de compliments.
2 Il me parle, mais il ne me regarde jamais.
3 Il allume la télévision, mais il ne me demande jamais ce que je veux voir.
4 Il invite des gens et il ne me le dit pas.

Formation des adverbes en *-ment*

Avec + nom équivaut dans certains cas à l'adverbe en *-ment*, formé en général sur le féminin de l'adjectif correspondant au nom :
Avec calme = calmement, avec joie = joyeusement, avec discrétion = discrètement.

> ! Attention aux adverbes formés sur les adjectifs masculins terminés en *-ent* et *-ant*. Ils prennent deux *m* :
> *Avec patience (patient) = patiemment*, et aussi *évidemment, méchamment...*

6 Adverbes en *-ment*.

Transformez l'expression introduite par **avec** en adverbe.

> **Exemple :** Il agit avec intelligence.
> → **Il agit intelligemment.**

1 Elle parle avec douceur.
2 Ils marchent avec lenteur.
3 Ils agissent avec timidité.
4 Ils se conduisent avec sérieux.
5 Il conduit avec prudence.
6 Il reçoit les félicitations avec simplicité.

Conjonctions suivies du subjonctif

Le subjonctif s'emploie après certaines conjonctions : *pour que, afin que, pourvu que, avant que, à condition que, à moins que, jusqu'à ce que, bien que.*
Pourvu qu'ils ne cassent rien ! (Souhait.)
Je reste ici jusqu'à ce que vous reveniez. (Temps.)
Le buffet ne passera pas à moins que vous le démontiez. (Restriction.)
Il passera à condition que vous le démontiez. (Condition : si vous le démontez.)

7 Conjonctions suivies du subjonctif.

Transformez les phrases pour utiliser une conjonction suivie du subjonctif.

> **Exemple :** Pour faire venir les jeunes, il faut leur proposer ce qui les intéresse.
> → **Les jeunes viendront à condition qu'on leur propose ce qui les intéresse.**

1 Pour faire passer le buffet par les terrasses, il faut demander la permission à Angèle.
2 Ils passeront par la terrasse. Sinon, le buffet ne pourra pas entrer.
3 Le déménageur va partir, mais tous les meubles seront en place avant.
4 Ils iront se coucher quand tout sera en ordre.
5 S'il n'y a pas de nouveaux problèmes, tout sera prêt pour l'ouverture.

Sons et Lettres

L'intonation du refus

Elle varie du ton aimable au ton plus sec selon la force du refus.

1 Faites un refus aimable.

Lisez la question. Refusez aimablement et donnez une raison. Puis écoutez l'enregistrement.

Exemple : – Je vous raccompagne ?
→ **– Non, merci. Ce n'est pas nécessaire.**

1 – Vous prendrez bien quelque chose ?
2 – Je peux vous aider ?
3 – Laissez-moi porter votre valise.
4 – Vous voulez que je vous montre le village ?
5 – Je vous appelle un taxi ?

2 Refusez avec force.

Votre voisin(e) vous demande avec insistance quelque chose que vous ne voulez pas faire. Écoutez puis jouez les phrases suivantes à deux.

1 – Je vous le demande encore une fois. Donnez-moi votre accord. – Non, c'est non !
2 – J'insiste pour que vous veniez.
   – Je vous ai dit non !
3 – Il ne faut absolument pas que vous lui téléphoniez.
   – Je ferai ce qu'il me plaît !
4 – Je vous en prie, prêtez-moi votre voiture.
   – Certainement pas !
5 – Pour la dernière fois, je vous demande d'aller leur parler.
   – Il n'en est pas question !

Visionnez les variations

1 AIDEZ-LES.

1 Un(e) de vos ami(e)s doit déménager. Il/elle souhaite que vous l'aidiez. Il/elle vous explique ce qu'il attend de vous. Vous acceptez mais à une condition…

2 Vous demandez le même service pour quelqu'un d'autre.

Demander de l'aide ou un service

1 – Est-ce que tu peux rendre un petit service à Mme Lemoine ?
   – Mais avec plaisir. Qu'est-ce que je peux faire ?
2 – Je peux te demander quelque chose ? C'est pour Mme Lemoine.
   – Mais oui, je t'écoute.
3 – Ça t'ennuierait de rendre service à Mme Lemoine ?
   – Mais non, bien au contraire.
4 – Si tu pouvais aider Mme Lemoine…
   – Pas de problème.

2 INVITEZ-LES.

1 Quelqu'un vous a aidé(e) et vous l'invitez à prendre un verre ou à déjeuner.

1 Il/elle accepte.
2 Il/elle refuse et vous dit pourquoi. Vous insistez…

2 Vous avez des places de théâtre, concert, football… en trop. Vous invitez des ami(e)s à venir avec vous. Ils/elles refusent et vous disent pourquoi.

Faire une invitation, accepter

1 – Venez prendre un verre, vous l'avez bien mérité.
   – Alors, ça, je ne dis pas non !
2 – Vous prendrez bien un verre ?
   – Ce n'est pas de refus.
3 – Je vous offre quelque chose à boire ?
   – Oui, avec plaisir.
4 – Vous accepterez bien un verre ?
   – Mais oui, ça ne se refuse pas.

Faire une invitation, refuser

1 – Venez prendre un verre, vous l'avez bien mérité.
   – Non, merci, je suis pressé.
2 – Vous prendrez bien un verre ?
   – Non, je vous remercie. Il faut que je parte.
3 – Je vous offre quelque chose à boire ?
   – C'est gentil à vous, mais on m'attend.
4 – Vous accepterez bien un verre ?
   – Merci, pas maintenant. Une autre fois, peut-être.

COMMUNIQUEZ

1 DIALOGUE.

Les déménageurs passent par la maison, puis par la terrasse d'Angèle. Angèle et Joseph suivent les opérations. Elle est très inquiète. Imaginez leur conversation et jouez la scène.

2 LE SYNDICAT D'INITIATIVE.

Écoutez l'entretien avec un responsable de syndicat d'initiative et répondez aux questions.

1 Où se trouvent les syndicats d'initiative ?
2 Quelle est la fonction d'un syndicat d'initiative ?
3 Les personnes qui s'en occupent sont le plus souvent :
   a des employés municipaux ; b des bénévoles.
4 Dans un office de tourisme, les responsables sont :
   a des bénévoles ; b des salariés.
5 Les bénévoles des syndicats d'initiative sont :
   a des gens motivés ;
   b des amateurs peu efficaces.

3 JEU DE RÔLES.

Vous travaillez à l'office du tourisme de Nice et de la région. Des touristes viennent se renseigner. Aidez-les à choisir leurs activités :

1 un jeune couple passionné de musique ;
2 un couple âgé qui s'intéresse à l'artisanat ;
3 un amateur de vieux villages.

Nice et sa région

À VISITER
Visitez gratuitement toute l'année
les trois parfumeries de Grasse.
Admirez les poteries et les céramiques de Vallauris.
Assistez au travail du verre à Biot.

Les parfumeries de Grasse.

À ÉCOUTER
Festival de jazz de Cimiez à Nice en juillet.
Les nuits musicales du Suquet à Cannes en juillet.
Le festival d'art lyrique à Antibes en août.

4 CHEZ LE MARCHAND DE MEUBLES.

Lisez les questions avant l'écoute, puis prenez des notes en écoutant pour répondre.

1 Pourquoi le client cherche-t-il des meubles ?
2 Comment est-il meublé : avec des meubles anciens ou modernes ?
3 Quelle excuse donne-t-il pour ne pas acheter la première salle à manger ?
4 Combien coûte la salle à manger qu'il achète ?
5 Qu'est-ce qu'il cherche pour son salon ?

5 DIRIGEZ LES OPÉRATIONS.

On livre les meubles que le client vient d'acheter. Les livreurs lui demandent où placer les meubles et les objets. Il leur indique les emplacements et leur fait chaque fois des recommandations. Travaillez à deux.
Recopiez le plan suivant. L'un joue le client, place les meubles sur son plan et donne les indications. L'autre écoute les indications et place les meubles. Vous comparez les plans à la fin de l'échange.

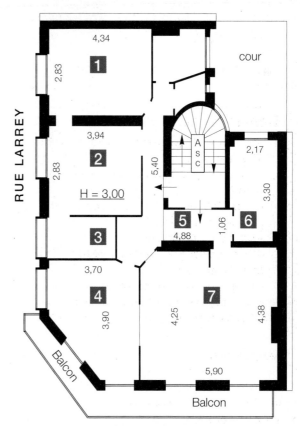

Un véritable fait de société : la passion du patin à roulettes

Étudiants, pères de famille, cadres ou retraités, tous ont une passion commune : le patin à roulettes. Avec près de deux millions de pratiquants et 1,5 million de paires de patins à roulettes vendues cette année, ce sport connaît son heure de gloire.

Sport mixte par excellence, le patin est à la mode, que ce soit pour les sorties familiales le dimanche ou pour les randonnées de groupe du vendredi soir. Ce succès s'explique notamment par son nouvel aspect : plus stable, avec ses quatre roues en ligne qui empêchent toute possibilité de tomber en arrière. Tous les vendredis, près de 4 000 à 6 000 fanatiques se rassemblent pour faire une balade de 30 kilomètres autour de la capitale. Et depuis juillet dernier, même la police patine : une unité en patins a été spécialement créée pour encadrer ces balades.

Mais le patin est beaucoup plus qu'un simple sport urbain. En six ans, il est devenu un moyen de déplacement original

et beaucoup veulent qu'il joue le rôle d'un véritable moyen de circulation, rapide, silencieux et non polluant. Mais cela implique de changer la circulation dans la ville, réservée essentiellement aux voitures et aux piétons. La première difficulté est juridique : le patineur est considéré comme un piéton et, à ce titre, n'a pas droit à la chaussée. Pourtant, sur le trottoir, il peut représenter un danger pour les piétons. La solution ? Élargir les pistes cyclables, pour que vélos et sports de glisse puissent se partager un même espace. À suivre…

D'après un article du *Figaro*
du 26 septembre 1998.

ÉCRIT

1 LES ÉCHOS INTERNES DU TEXTE.

1 Relevez tous les mots (noms, pronoms, adjectifs possessifs) qui reprennent ou rappellent l'expression *patin à roulettes* dans le texte.

2 Parmi les mots ou expressions que vous avez trouvés dans la question 1, sélectionnez ceux qui rappellent, modifient, transforment le sens de *patin à roulettes*.

> *Exemple :* **Patin à roulettes, ce sport...**

3 Quel mot ou expression reprend, en tête de chacun des paragraphes 2 et 3, un mot de la fin du paragraphe précédent ?

4 Quelle est la fonction de ce procédé :
   a montrer que le sens continue et se développe d'un paragraphe à l'autre ?
   b montrer qu'on répète la même chose ?

2 LE CONTENU.

1 Combien y a-t-il de pratiquants du patin à roulettes en France ?

2 Qui le pratique ? Où ?

3 Pourquoi a-t-on créé une unité spéciale de la police sur patins ?

4 Quel est l'obstacle principal au développement du patin ?
   Quelle est la solution proposée ?

5 Pourquoi l'article se termine-t-il par *À suivre...* ?

3 L'ORGANISATION DES PARAGRAPHES.

1 Finissez de remplir les cases du schéma décrivant la structure du deuxième paragraphe.
   Phrase clef : *Sport mixte par excellence, le patin est à la mode...*
   Raison du succès : ...
   Conséquence 1 : ...
   Conséquence 2 : ...

2 De la même manière, complétez le schéma du troisième paragraphe.
   Phrase clef : ...
   Arguments en faveur : ...
   Conséquence : ...
   Problème : ...
   Solution ? : ...

4 UNE LETTRE DE RÉCLAMATION.

Tous les vendredis, des milliers de patineurs passent sous vos fenêtres. Vous trouvez cela insupportable car le bruit est infernal. Vous êtes allé(e) vous plaindre au commissariat, mais la police ne peut rien faire. Vous décidez d'adresser une lettre au maire de votre ville. Avant d'écrire, imaginez les réponses aux questions suivantes.

1 Quelles sont les circonstances ? Où habitez-vous ? Où passe le défilé des patins ?...

2 Quel est votre problème ?

3 Qu'est-ce que vous avez fait pour mettre fin au problème (lettres, coups de téléphone, visites...) ?

4 Quelle est votre demande ? Qu'est-ce que vous attendez de votre correspondant ?

En suivant l'ordre de vos réponses, écrivez votre lettre.

Lettre de réclamation

Adresse de l'auteur de la lettre

Lieu, date,
Adresse du destinataire

Monsieur le directeur,

   Le 7 mai dernier, j'ai acheté...
Or, le 15 juin, ce... est tombé en panne.
Vos services ont constaté que...

   Les pièces de rechange, commandées en juin, ne sont toujours pas disponibles.
Cette situation est intolérable.
La seule solution est...

   En espérant obtenir rapidement satisfaction, je vous prie d'agréer...

Signature

   Respectez la mise en page des lettres officielles.
Cependant, la formule finale doit être plus respectueuse : *Veuillez agréer, Monsieur le maire, l'assurance de ma haute considération.* N'oubliez pas de remercier à l'avance pour l'aide que le maire voudra bien vous apporter.

Voici la statue de la République à Paris, sur la place du même nom. Elle porte le bonnet phrygien, le symbole de la liberté des révolutionnaires de 1789.

Trois statues de femmes représentent la devise « liberté… égalité… fraternité ». Autour du piédestal sont illustrées les grandes dates de la Révolution française.

C'est sur la place de la Bastille que s'élevait la prison, symbole du pouvoir absolu de la royauté. Le peuple de Paris, révolté, l'a détruite le 14 juillet 1789.

Aujourd'hui, la Colonne de juillet rappelle les trois journées, les trois Glorieuses, qui marquent la fin du règne de Charles X. Le génie qui la surmonte symbolise la liberté.

Depuis 1791, le Panthéon reçoit les cendres des grands hommes de la République française. On y a enterré Victor Hugo en 1885 et ramené les cendres d'André Malraux en 1996.

Et voici le palais de l'Élysée, un superbe hôtel particulier du XVIIIe siècle. Depuis 1873, c'est la résidence des présidents de la République.

C'est au palais du Luxembourg, construit à l'origine pour Marie de Médicis au début du XVIIe siècle, que siègent les 319 sénateurs.

Enfin, voici l'Assemblée nationale où 577 députés élaborent les lois. Nous entrons dans l'hémicycle où le Président ouvre la séance. Les députés vont discuter les propositions de lois. Et dehors flottent les drapeaux tricolores, symboles de la République.

Les monuments de la République

1 QU'EST-CE QUE VOUS AVEZ VU ?

1 Quels monuments avez-vous vus ?
  a Parmi ces monuments, dites quels sont ceux que vous avez vus dans le film.
  b Quels autres monuments avez-vous vus dans le film ?
2 Parmi ces symboles, lesquels avez-vous vus ?
  a Le drapeau tricolore.
  b La balance de la justice.
  c Le bonnet phrygien.
  d Le génie de la Bastille.
  e La devise : liberté, égalité, fraternité.
  f Marianne.

2 AVEZ-VOUS BIEN SUIVI ?

1 Que représente le bonnet phrygien ?
2 Pourquoi le peuple de Paris a-t-il attaqué la Bastille le 14 juillet 1789 ?
3 Quels sont les représentants de l'État mentionnés dans le reportage ?
4 Où sont discutées et élaborées les lois ?
5 Quelle est la résidence du président de la République ?

La République française, c'est...

Un pouvoir centralisé

Avant 1789, les rois avaient tous les pouvoirs. La Révolution, qui a créé la division administrative en départements, et Napoléon Ier, qui a réorganisé l'administration, ont conservé une structure très centralisée. Depuis deux siècles, tous les pouvoirs sont concentrés à Paris et toutes les décisions importantes y sont prises.

De plus, la France est le pays qui compte le plus de fonctionnaires : 16 % de la population active travaille dans le secteur public : ils dépendent directement de l'État.

La domination de la vie politique par les hommes

En France, les femmes sont peu représentées dans la vie politique. Il n'y a que 62 femmes sur 577 députés et 19 femmes sur 319 sénateurs. Un grand mouvement d'opinion essaie de donner aux femmes une plus grande place dans les institutions républicaines.

« Oui à l'égalité des rôles, des métiers, des fonctions, des salaires, mais non à la parité, à une loi qui veut imposer un nombre égal de femmes et d'hommes dans les organes du pouvoir », disent de nombreuses femmes. Un grand débat est en cours.

Un effort récent de décentralisation

Il a fallu attendre 1972 pour que soient créées 22 autorités régionales, mais ce n'est qu'en 1982 qu'une loi a déterminé « les droits et libertés et la répartition des compétences des communes, des départements et des régions » qui ont obtenu alors une autonomie assez large. Les conseils régionaux, élus pour six ans, ont leur propre budget et s'occupent directement du développement économique, social et culturel de leur région.

Les départements et les communes ont la responsabilité des problèmes locaux de routes, de circulation, d'urbanisme et d'enseignement.

Les institutions

	État (pays)	22 régions	95 départements	38 000 communes
Organes de décision	• Parlement (Assemblée nationale et Sénat) • Président de la République • Premier ministre et ministres (gouvernement)	• Conseil régional • Président et Commission permanente	• Conseil général • Président et Commission permanente	• Conseil municipal • Maire et adjoints
Compétences	• Universités • Police • Défense • Justice • Politique étrangère	• Lycées • Formation professionnelle et apprentissage • Transports régionaux	• Collèges • Action sociale et santé • Services de secours • Routes départementales	• Écoles maternelles et primaires • État civil • Police municipale • Transports scolaires
Compétences communes à l'État et aux collectivités	• Aménagement du territoire, urbanisme, environnement, patrimoine, action culturelle, économie et emploi			

1 EN BREF.

1 Qui a donné à la France sa structure administrative centralisée ? À partir de quand les choses ont-elles évolué ?

2 Comparez l'organisation des pouvoirs en France et dans votre pays.

2 DÉBAT.

Les femmes sont-elles présentes dans la vie politique de votre pays ?

Quels arguments voyez-vous pour ou contre l'obligation d'avoir un nombre égal d'hommes et de femmes en politique ?

dossier 2

PROJET

ÉCRIVEZ LA BIOGRAPHIE D'UN PERSONNAGE QUI SERA CÉLÈBRE.

La classe se divise en groupes. Chaque groupe choisit une personne jeune, homme ou femme, déjà connue dans son domaine, au théâtre, au cinéma, en politique, dans l'aide sociale, dans les sciences, dans les arts, dans le sport...
Vous pensez que cette personne aura un grand avenir. Imaginez sa carrière et écrivez sa biographie future.

1 Trouvez une personne intéressante et mettez des idées en commun dans une séance collective de remue-méninges afin d'imaginer sa vie future.
2 Puis, chaque membre du groupe s'occupe soit d'une époque, soit d'un aspect de la vie de la personne : origines et formation, amours, voyages ou tournées, créations, succès...

3 Une fois réunis, ces éléments sont présentés au groupe qui les discute et les complète.
4 Le groupe rédige un texte définitif, sous la forme d'un article de journal ou de revue.
5 Chacun relit attentivement le texte produit et propose des améliorations.

À titre d'exemple, voici une courte biographie de la chanteuse Céline Dion.

Céline Dion est née le 30 mars 1968 à Charlemagne au Québec. Elle était la plus jeune d'une famille de 14 enfants et elle doit son prénom à la chanson la plus popu-laire de l'époque, « Céline ». Elle grandit dans une famille de musiciens. Ses parents tiennent un restaurant piano-bar, Le Vieux Baril, où on orga-nise des séances d'improvisation musicale. Elle y chante pour la première fois en public à l'âge de 5 ans !

En 1981, elle rencontre un imprésario, René Angélil, qui finance son premier album, *La Voix du Bon Dieu*, puis un deuxième, *Chante Noël*. En janvier 1983, elle fait un triomphe à Cannes au marché international du disque, puis passe à la télévision française dans l'émission de variétés de TF1, *Champs-Élysées*.

Ensuite, elle multiplie les tournées, comme à Tokyo en 1984 où elle obtient une médaille d'or. Elle publie des albums, comme *Du soleil au cœur*, *D'amour en amitié*, *Mélanie*, *C'est pour toi...* La liste est très longue.

Elle vole de succès en succès.

À partir de 1986, elle quitte la scène presque complètement pendant 18 mois pour adopter une image plus « pop » et pour perfectionner son anglais. Dès son retour, la course aux succès conti-nue. En 1988, en Irlande, elle remporte le concours de l'Eurovision. Elle publie son premier album en anglais, *Unison*, en 1990. Les récom-penses, les soirées de gala et les tournées dans tous les pays du monde se succèdent. Sa première tournée aux États-Unis est organisé en 1992.

En 1994, elle épouse René Angélil. Au cours des années qui suivent, Céline reste au sommet des palmarès. C'est elle qui est la voix du *Titanic*. Elle fait un triomphe au Stade de France en juin 1999.

10 millions de disques en français et 70 millions en anglais ont déjà été vendus dans le monde...

Mais Céline annonce qu'elle s'éloignera pen-dant quelque temps de la scène à partir de jan-vier 2000. Quand Céline reviendra-t-elle ?

épisode ③

1ʳᵉ PARTIE

LE GRAND JOUR !

2ᵉ PARTIE

UN DRÔLE DE CLIENT

VOUS ALLEZ APPRENDRE À :

– faire une suggestion
– vous présenter dans un restaurant
– remercier en quittant un restaurant
– faire des hypothèses à partir d'une condition supposée
– faire des demandes polies
– donner des conseils aimables

VOUS ALLEZ UTILISER :

– le conditionnel présent
– *si* + imparfait, ... conditionnel
– la double négation : *ni... ni*
– des compléments de nom sans article

ET VOUS ALLEZ AUSSI :

– analyser les transformations du thème d'un texte
– écrire une lettre amicale

– découvrir la ville de Strasbourg et l'Alsace

Découvrez les situations

1 QU'EST-CE QUE VOUS AVEZ VU ?

Visionnez sans le son.

1 Où se situe l'action ? Dans combien de lieux ?
2 Qu'est-ce qui a changé dans la salle de restaurant depuis le premier épisode ?
3 Quel est le moment de la journée ? Qu'est-ce qui le montre ?
4 Quels personnages reconnaissez-vous ? Que font-ils ?
5 Comment est l'homme qui entre dans la salle de restaurant ?

2 FAITES DES HYPOTHÈSES.

1 Regardez le titre. Pourquoi est-ce *le grand jour* pour les Lemoine ?
2 À votre avis, que peut dire Joseph au sujet de cette soirée d'ouverture ?
3 Quel peut être le sujet de conversation de Corinne et de Laura ?
4 Qui est l'homme qui entre dans le restaurant ?

Observez l'action et les comportements

3 PRÉCISEZ LES FAITS.

Visionnez avec le son. Qu'est-ce qu'on apprend ?

1 Quelles répliques indiquent que c'est le soir d'ouverture du restaurant ? Qui les dit ?
2 Quelle est l'idée de Laura pour attirer du monde ?
3 Quel examen Laura doit-elle passer à la fin de l'année ?
4 Corinne dit au client qu'elle l'attendait. Pourquoi ?
5 Quelle explication Corinne donne-t-elle au client pour justifier sa remarque ?

4 COMMENT EST-CE QU'ILS LE DISENT ?

Trouvez dans les dialogues des expressions de même sens.

1 Ou je me trompe ou il ne viendra pas beaucoup de monde.
2 Si on mettait de la musique ?
3 Un bon moyen pour faire venir du monde au café serait d'inviter le village à une soirée.
4 Il ne faut pas aller trop vite.

5 QUE SIGNIFIE LEUR COMPORTEMENT ?

1 Corinne prépare les tables avec Laura. Elle est de bonne humeur, sauf pendant un moment. C'est à quel propos ? Quels changements se marquent sur son visage ?
2 Qu'est-ce qui montre l'enthousiasme de Laura ?
3 Décrivez la façon de se présenter du client.

6 QU'EST-CE QUE ÇA VEUT DIRE ?

1 Dans la première séquence, Joseph fait une remarque assez négative parce que :
   a il souhaite qu'il n'y ait pas de clients ;
   b il veut décourager Corinne ;
   c il ne peut pas s'empêcher de voir le mauvais côté des choses.
2 *Il faudrait qu'on embauche quelqu'un. Et pour l'instant...*
   Que veulent dire les trois points ? Terminez la phrase pour préciser la pensée de Corinne.
3 Corinne dit à Laura : *Pour ça, je te fais confiance.* Elle pense que sa fille :
   a n'a d'idées que pour des soirées ;
   b a beaucoup d'idées.

7 IMAGINEZ.

Décrivez les jeux de physionomie, les gestes, les attitudes des personnages et dites ce qu'ils peuvent penser.

dossier 3

JOUR !

 Au café, Joseph et Raymond sont au comptoir en train de boire et de parler. Corinne essuie des verres.

CORINNE   Messieurs, si vous avez besoin de quelque chose, appelez-moi, je vais finir de préparer les tables au restaurant.

RAYMOND   Mais oui, Madame Lemoine, allez-y. De toute façon, c'est bientôt l'heure de la soupe.

la fois au café et au restaurant, il faudrait qu'on embauche quelqu'un. Et pour l'instant…

LAURA   Je pourrais peut-être vous aider davantage…

CORINNE   Pas question. Tu as le bac à la fin de l'année. Et si tu le ratais, on ne serait vraiment pas contents, ton père et moi.

JOSEPH   Le premier jour, ça m'étonnerait que vous ayez beaucoup de monde.

CORINNE   Si on était tous comme vous, Joseph, on ne ferait pas grand-chose dans la vie, hum… Vous ne seriez pas un peu pessimiste ?

JOSEPH   Je ne suis ni pessimiste ni optimiste, mais je connais la vie…

———

Corinne et Laura sont dans la salle du restaurant. Elles finissent de préparer les tables pour le dîner de la soirée d'ouverture.

LAURA   On devrait mettre un peu de musique, non ?

CORINNE   Non, pas le jour de l'ouverture. Il y a des gens qui n'aiment pas ça…

LAURA   Pour le café, tu sais ce qu'on pourrait faire pour attirer du monde ? Une grande soirée où on inviterait tout le village !

CORINNE   J'ai eu la même idée, figure-toi ! Mais il faut qu'on y aille doucement. Les gens ont leurs habitudes. Et puis, si on avait beaucoup de monde à

LAURA   T'inquiète pas, maman, je l'aurai. En tout cas, j'ai plein d'idées pour faire des soirées sympa.

CORINNE   Pour ça, je te fais confiance. D'ailleurs, tu serais très bien en responsable de communication !

———

Un client est entré. Il tousse pour attirer l'attention.

LE CLIENT   Excusez-moi… vous n'êtes peut-être pas encore ouvert ?

CORINNE   Oh ! Mais si… Nous vous attendions.

LE CLIENT   Vous m'attendiez ? Mais je n'ai pas réservé.

CORINNE   Ah, non, enfin… je veux dire… Un client est toujours attendu… et bienvenu. Je vous laisse choisir votre place ? Vous avez une préférence ?

Le client montre l'endroit le plus éloigné, le plus discret.

LE CLIENT   Là-bas, ça sera très bien.

CORINNE   Oui.

Le client retire son manteau, le donne à Corinne et s'assoit.

UN DRÔLE

3

2ᵉ PARTIE

Découvrez les situations

1 LE MÉTIER DE SERVEUR.

Imaginez que vous êtes serveur/serveuse dans un restaurant.
Faites la liste de ce que vous diriez pour :

1 demander aux clients ce qu'ils veulent ;
2 proposer des plats ou des boissons ;
3 encourager les clients à choisir un plat ;
4 répondre à une critique.

2 FAITES DES HYPOTHÈSES.

Visionnez l'épisode sans le son.

1 Combien y a-t-il de séquences ?
2 Que fait Corinne dans la première séquence ? Comment réagit le client ?
3 Quelle est l'attitude de Corinne et de Bernard quand le client part ?
4 Que peuvent-ils dire au client ?

Observez l'action et les comportements

3 CRÉEZ DES TITRES.

Visionnez avec le son. Complétez les catégories proposées pour les trois séquences du feuilleton.

> *Exemple :* Lieux : **a. Dans la salle. b. En cuisine.**
> **c. Sur le pas de la porte.**

1 Actions : **a** La commande. **b** … **c** …
2 Comportements : …
3 Réactions en cuisine : …

4 QUELS SONT SES PROBLÈMES DE SANTÉ ?

De quoi souffre le client ?

a Stress. **b** Mal aux reins. **c** Grosse fatigue.
d Nerfs fragiles. **e** Migraines. **f** Mal à l'estomac.

5 FAÇONS DE PARLER.

Visionnez de nouveau l'épisode avec le son.
Corinne propose des plats au client. Notez :

1 les différentes façons de proposer des plats ;
2 les raisons que donne le client pour refuser.

6 VOUS VOUS EN SOUVENEZ ?

Résumez l'épisode 3.

1 Décrivez chacun des moments importants en une phrase.
2 Reliez ces phrases entre elles pour marquer la succession des événements et leurs liens logiques.
3 Ajoutez des informations pour créer un texte d'une centaine de mots.

7 DÉCRIVEZ LES COMPORTEMENTS DES PERSONNAGES.

1 Pendant qu'elle prend la commande, Corinne reste polie, mais elle est de plus en plus énervée et déçue. Qu'est-ce qui le montre ? Décrivez ses jeux de physionomie, le ton de sa voix, ses gestes.

2 Décrivez l'attitude du client et dites ce qu'elle signifie. Il semble :
a énervé ;
b découragé ;
c en colère.

3 Décrivez le changement d'attitude de Bernard quand Corinne lui montre la commande.

4 Qu'est-ce qui marque la complicité entre Bernard et Corinne quand ils sont dans la cuisine ?
5 Quel est le ton de Bernard ?
a Sec. **b** Ironique. **c** Sérieux.

dossier 3

DE CLIENT

Le client est à table. Il tient la carte à la main.
Corinne allume une bougie, puis s'approche de lui avec
le carnet de commande.

CORINNE   Vous avez choisi, Monsieur ?

LE CLIENT   J'hésite. Il y a tellement de choses !

CORINNE   Je peux vous conseiller, si vous voulez ?

LE CLIENT   C'est-à-dire... je mange très peu le soir.
J'ai des problèmes d'estomac, vous
comprenez ?

LE CLIENT   (l'air fataliste) Ils me donnent
des médicaments...

CORINNE   Ah...

Dans la cuisine, Bernard est en train de couper
des légumes. Corinne arrive, son carnet de commande
à la main. Elle tend la commande à Bernard
qui la prend pour la lire.

CORINNE   Bien sûr... Vous pourriez commencer
par une crème d'asperge.

LE CLIENT   Oui, mais je ne digère pas les asperges.

CORINNE   Bien. Alors, qu'est-ce que vous diriez
d'une mousse de saumon aux herbes ?
C'est délicieux.

LE CLIENT   Je ne tolère ni les asperges ni
les herbes. Je préférerais prendre
le plat de résistance directement.
Si je mangeais trop, je serais malade,
vous comprenez.

CORINNE   Oui, à cause de votre estomac.

LE CLIENT   Et je dors mal, aussi.

CORINNE   On pourrait vous faire une petite
tisane à la fin du repas, hum, ça vous
aiderait à dormir.

LE CLIENT   Ah non... pas de tisane, j'ai des
problèmes de reins, alors, les tisanes,
vous comprenez...

CORINNE   Oui, je comprends... Je vous laisse
encore réfléchir. Pendant que vous
choisissez, je vous apporte la carte
des vins...

LE CLIENT   Je ne bois que de l'eau. Ni apéritif,
ni vin. L'alcool me donne des
migraines, vous comprenez.

CORINNE   Oui, bien sûr... Excusez-moi. Je ne
veux pas être indiscrète. Mais que
disent les médecins ?

BERNARD   Steak grillé, haricots verts. Ni entrée,
ni fromage, ni dessert.

CORINNE   Pas de pain. Et de l'eau.

BERNARD   Ce n'est pas toi qui avais peur que
ma cuisine soit trop riche ?

Bernard et Corinne se mettent à rire.

CORINNE   Ah, le steak, bien cuit.

Corinne et Bernard sont près de la porte et prennent
congé du client. Ils sont très souriants et restent bons
commerçants.

BERNARD   J'espère que la viande vous a plu ?

LE CLIENT   Peut-être un peu trop de beurre.
Mais... cuite à point.

BERNARD   Merci.

CORINNE   J'espère que nous aurons le plaisir
de vous revoir.

LE CLIENT   Certainement. J'aime beaucoup cet
endroit. C'est très calme. Ce n'est pas
comme avec l'ancien propriétaire.
J'y suis venu une fois, il y avait
un monde ! Et moi, le monde, je ne
supporte pas. J'ai les nerfs fragiles,
vous comprenez... Maintenant, c'est
parfait.

Bernard et Corinne se regardent, très surpris.

dossier 3

DÉCOUVREZ LA **GRAMMAIRE**

Le conditionnel présent

• **Formation**

Radical du futur simple	+	terminaisons de l'imparfait
Je ser-/prendr-/pourr-		**ais**
Tu ir-/verr-/saur-		**ais**
…		…
Ils/elles voudr-/aur-/fer-		**aient**

• **Emploi**

Le conditionnel sert à **atténuer la force d'un énoncé**. Il présente des faits comme possibles et non comme certains. Il rend les affirmations, les demandes, les ordres moins directs :
*On **inviterait** les gens du village.*
On l'emploie donc :
– pour faire des **demandes polies** :
*J'**aimerais** prendre le plat de résistance directement.*
– pour faire des **suggestions et des propositions, donner des conseils aimables** :
*Qu'est-ce que vous **diriez** d'une mousse de saumon ?*

! Dans ces énoncés, on trouve le plus souvent les verbes *vouloir, aimer, pouvoir, devoir* au conditionnel.

! En changeant l'intonation, on peut transformer certains conseils en reproches :
*Tu **pourrais** ranger ta chambre !*

1 Emplois du conditionnel présent.

Dans les dialogues du feuilleton, relevez des exemples d'emploi du conditionnel :

1 dans des formules de politesse ;
2 pour suggérer et donner des conseils.

2 Dites-le plus poliment.

Vous êtes à table. Vous vous adressez aux autres personnes autour de la table.

Exemple : Je veux du pain.
→ **Auriez-vous du pain (, s'il vous plaît).**
Pourriez-vous me donner du pain ?

1 Passez-moi les gâteaux.
2 Vous n'avez pas d'eau gazeuse ?
3 Je n'ai pas de fourchette. Il faut m'en donner une.
4 Je reprends du poisson.
5 Il y a encore du fromage ?

3 Fermeté et politesse.

1 Dans chaque série, classez les demandes de la plus impérative à la plus polie.

a J'aimerais que vous me prêtiez ce livre.
ⓑ Vous pourriez me prêter ce livre.
c Prêtez-moi ce livre.
d Ça ne vous dérangerait pas de me prêter ce livre ?

ⓐ Vous pourriez prendre ces médicaments.
b Vous devez prendre ces médicaments.
c Vous prendrez ces médicaments.
d J'aimerais que vous preniez ces médicaments.

2 De la même manière, créez des séries à partir des expressions suivantes.
Prendre des vacances, prendre soin de vous, changer de profession…

Le conditionnel présent et la formulation d'hypothèses

• Le conditionnel présent permet d'imaginer des **hypothèses** :
*Tu **serais** bien en responsable de communication.*
*Ça m'**étonnerait** que vous ayez beaucoup de monde !*

• On peut faire une hypothèse sur la conséquence d'une condition imaginée :
si + imparfait (condition), conséquence (hypothèse)
*Si tu **ratais** ton bac, nous ne **serions** pas contents.*

SI JE GAGNAIS 50 MILLIONS AU LOTO ?
JE NE CHANGERAIS PAS MON MODE DE VIE

Pétillon, Dos.« les Français et l'argent », *Le Nouvel Observateur*, 29/10/98.

dossier 3

DÉCOUVREZ LA **GRAMMAIRE**

4 Tout au conditionnel.

Transformez les affirmations du texte en simples suggestions.

Si vous faites du sport quand vous n'êtes pas en bonne forme physique, vous pouvez avoir des problèmes de santé. Si, par exemple, vous n'avez pas fait de vélo ou de tennis pendant une longue période et que vous désirez reprendre ces activités, vous avez intérêt à prendre l'avis de votre médecin. Il peut vous donner des conseils utiles qui vous éviteront des problèmes. En effet, votre corps aura peut-être besoin de temps pour s'adapter aux nouveaux efforts que vous lui demanderez et vous devrez peut-être suivre un régime pour perdre quelques kilos.

5 Quels métiers voudriez-vous faire ?

*Dites si vous aimeriez, ou n'aimeriez pas, être :
cuisinier, pilote d'avion, urbaniste, cinéaste,
écrivain et poète… et dites pourquoi.*

> **Exemple :** Je ne voudrais pas être restaurateur parce que je n'aurais jamais de vacances.

La double négation : *ni… ni…*

Elle sert à coordonner deux éléments négatifs.
Conservez le *ne* avec *ni… ni* :
*Je **ne** tolère **ni** les asperges **ni** les herbes.*
*Je **ne** suis **ni** pessimiste **ni** optimiste.*

❗ Je ne mange pas de poisson, pas de viande.
*Je ne mange **ni poisson ni viand**e.*

❗ *Moi, je n'aime pas le poisson et je n'aime pas la viande.*
*Moi, je n'aime **ni le poisson, ni la viande**.*

❗ Après deux sujets coordonnés par *ni… ni…*
le verbe se met au pluriel :
*Ni Bernard, ni Corinne ne **sont** satisfaits de leur soirée d'ouverture.*

6 La double négation.

*Ce couple ne fait pas grand-chose. Regardez les dessins et dites ce qu'ils ne font pas.
(Variez les verbes.)*

> **Exemple :** Ils ne prennent ni le métro, ni l'autobus.

Pas d'article !

On ne met pas d'article devant un complément de nom qui décrit une matière, un contenu ou une destination.
• Matière/aliment : *une crème d'asperges, un mur en pierre.*
• Contenu : *une tasse de tisane.*
• Destination/fonction : *un plat de résistance.*

7 Choisissez les articles.

Complétez ces dialogues entre un serveur et un client.

1 *Article défini ou article indéfini ?*

– Vous voulez … *une* entrée ?
– Oui, je prendrai … *la* soupe.
– Et après, vous prendrez … *le* plat de poisson ou … *les* brochettes ?
– Je n'aime pas beaucoup … *la/le* poisson. Je prendrai … *les* brochettes.
– Pour … *le* dessert, vous avez … *une* choix entre … tarte et … *une* mousse de fruits.
– J'aime bien … *les* tartes. C'est ça, donnez-moi … *une* tarte.

2 *Pas d'article ou article partitif ?*

– Vous voulez de la crème … *d'* asperges ?
– Non, je préfère … *la* soupe … *aux* légumes.
– Comme plat principal, vous voudrez … *la* poisson ou … *le* viande ?
– Qu'est-ce que vous avez comme poisson ?
– Nous avons … *du* saumon et … *de la* truite.
– Je ne prendrai pas … *de* poisson. Apportez-moi plutôt … *de la* viande et après … *la* mousse … *de* fruits rouges.
– Pour terminer, est-ce que vous voudrez … *du* thé ou … *du* café ?
– Je boirai … *du* thé. Merci.

Sons et Lettres

1 Distinguez le sens de ces intonations.

Écoutez les phrases.

1 Dites si l'intonation est celle de la suggestion ou celle d'une grande surprise.
2 Quel signe de ponctuation (point, point d'exclamation, trois points) mettriez-vous à la fin de la phrase que vous avez entendue ?

2 Quel sens donnent ces intonations ?

Écoutez ce que disent les clients en réponse à **J'espère que nous aurons le plaisir de vous revoir.** *Dites si le client a vraiment l'intention de revenir ou bien s'il n'a pas très envie de revenir (mais ne veut pas vexer les restaurateurs).*

	1	2	3	4	5
va revenir					
n'a pas envie de revenir					

Visionnez les variations

1 QU'EST-CE QU'ON POURRAIT FAIRE ?

Vous préparez un week-end à la campagne avec votre famille. Faites des suggestions sur :

1 ce qu'il faut emporter ;
2 ce que vous pourriez faire.

Faire une suggestion

1 On devrait mettre un peu de musique, non ?
2 Et si on mettait un peu de musique ?
3 Pourquoi on ne mettrait pas un peu de musique ?
4 Un peu de musique, tu n'es pas contre ?

2 VOUS VOULEZ RÉSERVER ?

Vous téléphonez à un restaurant pour retenir une table. Jouez deux fois avec votre voisin(e) et inversez les rôles.
La première fois, votre demande est satisfaite.
La deuxième fois, tout est réservé pour la date qui vous intéresse.
Précisez votre nom, la date et l'heure, le nombre de couverts, l'endroit que vous préférez...

Se présenter dans un restaurant

1 – Excusez-moi, vous n'êtes peut-être pas encore ouvert ?
   – Mais si...
2 – Vous servez à partir de quelle heure ?
   – À partir de 20 heures.
3 – Vous avez encore des tables libres ?
   – Je regrette, Monsieur, tout est réservé.
4 – Il vous reste de la place ?
   – Non, pas pour l'instant, il y a une demi-heure d'attente.

3 PRENEZ CONGÉ.

Vous avez passé une excellente soirée chez des personnes que vous ne connaissiez pas. Vous les remerciez et vous leur faites des compliments pour l'ambiance, le décor, etc. et vous serez très heureux de les revoir.

Quitter un restaurant

1 – J'espère que nous aurons le plaisir de vous revoir.
   – Certainement. J'aime beaucoup cet endroit.
2 – J'espère que ça vous a plu et que nous vous reverrons.
   – Oui, ça m'a beaucoup plu.
3 – Nous serons toujours heureux de vous revoir.
   – Je reviendrai avec plaisir.
4 – Vous serez toujours le bienvenu.
   – Et moi, je serai toujours heureux de revenir.

dossier 3

COMMUNIQUEZ

1 CHEZ LE MÉDECIN.

Lisez les questions, écoutez le dialogue entre un médecin et son patient et répondez.

1 Quel est le problème de M. Martin ?
2 Qu'est-ce que le médecin essaie de savoir ?
3 À quoi le stress pourrait-il être dû ?
4 De quoi souffrirait le patient si la cause était la pollution ?
5 Quels médicaments le médecin donne-t-il à son patient ?

2 DIALOGUE.

Inspirez-vous du dialogue que vous venez d'entendre pour préparer, à deux, une scène entre le client du restaurant et son médecin. Souvenez-vous de quoi souffre le client. Imaginez les conseils que pourrait lui donner le médecin. Puis, jouez la scène.

497 000 bacheliers en 1997 Pourcentage de réussite par série :	
Série littéraire	76,5 %
Série économique	76 %
Série scientifique	76,3 %
Série science et technologie	76 %

Le baccalauréat se passe à la fin des études secondaires. Il est obligatoire pour tous les jeunes gens qui veulent poursuivre des études supérieures.

3 MICRO-TROTTOIR.

Écoutez le témoignage de quatre lycéens et répondez aux questions suivantes.

1 Combien de parties le bac comprend-il ? À la fin de quelles classes est-ce qu'on passe ces examens ?
2 Combien d'années avant le bac faut-il choisir ses matières à option ?
3 Combien de classes comprend l'enseignement secondaire ?

4 ET DANS VOTRE PAYS ?

Expliquez à un(e) ami(e) francophone – votre voisin(e) qui vous pose des questions – comment est organisé l'enseignement secondaire dans votre pays (durée des études, examen final, matières enseignées…).

5 JEU DE RÔLES.

Le menu propose plusieurs plats au choix. Un client hésite. Le restaurateur s'approche de lui pour le conseiller. Mais le client refuse chaque suggestion et donne chaque fois une bonne raison. Imaginez une fin amusante. Préparez le dialogue à deux et jouez la scène.

Le Bellevue

Les entrées

Les croustillants de tomate et mozzarella au pistou	8 €
Les raviolis maison au jus de Daube	9,5 €
Le foie gras de canard fait maison	12,5 €
La salade de rougets vinaigrette gourmande	12 €
Les poivrons grillés en anchoïade	9,5 €

Les poissons

Les filets de sole « Florentine »	13 €
Les médaillons de lotte au coulis de crustacés	14 €

Les viandes

Les jambonnettes de caneton à la Madras	12,5 €
Les noisettes d'agneau grillé à la fleur de thym	13,5 €
Les rognons de veau sauce Madère et champignons	14 €
Le filet de bœuf au jus de cèpes, échalotes confites	14 €
La salade verte et son chèvre chaud	3,5 €
Le choix de desserts du jour	6 €

Destination Carnavals

Au départ de Paris

Chaleureux à Dunkerque

Dans ce port du Nord, le carnaval rappelle la vieille cérémonie du départ pour la pêche en Islande. Les pêcheurs se promènent dans les rues sous de grands parapluies multicolores. Chants, défilés, bals… la fête est aussi chaleureuse que populaire.

Du 13 au 16 février et les 20 et 21 février. Une nuit, les repas et le bal : 525 F – Maison du Nord-Pas-de-Calais (03 48 00 59 62).

Inattendu à Bâle

Renommée pour ses galeries d'art, cette ville suisse est aussi connue pour son très beau carnaval. Lever à 4 heures du matin le lundi pour voir les défilés avec fifres, tambours et lanternes. On se réchauffe de soupe à la farine et de tarte à l'oignon. Bals et fanfares les jours suivants.

Du 22 au 24 février. Nuit : 1 100 F pour 2 personnes avec petit déjeuner à l'hôtel Radisson (0-800-91-60-60).

Étrange à Binche

Dans cette cité belge, marins et arlequins dansent sur des airs de musique traditionnelle autour de 800 Gilles, personnages costumés qui défilent.

Du 14 au 16 février. Une journée : 260 F aller-retour en autocar, Club Alliance (01 45 48 89 53).

Fleuri à Nice

Des défilés de chars et de personnages déguisés, une ambiance populaire et joyeuse dans les rues de la ville et sur la plage pendant deux semaines, des batailles de fleurs sous le soleil.

Du 13 au 28 février. Avion et 2 nuits : 1 950 F – Office du tourisme, – 5, promenade des Anglais (04 92 14 48 00).

1 CLASSEZ L'INFORMATION.

Lisez les descriptions ci-contre et remplissez la grille.

Carnaval	dates	particularités	services proposés	prix
Dunkerque	…	…	…	…
Bâle	…	…	…	…
Binche	…	…	…	…
Nice	…	…	…	…

2 PRÉCISEZ QUELQUES POINTS.

1 Que rappelle le carnaval de Dunkerque ?

2 Qu'est-ce qui fait la réputation de Bâle ?

3 Qu'est-ce qu'il y a d'étrange dans le défilé de Binche ?

4 Qu'est-ce qui donne une ambiance joyeuse au carnaval de Nice ?

5 Qu'est-ce que ces quatre carnavals ont en commun ?

3 UNE LETTRE AMICALE.

Mettez dans l'ordre les phrases suivantes pour reconstituer la lettre.

Paris, le 15 janvier 1999

Chère Valérie,

a *J'ai regardé quelques catalogues d'agences de voyages et j'ai choisi quatre destinations possibles, pas trop lointaines et pas trop chères.*

b *Je t'ai préparé un tableau pour te faciliter le choix.*

c *C'est toujours un grand plaisir de passer un moment avec toi autrement qu'au téléphone et nous avons tant de choses à nous dire !*

d *Réponds-moi vite pour que je puisse réserver.*

e *Si on quittait Paris pour nous changer les idées et passer un jour ou deux ensemble ?*

f *Il y a bien longtemps que nous ne nous sommes vu(e)s.*

g *Je t'embrasse,*

h *La saison de carnaval qui approche me semble être une bonne occasion de nous retrouver.*

Patricia

4 ÉCRIVEZ LA RÉPONSE DE VALÉRIE.

Choisissez entre une acceptation et un refus.

1 Dans le premier cas :

– dites votre plaisir à recevoir cette proposition ;

– donnez votre accord ;

– précisez vos préférences. Donnez-en au moins deux et donnez les raisons : intérêt, prix, durée, éloignement…

2 Dans le deuxième cas :

– vous dites votre plaisir à lire la lettre ;

– vous regrettez de devoir refuser cette proposition agréable ;

– vous donnez vos raisons : travail, engagements antérieurs, visite des parents… ;

– vous faites une autre proposition.

5 ÉCRIVEZ UNE NOTE.

Au dernier moment, vous avez essayé de téléphoner à vos parents ou à des ami(e)s pour les prévenir de votre départ, mais il n'y avait personne et leur répondeur n'était pas branché. Vous rédigez rapidement une note pour les prévenir de votre absence.

La lettre amicale

On n'indique ni son adresse ni celle de son correspondant (destinataire).

On tutoie l'autre, en général.

On peut plus facilement anticiper les réactions de l'autre parce qu'on le connaît bien.

On trouve des marques d'amitié dans le cours de la lettre : références personnelles et rappel d'expériences communes.

On utilise des formules de politesse comme : *je t'embrasse – (beaucoup d') amitiés – bien à toi, amicalement, à bientôt…*

On signe de son prénom.

Strasbourg, tradition et modernité

Strasbourg, une ville d'images

Strasbourg deviendra-t-elle bientôt le deuxième centre de production audiovisuelle français ? Depuis l'intallation de la chaîne franco-allemande, Arte, en 1991, dans la capitale alsacienne, 36 sociétés de production indépendantes s'y sont installées. France 3 Alsace joue aussi un grand rôle dans ce développement. Avec ses 240 techniciens, journalistes… elle fait la promotion de la culture régionale avec son journal d'informations et le dessin animé *Tintin* en alsacien, et elle a une dimension européenne grâce aux magazines qu'elle produit en collaboration avec des télévisions suisse et allemande. Le directeur de la station prévoit que « d'ici à quatre années, 2 000 personnes vivant à Strasbourg travailleront dans l'audiovisuel ».

La cathédrale de Strasbourg.

D'après *Le Point*, n° 1376, 30 janvier 1999.

La façon la plus agréable d'aborder Strasbourg est de longer les canaux qui entourent la petite France, un des endroits les plus pittoresques de cette ville.

Ces maisons à colombages étaient celles de pêcheurs, de meuniers et de tanneurs au XVIIe siècle. Aujourd'hui, les rues pavées de la petite France sont réservées aux piétons et aux cyclistes.

Très soucieuse des problèmes de pollution, Strasbourg s'est dotée d'un tramway ultra-moderne et non-polluant.

Toute la ville est quadrillée par de nombreuses pistes cyclables et les Strasbourgeois n'hésitent pas à les emprunter malgré la rigueur des hivers.

L'École nationale d'administration (l'ENA) et le Centre d'études européennes sont réunis dans ces bâtiments. L'ENA forme les futurs cadres supérieurs de la nation.

Strasbourg est le siège du Conseil de l'Europe qui comprend le comité des ministres, l'assemblée consultative et le secrétariat international.

Le palais de l'Europe abrite les sessions du Parlement européen.

Au bord de l'Ill, siège la Cour européenne des droits de l'homme dans les nouveaux bâtiments inaugurés le 3 novembre 1998.

À Strasbourg, on passe sans transition d'une architecture futuriste à celle des siècles passés.

1 OBSERVEZ.

Visionnez le reportage.

1 Qu'est-ce qui longe la petite France ?
2 Où avez-vous vu des vieilles maisons à colombages ?
3 Est-ce que vous avez vu :
   a un panneau de piste cyclable ?
   b une rue pavée avec des voitures ?
   c des drapeaux européens ?
   d le bâtiment où est situé le Centre d'études européennes ?
4 Quels moyens de transport urbain sont montrés dans le reportage ?
5 À quel moment est-ce qu'on voit des exemples d'architecture très moderne ?
6 Vous avez vu deux bâtiments européens. Lesquels ? Où ?

2 QUELLES EN SONT LES RAISONS ?

1 Qu'est-ce qui fait de Strasbourg une ville européenne ?
2 Qu'est-ce qui montre les préoccupations écologiques des Strasbourgeois ?

L'Alsace, c'est aussi...

Une région ouverte au monde...

C'est une région européenne proche de la Suisse et de l'Allemagne, petite mais très peuplée.

C'est une des trois régions les plus riches et les plus dynamiques de France. La qualité et le sérieux de sa main-d'œuvre, l'esprit d'ouverture, les traditions d'échange et le multilinguisme contribuent beaucoup à la prospérité de la région. De nombreuses entreprises étrangères s'y sont installées, dont beaucoup de japonaises.

Avec 4 universités, 12 grandes écoles et un enseignement tourné vers les hautes technologies et les échanges internationaux, l'Alsace fait partie de l'espace scientifique rhénan en compagnie du Bade-Würtemberg, de la Rhénanie-Palatinat et du nord de la Suisse. La coopération entre ces trois régions et les échanges de technologie favorisent l'innovation.

C'est à Strasbourg que Rouget de Lisle, un jeune officier, a composé en une nuit la musique et les paroles d'un chant patriotique qui sera repris par des volontaires révolutionnaires partis de Marseille et qui deviendra l'hymne national français, « La Marseillaise ».

...à la double culture

Si tous les peuples européens ont connu de nombreuses invasions, l'Alsace et la Lorraine sont les seules régions françaises à avoir changé quatre fois de nationalité depuis 1870. Elles ont été deux fois allemandes et deux fois françaises.

Cette histoire particulière a fait de l'Alsace une région aux deux amours et aux deux cultures. Amour de la petite patrie, l'Alsace, et amour de la France. Culture double, avec sa langue, son architecture, ses artistes et sa gastronomie.

« ... D'esprit alémanique[1], nous apprécions à fond l'esprit gaulois[2]. Ce mélange nous est envié par nos voisins germaniques, et nous sommes fiers d'avoir l'art de vivre de la France. Je vous parle en connaissance de cause[3], m'occupant de relations internationales, surtout européennes, dans une entreprise. »

Jean-Marie Meyer, *Le Point* du 20 février 1999.

1. Alémanique (adj.) : ici, germanique.
2. Gaulois (adj.) : ici, français.
3. En connaissance de cause : comme quelqu'un qui connaît bien le problème.

En Alsace, les traditions se transmettent depuis des siècles. À Ribeauvillé, par exemple, les cracheurs de feu animent la place de l'hôtel de ville durant la période de Noël. La fête mélange légendes d'hier et divertissements d'aujourd'hui.

1 EN BREF.

1 Quels sont les atouts de l'Alsace dans l'Union européenne ?

2 Qu'est-ce qui pourrait inciter des gens :
   a à visiter l'Alsace ?
   b à s'y installer ?

3 Quelle est l'originalité de l'Alsace par rapport aux autres régions françaises ?

2 DÉBAT.

Y a-t-il dans votre pays des régions à forte identité culturelle ? Cela pose-t-il un problème ?

Est-ce qu'un attachement profond pour sa région, ses coutumes, ses traditions, sa langue n'est pas en contradiction avec le sentiment d'appartenir à une nation, un pays ?

dossier 3

BILAN

1 Compréhension écrite.

Lisez le texte suivant et répondez aux questions.

Qu'est-ce qu'un ami ?

C'est la définition d'« ami » qui a posé le plus de problèmes à l'auteur d'une étude publiée par l'Institut national de la statistique sous le titre *D'où sont mes amis venus ?* En effet, les personnes interrogées ont tendance à réduire le nombre de leurs amis quand on leur demande de préciser la définition qu'ils donnent à ce mot. C'est ainsi que les hommes déclarent d'abord en avoir 6,8 en moyenne et les femmes 5,6. Mais quand on leur demande de définir un « ami » de façon plus précise, ils finissent par dire qu'ils n'en ont qu'un ou même aucun !

L'étude montre que c'est pendant ses études qu'on se fait le plus d'amis. Quand on est étudiant, 69 % des amis sont des camarades d'école. Mais on perd peu à peu contact avec eux et ils ne sont plus que 46 % quand on est entré dans la vie professionnelle. Quand on vieillit, c'est dans le voisinage qu'on trouve ses amis : plus du quart à 65 ans. Mais les amis finissent par disparaître et on ne les remplace pas. Si on a 9 amis à 15 ans, on n'en a plus que 4,4 à 65 ans !

Sources : Institut national de la statistique.

1 VRAI OU FAUX ?

Si l'affirmation est fausse, rétablissez la vérité.

1 Plus on vieillit, plus on a d'amis.
2 Plus on précise la définition d'*ami*, moins on pense en avoir.
3 On a 15 amis à neuf ans.
4 Il est difficile de préciser ce qu'est un ami.

2 RÉPONDEZ AUX QUESTIONS.

1 À quel moment de son existence se fait-on le plus d'amis ?
2 Quand cherche-t-on ses amis près de chez soi ?
3 Qui a le plus d'amis, les hommes ou les femmes ?
4 Pourquoi a-t-on moins d'amis quand on est âgé?

2 Production écrite.

Écrivez à l'Institut national de la statistique pour donner votre opinion.

– Vous vous identifiez (nom, profession, âge…).
– Vous donnez une courte appréciation sur l'article : *intéressant mais…*
– Vous dites combien vous avez/avez eu d'ami(e)s et comment vous les avez rencontré(e)s.
– Vous définissez le terme *ami* à votre manière.
– Vous espérez une suite à leur premier article…

3 Compréhension orale.

Écoutez et dites si les affirmations suivantes sont vraies ou fausses.

1 La notion de famille a changé depuis un demi-siècle.
2 On continue de garder le contact avec tous les membres de sa famille.
3 On ne voit plus que ceux avec qui les relations ne sont pas bonnes.
4 Quelques très bons amis peuvent maintenant faire partie du groupe *famille*.
5 Il n'est pas nécessaire qu'on soit de la même famille pour former un groupe uni.

4 Production orale.

Lisez ces affirmations sur les amis et l'amitié et dites si vous êtes d'accord ou non. Expliquez pourquoi dans chaque cas et donnez un exemple.

1 Il ne faut pas tout dire à un ami.
2 Un ami est toujours présent quand vous avez besoin de lui.
3 L'amitié n'est pas toujours désintéressée.
4 Un homme et une femme ne peuvent pas être amis.
5 La sympathie réciproque n'est pas de l'amitié.

épisode ④

1re PARTIE

SEUL, SUR SON BANC...

2e PARTIE

UNE SOIRÉE SURPRISE

VOUS ALLEZ APPRENDRE À :

– exprimer une certitude
– changer de sujet de conversation
– mettre fin à une conversation et prendre congé
– vous informer sur la vie des gens
– faire des critiques
– porter un toast

VOUS ALLEZ UTILISER :

– le discours indirect et la concordance des temps
– le participe présent et le gérondif

ET VOUS ALLEZ AUSSI :

– étudier l'organisation et la fonction d'un texte
– exprimer un point de vue et donner des conseils

– découvrir un pays entre ciel et mer, la Bretagne

Découvrez les situations

1 FAITES DES HYPOTHÈSES.

Visionnez sans le son.

1 Pourquoi est-ce que Raymond n'est pas là ?
   a Il est parti en vacances.
   b Il est chez le médecin.
   c Il s'est fâché avec Joseph.

2 S'il est chez le médecin, c'est :
   a parce qu'il est malade ;
   b parce que sa femme veut qu'il surveille sa santé ;
   c parce qu'il a des problèmes de poids.

3 À quel moment de la journée est-on ?
   a Le matin. b L'après-midi. c Le soir.

4 François s'assoit près de Joseph :
   a pour lui tenir compagnie ;
   b pour lui demander des nouvelles de Raymond ;
   c pour parler de Bernard.

5 Joseph et François regardent Bernard installer les tables dehors.
   a Ils disent du mal de lui.
   b Ils parlent de ses affaires.

Observez l'action et les comportements

2 VÉRIFIEZ VOS HYPOTHÈSES.

Visionnez avec le son.
Trouvez les répliques ou les situations où l'on apprend :

1 où est Raymond ;
2 pourquoi il n'est pas avec Joseph ;
3 quel est le moment de la journée ;
4 pourquoi François s'assoit près de Joseph ;
5 le sujet de discussion de Joseph et François.

3 AVEZ-VOUS BIEN SUIVI ?

1 D'après François, quel pourrait être le problème de Raymond ?
2 À quoi pense Joseph en regardant Bernard ?
3 Depuis combien de temps le restaurant des Lemoine est-il ouvert ?
4 Ils ont eu combien de clients ?
5 Quel était l'espoir de Bernard quand il est arrivé ?

4 AVEZ-VOUS REMARQUÉ ?

Regardez les photos.

1 François lève le doigt :
   a pour contredire Joseph ;
   b pour faire peur à Joseph ;
   c pour confirmer ce qu'a dit Joseph.

2 Décrivez l'expression de Joseph et choisissez ce que le *eh, eh* veut dire.
   a Et cet idiot il y va…
   b Moi, si j'étais à sa place, je n'irais pas…
   c Il se laisse diriger par sa femme…

3 Décrivez l'expression de Joseph et dites ce qu'il peut penser.

5 COMMENT EST-CE QU'ILS LE DISENT ?

Mettez ensemble :

1 Une marque d'inquiétude.
2 Une marque d'irritation.
3 Une remarque ironique.
4 Un reproche/une critique.

a Eh bien, d'ici, tu ne dois pas voir grand-chose !
b Oui, mais toi, tu vois toujours les choses en noir !
c Rien de grave, j'espère ?
d Quel tour de taille ? Il est à peine plus gros que moi !

dossier 4

SON BANC...

 Joseph est sur le banc de la place du village, tout seul. François s'approche de lui.

FRANÇOIS   Oh, qu'est-ce qui se passe, aujourd'hui ? Il n'est pas là, Raymond ?

JOSEPH   Eh, non. Il est chez le docteur.

FRANÇOIS   Rien de grave, j'espère ?

JOSEPH   Non. Mais c'est sa femme. Elle lui a dit qu'il devait aller voir son docteur. Et comme il fait ce qu'elle dit, eh, eh...

FRANÇOIS   Eh bien, d'ici, tu ne dois pas voir grand-chose !

JOSEPH   Oh, tu te trompes. Tu vois, en regardant ce pauvre Parisien, eh bien, je me dis que la vie n'est pas toujours rose.

FRANÇOIS   Tu exagères !... Mais, c'est vrai. On m'a dit que leurs affaires ne marchaient pas très fort.

FRANÇOIS   Elle n'a peut-être pas tort, avec le tour de taille qu'il a...

JOSEPH   Quel tour de taille ? Il est à peine plus gros que moi !

FRANÇOIS   Bon, bon, bon, on n'en parle plus... Et il en a pour longtemps chez le médecin ?

JOSEPH   Il m'a dit qu'il rentrerait en fin d'après-midi.

FRANÇOIS   En attendant, qu'est-ce que tu fais tout seul sur ton banc ?

JOSEPH   Ah..., je regarde le monde.

JOSEPH   Pas très fort ! Et bien, ceux qui t'ont dit ça, ils sont modestes. Dix clients en deux semaines ! Quand il est arrivé, il m'a dit qu'il ferait salle pleine au bout d'un mois. Et moi, je lui ai dit qu'il n'y arriverait pas.

FRANÇOIS   Oui, mais toi, tu vois toujours les choses en noir !

JOSEPH   Oh !

FRANÇOIS   Moi, je suis sûr qu'ils vont y arriver. Tiens, je vais aller lui dire un petit bonjour, en passant...

UNE SOIRÉE

④ 2ᵉ PARTIE

Découvrez les situations

1 OBSERVEZ LES IMAGES.

Visionnez sans le son.

1 Décrivez la page-écran de l'ordinateur dans la première séquence.
2 Quels plats s'affichent sur la deuxième et la troisième page-écran ?
3 Quels sont les prix ?
4 Que lisez-vous sur l'affiche ?
5 Que voit-on sur la page-écran dans la dernière séquence ?

Observez l'action et les comportements

3 QUELS TITRES ?

Visionnez avec le son.
Dans chaque série, choisissez le titre qui résume le mieux la séquence. Justifiez votre choix.

Première séquence : Le site Internet du Bellevue – François est sympathique – Les Lemoine aiment leur nouvelle vie.
Deuxième séquence : Découverte du village – Une belle soirée s'annonce – Les Lemoine font leur pub.
Troisième séquence : Naissance d'un cybercafé – Joseph met de l'ambiance – Falicon sur Internet.

4 TROUVEZ LES RÉPLIQUES.

Trouvez les répliques qui disent :

1 que Bernard a de la sympathie pour François ;
2 que Bernard et Corinne ne sont pas inquiets pour leurs affaires ;
3 que François s'intéresse à la famille Lemoine ;
4 que Laura s'est vite habituée à sa nouvelle vie ;
5 que Joseph voit toujours tout en noir ;
6 qu'il a un caractère difficile, mais que les gens l'aiment bien.

5 AVEZ-VOUS REMARQUÉ ?

Décrivez les expressions et/ou les gestes, dites ce qu'ils veulent dire. Imaginez ce que les personnages pensent ou retrouvez ce qu'ils disent.

2 FAITES DES HYPOTHÈSES.

1 Que fait Bernard à l'ordinateur ?
2 De quoi peuvent discuter Bernard et François ?
3 Raymond montre l'écran. Pourquoi ? Qu'est-ce qu'il reconnaît ?
4 Joseph fait une intervention. De quoi peut-il parler ?
5 À la fin de la dernière séquence, Bernard lève son verre et tout le monde rit. Pourquoi lève-t-il son verre ? Pourquoi les gens rient-ils ?

6 COMMENT EST-CE QU'ILS L'EXPRIMENT ?

Trouvez dans les dialogues :

1 une façon d'interrompre quelqu'un ;
2 une marque de sympathie ;
3 une façon d'exprimer une certitude ;
4 une façon de prendre congé de quelqu'un.

7 VOUS EN SOUVENEZ-VOUS ?

Retrouvez qui dit la réplique. Trouvez celle qui suit, puis mettez les répliques dans l'ordre des événements.

1 Et votre femme et votre fille, ça va ? Elles se font à leur nouvelle vie ?
2 Quel tour de taille ? Il est à peine plus gros que moi !
3 Nous serons heureux, Corinne et moi, d'accueillir tous ceux d'entre vous qui voudront l'utiliser.
4 Ah…, je regarde le monde.
5 Bonjour, Monsieur Lemoine. Je vous dérange ?
6 Il n'est pas là, Raymond ?
7 Bon, je vais vous laisser travailler. Bonjour à votre femme.
8 Et moi, je lui ai dit qu'il n'y arriverait pas.

SURPRISE

Bernard est devant un ordinateur, dans la salle de restaurant, en train de travailler.

FRANÇOIS   Bonjour, Monsieur Lemoine. Je vous dérange ?

BERNARD   Mais non. Asseyez-vous. Et appelez-moi Bernard, ça me fera plaisir.

FRANÇOIS   D'accord. Mais, vous, vous m'appelez François. Qu'est-ce que vous faites ? Vous êtes retourné à l'informatique ?

Le samedi suivant, au café. Bernard, à côté de l'ordinateur, fait un signe pour que tout le monde s'approche.

BERNARD   Approchez mes amis… Approchez… Et maintenant, voici notre surprise.

Bernard appuie sur une touche. Le mot bienvenue et la photo de la place du village apparaissent sur l'écran.

BERNARD   Non. Mais je suis en train de modifier mon site Internet.

FRANÇOIS   Et les affaires, ça marche ?

BERNARD   Doucement. Maurice m'a dit que ça serait difficile au début. Mais on n'est pas inquiets. On savait qu'il faudrait un peu de temps.

FRANÇOIS   Et votre femme et votre fille, ça va ? Elles se font à leur nouvelle vie ?

BERNARD   Corinne est ravie et Laura s'est déjà fait beaucoup d'amis. On se doutait bien qu'elle ne resterait pas longtemps sans se faire des copains.

FRANÇOIS   Bon, je vais vous laisser travailler. Bonjour à votre femme.

BERNARD   Vous allez sans doute la voir en partant. Elle est en train de mettre des affiches un peu partout dans le village.

FRANÇOIS   Des affiches ? Et pour quoi faire ?

BERNARD   Ah, vous verrez…

FRANÇOIS   Oh ! Le village.

RAYMOND   Oh, c'est ma maison !

Tout le monde rit.

BERNARD   Cet ordinateur est à votre disposition. Nous serons heureux, Corinne et moi, d'accueillir tous ceux d'entre vous qui voudront l'utiliser.

JOSEPH   Un ordinateur dans notre café. Eh ben, il manquait plus que ça ! Sans compter que les jours d'orage, avec les sautes de courant, eh ben, vous n'avez pas fini de vous embêter !

Tout le monde rit. Bernard lève son verre pour porter un toast.

BERNARD   Je propose qu'on lève notre verre à la santé de notre ami Joseph, parce que, sans lui, la vie serait quand même moins drôle !

Dans une rue du village, François lit une affiche.

Soirée-découverte

Vous êtes tous invités samedi prochain à partir de 20 heures au café-restaurant

Le Bellevue

Venez nombreux !
Corinne, Bernard et Laura seront heureux de vous y accueillir !

DÉCOUVREZ LA GRAMMAIRE

Le discours indirect et la concordance des temps

• Le discours indirect (ou discours rapporté) est introduit par des verbes comme *dire, rapporter, confirmer, préciser, déclarer que...*
Le **présent** de la phrase au discours direct se met à l'**imparfait** dans le discours indirect :
« *Tu **dois** voir ton médecin.* »
➜ *Elle lui a dit qu'il **devait** voir son médecin.*
Le **futur** de la phrase au discours direct se met au **conditionnel** dans le discours indirect :
« *Je **rentrerai** en fin d'après-midi.* »
➜ *Il lui a déclaré qu'il **rentrerait** en fin d'après-midi.*

• Il est souvent nécessaire de **transposer les pronoms personnels, les adjectifs possessifs et les adverbes de temps.**
– Si la personne rapporte ses propres actions, seules les marques de temps changent :
*Je reviendrai **demain** avec mes amis.*
➜ *Je leur ai dit que je reviendrais **le lendemain** avec mes amis.*
– Si une autre personne rapporte les actions, on transpose les pronoms, les possessifs et les adverbes de temps :
*Je reviendrai **demain** avec **mes** amis.*
➜ *Il leur a dit qu'il/elle reviendrait **le lendemain** avec **ses** amis.*

! *Dans trois jours* ➜ *trois jours plus tard.*
La semaine dernière ➜ *la semaine précédente.*

1 Quelle est la phrase rapportée ?

Lisez la phrase au discours direct et choisissez la phrase correspondante au discours indirect.

1 Leurs affaires ne marchent pas.
   a On lui a confirmé que leurs affaires ne marcheraient pas.
   b On lui a confirmé que leurs affaires ne marchaient pas.
2 Il n'y arrivera pas.
   a Je lui ai déclaré qu'il n'y arrive pas.
   b Je lui ai déclaré qu'il n'y arriverait pas.
3 Je vais y passer trois heures.
   a Il m'a affirmé qu'il allait y passer trois heures.
   b Il m'a affirmé que j'allais y passer trois heures.
4 Je te montrerai mon site.
   a Il m'a dit qu'il me montrait son site.
   b Il m'a dit qu'il me montrerait son site.

2 Rapportez ces événements.

> *Exemple :* Je t'écris.
> ➜ **Il m'a dit qu'il m'écrivait.**

1 Nous te préviendrons.
2 Nous vous enverrons un fax.
3 Je lui expliquerai le fonctionnement.
4 Ils ne peuvent pas venir nous voir.
5 Elle ne se sent pas bien.

3 Rapportez au discours direct.

Écrivez la conversation entre les deux personnes.

Il a reconnu qu'il avait tort et qu'il ne respectait pas les règles. Il a ajouté qu'il ne voulait pas changer d'attitude. Je lui ai dit que ce n'était pas comme ça qu'il pourrait vivre en paix avec ses voisins. Il a déclaré qu'il resterait comme il était, quelqu'un d'indépendant au caractère un peu difficile. Je lui ai répondu qu'il finirait par avoir des ennuis avec tout le monde, mais il m'a dit que ça lui était égal.
« *J'ai tort, je...*

4 Transposez au discours indirect.

Voici ce que va faire le maire de notre ville.
Quelqu'un vous rapporte les paroles du maire.

Mes chers concitoyens,
Vous pouvez compter sur votre maire. Je vais essayer de réaliser tout ce que je vous ai promis. Et d'abord, la municipalité va faire un effort pour les personnes sans emploi. Nous allons créer de nouveaux emplois municipaux. Puis, nous nous occuperons d'améliorer la circulation dans la ville. Ensuite, notre effort se tournera vers les écoles qu'il faudra moderniser et mieux équiper.
Je sais qu'il y a d'autres problèmes dans notre commune, mais nous ne pouvons pas tout résoudre à la fois. Si vous voulez bien me faire confiance, ensemble nous améliorerons la vie de notre ville.

« Le maire a dit que ses concitoyens pouvaient compter...
Le maire a ajouté que...

dossier **4**

Le participe présent

• **Formation**
Le participe présent se forme sur le **radical de l'imparfait** auquel on ajoute **-ant** :
Être : *étant*.   Apprendre : *apprenant*.

❗ Il y a deux participes présents irréguliers : *ayant, sachant*.

• **Emploi**
– Comme **adjectif**, le participe présent se rapporte toujours à un nom.
Mais il est invariable (il ne prend pas les marques du féminin et du pluriel du nom qu'il qualifie).
– Comme **verbe**, il admet des compléments.
Comme il n'était pas en bonne santé, il est allé consulter un médecin.
*N'**étant** pas en bonne santé, il est allé consulter un médecin.*

❗ L'usage du participe présent est surtout littéraire.

5 Le participe présent.

Transformez un élément de la phrase en participe présent.

Exemple : Retrouvez la phrase qui exprime le doute.
→ **Retrouvez la phrase exprimant le doute.**

1 Elles ont cinq fenêtres qui ouvrent sur la rue.
2 Elles peuvent voir les enfants qui jouent dans le parc d'en face.
3 Dimanche, elles sont sorties avec des amis qui venaient de Madrid.
4 Je le revois en train de faire la cuisine.
5 Comme il n'avait pas de travail, le jeune homme s'est inscrit au chômage.

Le gérondif

• On forme le gérondif en faisant précéder de *en* le participe présent d'un verbe.
Un verbe au gérondif a le **même sujet que celui de la proposition principale** :
***En regardant** ce pauvre Parisien, **je** me dis que la vie n'est pas toujours rose.*
***En se promenant** dans les rues, **les villageois** ont vu l'affiche annonçant la soirée-découverte.*

• Le gérondif a le sens d'un adverbe ou d'un complément de circonstance. Il exprime :
– la simultanéité : ***En venant**, elle a vu l'affiche.*
– la cause : ***En voyant** l'affiche, elle a décidé d'y assister.*
– le moyen : *C'est **en lisant** beaucoup qu'on devient bon lecteur.*

6 Testez vos réactions.

1 Vous pouvez vivre des aventures :
a en voyageant ;
b en lisant ;
c en regardant la télévision.
2 Quelqu'un vous dit quelque chose de peu aimable. Vous répondez :
a en vous fâchant ;
b en restant poli ;
c en disant une chose désagréable.
3 Vous venez d'apprendre une mauvaise nouvelle. Vous réagissez :
a en pleurant ;
b en criant ;
c en vous taisant.
4 Vous travaillez :
a en écoutant la radio ;
b en pensant à autre chose ;
c en vous concentrant sur ce que vous faites.

7 Utilisez des gérondifs.

Transformez une des deux propositions en gérondif.

1 Notre amie est passée et elle a frappé à notre porte.
2 Nous avons ouvert la porte et nous avons été surpris de la voir.
3 Elle nous a vus et elle a souri.
4 Elle est entrée et elle nous a dit bonjour.
5 Elle a mangé et elle nous a parlé d'elle.

1 Futur ou conditionnel ?

*Écoutez et dites si c'est la phrase **a** ou **b** qui est au conditionnel. Écrivez le verbe au conditionnel.*

2 Voyelles nasales.

Écoutez chaque phrase une seule fois et écrivez-la.

Visionnez les variations

1 PARLONS D'AUTRE CHOSE.

Un(e) ami(e) veut vous faire parler sur un sujet qui ne vous convient pas. Vous changez de sujet. Il/elle insiste. Imaginez des dialogues où votre ami(e) :

– *commence à dire du mal de quelqu'un ;*

– *vous interroge sur vos rapports avec les personnes de votre famille ;*

– *veut vous faire dire pour quel parti politique vous allez voter…*

Changer de sujet

1 Bon, on n'en parle plus.
2 Changeons de sujet, tu veux bien ?
3 Et si on parlait d'autre chose ?
4 Je préfère qu'on s'en tienne là…

2 C'EST ÉVIDENT !

Jouez avec votre voisin(e). Chacun(e) à votre tour, exprimez une certitude sur votre vie privée, sur la société ou la vie politique de votre pays. Employez les expressions des variations.

Exprimer une certitude

1 On se doutait bien qu'elle ne resterait pas longtemps sans se faire des copains.
2 On était sûrs qu'elle allait très vite se faire des copains.
3 Pour nous, c'était évident qu'elle se ferait des copains rapidement.
4 Elle ne pouvait pas rester longtemps sans se faire des amis, c'est certain.

3 PRENEZ CONGÉ.

Imaginez deux ou trois situations où vous voulez prendre congé de quelqu'un ou d'un groupe. Trouvez chaque fois la formule qui vous permettra de partir poliment.

Mettre fin à une conversation et partir

1 Je vais vous laisser travailler.
2 Je vous laisse. Vous avez du travail.
3 Excusez-moi de vous avoir dérangé.
4 Il faut que j'y aille, le devoir m'appelle !

COMMUNIQUEZ

1 DIALOGUE.

Imaginez, à deux, la conversation entre Joseph et Bernard à partir de la phrase de Joseph :
Quand il est arrivé, il m'a dit qu'il ferait salle pleine au bout d'un mois. Et moi, je lui ai dit qu'il n'y arriverait pas. *Trouvez les arguments de chacun. Jouez la scène.*

2 UN PROJET RÉUSSI.

Créer un commerce n'est pas simple. Il faut trouver une idée originale, le lieu, l'argent... Nous avons interviewé Olivier Leroy qui s'est lancé dans l'aventure en ouvrant un magasin de disques et d'instruments de musique à Arles.

1 Prenez des notes sur :

a la formation et l'expérience professionnelle d'Olivier Leroy ;

b les raisons de son choix ;

c les difficultés qu'il a rencontrées ;

d les idées qu'il a eues pour lancer son magasin.

2 Un(e) de vos ami(e)s veut créer son entreprise. Vous lui parlez de l'interview d'Olivier Leroy. Il/elle vous pose des questions sur ce qu'il a fait.

3 JEU DE RÔLES.

Paul a fait un héritage qui lui permet de vivre sans travailler...
À partir de la lettre qu'Amélie adresse à une de ses amies, imaginez le dialogue entre elle et Paul. Jouez la scène.

Chère Jeanne,

Tu ne devineras jamais ! Hier, j'ai rencontré Paul. Il était tout excité. Alors, je lui ai demandé ce qui se passait, il m'a répondu qu'il venait de faire un héritage important. Tu me connais, je suis curieuse. Alors, j'ai voulu savoir de combien il avait hérité. Il ne me l'a pas dit exactement, mais il m'a assuré qu'il pouvait s'arrêter de travailler. Je lui ai dit qu'il devrait quand même réfléchir, qu'il était encore jeune et que l'argent, ça ne durerait peut-être pas si longtemps. Il m'a répondu qu'il voyait prochainement un conseiller financier et que, de toute façon, en attendant, il quittait son travail, il démissionnait, parce qu'il était sûr de lui. Il a même ajouté qu'il pourrait s'offrir la maison de ses rêves ! Quand même, je me demande combien d'argent il a eu... Je te tiens au courant.

Bises,

Amélie

4 À PROPOS D'INTERNET...

1 *Écoutez et répondez aux questions suivantes.*

a Combien y a-t-il de personnes interviewées ?

b Quels mots se rapportant à l'informatique et à Internet avez-vous entendus ?

Internaute – cybercafé – internet – site – web – ordinateur – forum – connexion – écran – cybercopain – courrier électronique – virtuel.

2 *Écoutez chaque témoignage un par un et répondez aux questions.*

Yann

a Qu'est-ce que Yann aime particulièrement dans l'utilisation d'Internet ?

b Où peut-on utiliser Internet lorsqu'on n'est pas équipé en informatique ?

Stéphanie

c Qu'est-ce qui faisait peur à Stéphanie avant d'utiliser Internet ?

d Pourquoi Stéphanie a-t-elle gagné du temps depuis qu'elle utilise le web ?

Thomas

e À quel âge Thomas a-t-il commencé à se servir d'un ordinateur ?

f Avec qui est-ce qu'il correspond ?

5 INTERNET ET VOUS.

Vous organisez un sondage sur les avantages et les inconvénients d'Internet et sur l'avenir du multimédia dans l'imaginaire des gens. Avec votre voisin(e), vous écrivez chacun(e) un questionnaire et vous jouez le rôle du journaliste et de la personne interviewée.

Un outil éducatif, mais encore trop cher **Voici différentes opinions concernant Internet.** **Pour chacune d'elles, êtes-vous plutôt d'accord (en %) ?**	Non- internautes	internautes
• Internet peut aider les jeunes dans leurs études	91	95
• Ça revient cher d'utiliser Internet	84	65
• Internet va vite se diffuser en France	79	73
• Internet va favoriser la croissance économique et la création d'emplois	52	71
• Internet va profondément changer la société française	55	45
• Avec Internet, il sera plus difficile de protéger sa vie privée	52	54
• C'est compliqué d'utiliser Internet	46	31
• L'Internet, c'est réservé à une élite	29	22
• Si on n'a pas Internet, on va rater le coche	24	40

Le Nouvel Observateur, sup. au n°1777, 26/11/98

Mon temps est précieux !

Ah, si nous pouvions économiser le temps perdu chaque jour pour faire ce qui nous tient vraiment à cœur !

Combien de temps passe-t-on devant la télévision à regarder des émissions sans grand intérêt ? Le vendeur ou le démarcheur qui frappe à votre porte pour vous proposer un produit dont vous n'avez pas besoin prend sur votre temps. L'ami qui vous parle très longuement de ses problèmes vous vole de précieux instants que vous pourriez consacrer à d'autres occupations. Et l'arrivée du téléphone portable vous rend à tout moment plus fragile ! Il faut réagir, et vite ! Voici quelques précautions à prendre... et vous en trouverez d'autres !

1 Faites le compte de vos journées, analysez systématiquement votre emploi du temps. N'oubliez rien surtout. Vous verrez vite qu'en n'allumant pas la télévision sans avoir choisi avant l'émission que vous voulez voir, en ne passant pas trop de temps sur des devoirs ou des dossiers, en ne donnant pas de coups de fils qui n'en finissent pas, vous pourrez suivre ce cours de dessin dont vous rêvez, lire ce roman dont on vous a parlé ou accorder plus d'attention à vos amis et à votre famille !

2 Décrochez le téléphone ou mettez-le sur répondeur pendant vos repas en famille, filtrez les messages, éteignez le portable. Si on répond à un coup de fil professionnel au lieu de jouer avec son enfant, on se prépare une bonne crise de culpabilité. Et restez debout quand vous téléphonez. Vous raccrocherez plus vite.

3 Sachez dire *assez*, même si vous considérez comme un devoir d'être à l'écoute des autres. Fermez la porte de votre bureau pour que ceux qui passent dans le couloir ne vous interrompent pas trop souvent.

4 N'accordez pas votre temps à ceux qui sonnent chez vous pour vous promettre des cadeaux « sans obligation d'achat » ou qui vous téléphonent le soir pour vous proposer des jeux ou un contrat d'assurance. Raccrochez !

Gérer son temps n'est pas seulement un problème d'agenda. C'est surtout apprendre à mieux se connaître et savoir quels sont ses véritables objectifs, ce à quoi on tient le plus. Les stages de gestion du temps commencent souvent par cette question : *Que souhaitez-vous devenir dans trois ou quatre ans ?*

4 dossier

---

1 SITUEZ CE DOCUMENT.

1 Il est tiré :
   a d'un journal intime ;
   b d'un magazine ;
   c d'un rapport.

2 Il est destiné :
   a à des spécialistes ;
   b aux lecteurs d'un magazine ;
   c à des enfants.

3 Il traite :
   a du temps qui passe ;
   b des économies de temps à réaliser au travail ;
   c des solutions pour ne pas perdre son temps.

4 L'intention est :
   a de protéger les gens contre eux-mêmes ;
   b de repousser les autres ;
   c d'aider les gens à mieux utiliser leur temps.

2 ASSOCIEZ LES MOTS ET LEUR DÉFINITION.

1 Tenir à cœur.
2 Précautions
3 Culpabilité.
4 Accorder.
5 Gestion.

a Accepter de donner.
b Façon d'organiser, d'administrer et de gérer.
c Être vraiment important.
d Moyens pour éviter d'avoir des problèmes.
e Fait d'être ou de se sentir responsable d'une faute.

3 COMMENT LE DOCUMENT EST-IL ORGANISÉ ?

Associez chacun des énoncés ci-dessous avec l'un des paragraphes.

a Ne pas tolérer chez soi l'intrusion des vendeurs.

b Faire respecter sa vie de famille.

c Penser au temps qu'on perd et en tirer les conséquences.

d Savoir ce qu'on veut.

e Faire des économies de temps dans ses activités de la journée.

f Protéger son temps quand on travaille.

4 COMMENT EST-CE EXPRIMÉ ?

Trouvez dans le texte :

1 des conseils ;

2 une condition ;

3 une prédiction ;

4 une restriction ;

5 une explication.

5 CE QU'ON PEUT CRAINDRE...

Complétez les phrases suivantes. Imaginez des conséquences négatives.

1 Si vous ne renvoyez pas le vendeur qui frappe à votre porte…

2 Si vous ne savez pas dire *assez* à l'ami qui vous expose longuement ses problèmes personnels…

3 Si vous n'éteignez pas votre téléphone portable…

4 Si vous répondez de chez vous à toutes les communications professionnelles…

5 Si vous ne suivez pas les conseils proposés…

6 VOUS N'ÊTES PAS D'ACCORD.

Exprimez des opinions différentes.
Vous voulez écouter vos amis vous exposer leurs problèmes, vous pensez qu'il est quelquefois agréable de perdre du temps, vous avez besoin de contacts avec les autres, même si les conversations sont sans importance…
Vous écrivez au magazine pour exprimer votre opinion. Prenez parti de la façon suivante :
Oui, les affirmations sont peut-être vraies, mais on peut voir les choses d'une autre manière…

Exemple : **Vous avez certainement raison quand vous dites qu'on perd beaucoup de temps à regarder des émissions de télévision sans grand intérêt parce qu'on n'a pas choisi son programme à l'avance. Mais il y a des moments où on a besoin de ne pas penser. Alors, …**

7 DONNEZ DES CONSEILS.

1 *Préparez une liste de conseils sur un des sujets suivants :*

a comment préparer un voyage dans un pays étranger ;

b comment se faire des amis ;

c comment améliorer sa façon d'apprendre une langue étrangère…

2 *Écrivez une lettre à un(e) ami(e) que vous voulez aider a progresser sur un de ces sujets.*

Exprimer un point de vue

• Donner son avis :
Je trouve, je pense, je crois, j'ai l'impression, il me semble que…
À mon avis, selon moi, d'après moi, en ce qui me concerne, pour ma part…

• Exprimer son accord, son approbation avec ce qui est dit :
Tout cela est juste/intéressant/stimulant/ acceptable…

• Introduire des avis différents, des restrictions :
…mais/cependant, malgré tout, même si [+ indicatif]
…à condition que/pourvu que [+ subjonctif]

Un pays entre terre et mer

Ces deux cormorans qui scrutent la mer sont à la pointe avancée de la Bretagne, un pays où la terre et la mer se mêlent à perte de vue... Nous survolons les marais salants de Guérande qui, depuis des siècles, apportent une certaine prospérité économique à cette région et servent de refuge aux oiseaux.

Les paludiers récoltent encore le sel comme leurs ancêtres.

Une autre image de ce pays, plus traditionnelle, nous est donnée par l'activité de Guilvinec, un gros port de pêche situé dans le sud du Finistère.

Après avoir lutté contre les flots, les chalutiers rentrent au port et débarquent leur poisson.

Ce poisson est aussitôt vendu à la criée, au plus offrant.

Mais écoutons ce jeune pêcheur : « *Y a des métiers qui détruisent tous les fonds marins, tout ça, faudrait arrêter ça parce que, dans ce cas-là, dans dix ans, y a plus de poissons ici... quand on se promène sur la criée le soir, on voit des poissons, y sont grands comme ça... ça sert à rien de ramasser ça, même si ça se vend.* »

Le poisson n'est pas fini de vendre que les chalutiers reprennent la mer dans un va-et-vient incessant et que garçons et filles s'initient au dur métier de pêcheur. On déroule les chaluts, ces longs filets qui remontent de moins en moins de poissons et provoquent la nostalgie de ce jeune apprenti : « *Quand on nous raconte des histoires de marins qui s'étaient passées y a une dizaine d'années, même une vingtaine d'années, quand on voit maintenant, j'aurais préféré être avant que maintenant.* »

Saint-Malo

Il y a plus de 3 000 kilomètres de côtes battues par les vents en Bretagne, avec des falaises, des plages, des ports... C'est du port de Saint-Malo que s'organisaient, au XVIe siècle, des expéditions de découverte du Nouveau Monde. Aux XVIIe et XVIIIe siècles, les pirates en partaient pour aller attaquer les bateaux ennemis sur toutes les mers du monde. La vieille ville, en partie détruite pendant la Seconde Guerre mondiale, est maintenant complètement reconstruite.

1 QU'EST-CE QUE VOUS AVEZ VU ET DANS QUEL ORDRE ?

1
  a Un port de pêche.
  b Des marais salants.
  c Des filets.
  d Des paludiers (gens qui récoltent le sel).
  e Des chalutiers.
  f Deux cormorans (gros oiseaux de mer).
  g Des marins débarquant le poisson.
  h Une vente à la criée.
  i Des caisses pleines de poissons.

2 Qu'avez-vous vu d'autre ?

2 DONNEZ QUELQUES PRÉCISIONS.

1 Où est situé Guérande ?
2 Qu'est-ce qui a rendu le nom de Guérande fameux ?
3 Où est situé Guilvinec ?
4 Où a lieu la criée ? À quel moment ?
5 Quel âge peuvent avoir les apprentis pêcheurs ?

3 QU'EST-CE QU'ON PEUT CONSTATER ?

1 Qu'est-ce qui n'a pas changé depuis des siècles dans la récolte du sel ?
2 Pourquoi y a-t-il moins de poissons dans les filets ?
3 Qu'est-ce qui risque de se passer dans les dix années à venir ?
4 Qu'est-ce qui provoque la nostalgie du jeune pêcheur ?

La Bretagne, c'est aussi...

Une région touristique...

L'intérieur de la Bretagne est une région de forêts, de rivières, de lacs, de bois, de landes, une terre mystérieuse et romantique, celle des chevaliers de la Table ronde. C'est aussi la terre de la religion, des églises, des croix et des calvaires.

Dix millions de touristes sont attirés chaque année par ses richesses archéologiques (6 000 menhirs et dolmens), ses villes médiévales, ses centaines d'églises, ses 4 000 châteaux, ses plages, ses sites naturels et ses 33 ports qui accueillent les bateaux de plaisance.

...à forte identité culturelle

La Bretagne a conservé une langue et une culture très vivantes : près de 300 000 personnes maîtrisent parfaitement le breton. Des écoles bilingues se sont créées et la production littéraire, le théâtre et la chanson en breton se développent car les Bretons ont gardé un profond sentiment d'appartenance régionale.

La vie culturelle est en plein renouveau. La musique est au programme des festivals du monde entier. Il y a aujourd'hui plus de 3 000 « sonneurs » qui jouent du biniou (cornemuse). Les cercles celtiques de danse regroupent plus de 15 000 membres.

Joueur de biniou.

...qui attire

L'école de Pont-Aven, dans le Finistère, a marqué la peinture à la fin du XIXe siècle.

À 38 ans, Gauguin arrive à Pont-Aven parce que « c'est encore en Bretagne qu'on vit le meilleur marché » ! C'est là que viennent de nombreux artistes, certains devenus célèbres depuis : Maurice Denis, Sérusier, Boudin, Renoir, Matisse. Gauguin y fera plusieurs séjours avant de s'installer définitivement à Tahiti en 1898 et y peindra de très belles toiles comme la *Vision du sermon*.

Le Sermon, Paul Gaugin.

...et où s'est créée la première cité du Livre en France

Tout commence en 1989, à Pâques. L'association Savenn Douar, dont l'objectif est « vivre et travailler au pays », organise une première fête du Livre à Bécherel, un village de cinq cents habitants qui ne possède aucune librairie. Cette idée folle est le début d'une formidable aventure associant les habitants du village, avec l'aide d'institutions régionales, puis nationales. Dix ans plus tard, dix-sept libraires se sont installés dans le village et aussi des éditeurs, des relieurs et des artistes. Le premier dimanche de chaque mois, une grande foire rassemble les bouquinistes des environs. La onzième fête du Livre qui a eu lieu du 3 au 5 avril 1999 a attiré de nombreux visiteurs. Bécherel mérite bien son titre de cité du Livre !

dossier 4

1 EN BREF.

1 Dans quelles catégories pouvez-vous classer les informations contenues dans cette double page (art, histoire, géographie...) ?

2 Qu'est-ce qui fait de la Bretagne une région à forte identité culturelle ?

3 Qu'évoque pour vous le tableau de Gauguin ? Quels caractères bretons illustre-t-il ?

2 DÉBAT.

Y a-t-il de la place pour des initiatives comme celle de la cité du Livre ?

Le livre risque-t-il d'être remplacé un jour par l'informatique ?

Faut-il multiplier les initiatives comme celle de Bécherel pour inciter les gens à lire ?

LITTÉRATURE

Deux écrivains bretons

Le charme de Térénez

Le promeneur, aujourd'hui, ne peut imaginer ce qu'était le charme de Térénez, dans les années 50. Les petites maisons blanchies à la chaux, côté Pen an Dour[1], qui donnaient directement sur la grève[2], l'étroit « tombolo[3] » que la mer coupait de la terre ferme aux marées[4] d'équinoxe – mais surtout l'atmosphère d'insouciante[5] liberté, mêlant marins et vacanciers, qui faisait paraître chaque heure passée au port plus riche, plus heureuse que nulle part ailleurs. La colonie de peintres installés à Térénez après la guerre, dans ce qu'ils avaient aussitôt appelé la « rue de Paris », n'était peut-être pas étrangère à cette douce euphorie[6], à cet esprit de bohème en lequel chacun se retrouvait si volontiers. [...]

La « route touristique » qui rejoint le fond de la baie[7] et se prolonge en un long ruban jusqu'au bourg[8] de Plouézoc'h, en offrant à l'automobiliste pressé un panorama tout simplement sublime, n'existait pas encore, et le « fond de la baie », accessible seulement par bateau, se parait de tous les prestiges des pays lointains, quelque peu mystérieux, où l'on ne se risquait que de loin en loin, à la rame[9] [...].

Michel Le Bris, *Un hiver en Bretagne*, DR/éd. Nils.

1. Pen an Dour : petit village.
2. Grève : plage.
3. Tombolo : bande de terre.
4. Marées : mouvements de la mer qui monte et qui descend.
5. Insouciant : sans problème, qui ne s'inquiète pas.
6. Euphorie : sentiment de bonheur.
7. Baie : partie rentrante de la côte, petit golfe.
8. Bourg : petite ville.
9. Rame : longue barre de bois qui sert à faire avancer un petit bateau.

Poèmes

Oui, l'eau coule et l'arbre attend.

Elle coule au creux de la terre,
Elle coule dans la chair de l'arbre.

Et l'arbre attend.

Eugène Guillevic, *Terraqués*,
© éd. Gallimard.

Le ruisseau coule
Dans la terre fraîche.

Il sait
Comme les pierres sont dures,
Il connaît le goût
De la terre.

Eugène Guillevic, *Terraqués*,
© éd. Gallimard.

L'arbre,
On a beau le regarder,

On a beau vouloir :
On n'est pas pareil.

C'est plutôt dommage.

Eugène Guillevic,
Les chansons d'Antonin Blond,
© éd. Gallimard.

1 LE CHARME DE TÉRÉNEZ.

1 Quelle impression générale se dégage du texte ? (Vous pouvez faire plusieurs choix.)

a Bien-être.   d Paix.

b Nostalgie.   e Bonheur.

c Beauté.   f Mystère.

2 Quels en sont les mots clefs ?

3 Plusieurs groupes de gens vivaient ensemble dans la paix et le bien-être. Lesquels ?

4 Qu'est-ce qui, pour vous, évoque plus particulièrement la Bretagne dans ce texte ?

2 L'EAU.

1 Quels mots caractérisant l'homme sont utilisés pour décrire l'arbre ?

2 Que représente l'eau que l'arbre attend ?

a La nourriture. b L'amour. c La paix.

3 LE RUISSEAU.

1 Quels mots donnent au ruisseau des capacités de l'homme ?

2 Quels rapports le ruisseau a-t-il avec ce qui l'entoure ?

4 L'ARBRE.

1 Qui regarde l'arbre ? Pourquoi ?

2 L'homme peut-il ressembler à l'arbre, à la nature ?

épisode ⑤

1re PARTIE

UN BON DÉBUT !

2e PARTIE

DES BRUITS QUI COURENT...

VOUS ALLEZ APPRENDRE À :

– montrer votre intérêt pour quelqu'un ou quelque chose
– encourager quelqu'un
– vous féliciter de quelque chose
– dire que vous ne vous intéressez pas aux affaires des autres
– demander à quelqu'un de faire quelque chose
– mettre en valeur l'auteur et l'objet d'une action

VOUS ALLEZ UTILISER :

– l'interrogation indirecte et quatre constructions du verbe *demander*
– des phrases impératives au discours indirect
– la transformation passive
– le passif avec les verbes *devoir* et *pouvoir*
– la préposition *par* introduisant un complément d'agent

ET VOUS ALLEZ AUSSI :

– analyser l'organisation chronologique d'un texte
– écrire le récit des débuts de l'automobile

– découvrir Montréal, la ville aux deux visages, et quelques aspects du Québec

Découvrez les situations

1 OBSERVEZ ET FAITES DES HYPOTHÈSES.

Visionnez sans le son.

1 Qu'est-ce que Bernard est en train de préparer ?
  a Des légumes. **b** Une sauce. **c** De la viande.
2 Que fait Laura dans le café ?
3 Pourquoi Corinne vient-elle dans le café ?
4 Combien y a-t-il de clients ? Qui sert ?
  Que peut-on en déduire ?
5 Corinne voulait changer le café. Vous vous
  souvenez de ses souhaits ? Est-ce qu'ils se réalisent ?

6 Qu'est-ce que l'on voit près de la machine à
  calculer de Corinne ? Est-ce que la soirée a été
  bonne ?
7 Quelle attitude Bernard a-t-il avec Corinne ?
  Il semble :
  a indifférent ; **b** en colère ; **c** complice.
8 Joseph fait de grands gestes. Est-ce qu'il se
  dispute avec Raymond ? De quoi parle-t-il ?
  Imaginez leur dialogue.

Observez l'action et les comportements

2 METTEZ EN ORDRE.

Visionnez avec le son.

1 Bernard parle au téléphone.
2 Laura et Bernard se séparent en riant.
3 Corinne regarde Julien servir au café.
4 Julien prend son manteau au moment
  où Bernard sort de la cuisine.
5 Joseph s'assoit sur le banc à côté de Raymond.
6 Corinne et Bernard sont dans la cuisine.
7 Corinne est en train de faire les comptes.
  Bernard est accoudé en face d'elle.

3 VÉRIFIEZ VOS HYPOTHÈSES.

*Trouvez dans les dialogues les répliques
qui vérifient (ou contredisent) vos hypothèses aux
questions 3, 7 et 8 de l'exercice 1.*

4 QU'A FAIT JULIEN ?

Julien s'est occupé de trois tables.

1 Qu'est-ce qu'il apporte à la première table ?
2 Que dit-il aux clients de la deuxième table ?
3 Qu'ont pris les clients de la troisième table
  et combien ont-ils à payer ?

5 COMMENT EST-CE QU'ILS L'EXPRIMENT ?

Trouvez dans le dialogue une façon d'exprimer :

1 une marque d'inquiétude ;
2 une marque d'intérêt ;
3 une remarque ironique ;
4 une marque d'irritation.

6 QUELLES SONT LEURS EXPRESSIONS ?

*Regardez les photos. Décrivez les expressions
et/ou les gestes. Dites ce que ça signifie
et ce que les personnages disent ou ce
qu'ils peuvent penser.*

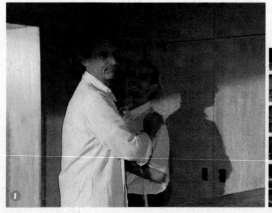

dossier 5

DÉBUT !

Dans la cuisine, Bernard est en train de préparer un plat. Corinne le regarde.

CORINNE Je me demande s'il se débrouille bien, le fils de François.

BERNARD Pourquoi pas ? Mais va jeter un coup d'œil au café.

Dans le café, Laura est en train d'expliquer le fonctionnement de l'ordinateur à un jeune garçon.

LAURA Tiens, regarde.

Julien, le fils de François, s'occupe des clients. Corinne est sur le pas de porte, entre la salle de restaurant et le café.

JULIEN Et voilà votre addition…

Bernard arrive de la cuisine.

BERNARD Ça a bien marché, ce soir.

CORINNE Oui, il y avait un peu plus de monde et la clientèle était plus jeune.

Le téléphone sonne.

BERNARD J'y vais…
Oui, très bien… Oui… au revoir.
C'était François. Il voulait savoir comment Julien se débrouillait et si on pensait le garder. Je lui ai dit oui, bien sûr.
Vingt couverts en semaine, c'est pas mal !

5

dossier

DES CLIENTS Merci.

JULIEN Ah, oui, je vous apporte tout de suite votre jus d'orange, Madame… Alors, un thé, une bière, ça fait 26 francs cinquante… Oh, excusez-moi, 4 euros.

Un peu plus tard… Corinne fait les comptes près de la caisse. Julien est sur le point de partir.

CORINNE Ça va, vous vous y faites ? Tout s'est bien passé ?

JULIEN Oui, ça va très bien, Madame Lemoine. Mais j'ai encore un peu de mal à ne rien oublier.

CORINNE C'est normal. Mais ça viendra vite. Alors, à demain, Julien.

JULIEN Au revoir, Madame.

CORINNE (tout sourire) Oui, on a fait quatre mille cinq cents francs… On va pouvoir faire réparer la chaudière.

BERNARD Si tu commences comme ça, on ne va pas les garder longtemps, nos bénéfices !

Le lendemain… Sur la place du village, Raymond et Joseph sont sur leur banc.

JOSEPH Il est joyeux, notre Parisien.

RAYMOND Eh oui, ses affaires sont bien parties, maintenant.

JOSEPH Je me demande combien de temps ça va durer.

RAYMOND Ah, ne commence pas !

Découvrez les situations

1 OBSERVEZ ET FAITES DES HYPOTHÈSES.

Visionnez sans le son.

1 Quel est le problème de Bernard ? Qu'est-ce qu'il demande à Joseph et à Raymond ?
2 Qui est le jeune homme avec Bernard ? Où sont-ils ? Pourquoi ?

3 Qu'est-ce que le jeune homme donne à Bernard ?
4 Où sont Corinne et le jeune homme dans la dernière séquence ?
5 Le jeune homme dit quelque chose qui a l'air d'étonner Bernard et Corinne. Imaginez ce que cela peut être.

Observez l'action et les comportements

2 C'EST DANS LE DIALOGUE.

Visionnez avec le son. Répondez aux questions.

1 Depuis combien de temps la chaudière est-elle installée ?
2 Où habite Charles Cazeneuve ?
3 Quelles sont les qualités de Pierre ?
4 Par qui la chaudière a-t-elle été installée ?
5 La chaudière va-t-elle être réparée ou changée ?
6 Qu'est-ce qu'on raconte dans le village ?

3 RETROUVEZ LES RÉPLIQUES.

Quelles sont les répliques qui montrent :

1 que Bernard se sent de plus en plus accepté et intégré dans la vie du village ?
2 que Joseph est toujours pessimiste ?
3 que Bernard fait attention à l'argent ?
4 que le plombier est honnête et discret ?
5 que des gens du village sont jaloux ?

4 REGARDEZ LES PHOTOS.

Observez les expressions et les gestes de Joseph, de Raymond, de Bernard et de Corinne et décrivez-les. Dites ce qu'ils signifient et retrouvez les répliques qui les ont provoqués.

5 COMMENT EST-CE QU'ILS L'EXPRIMENT ?

À quels actes de parole correspondent les répliques suivantes ?

1 De Toulon ? Oh ben, ça m'étonnerait !
2 Il ne faut pas qu'ils prennent de risque.
3 Est-ce que vous pouvez me faire deux devis ?
4 Un jaloux ! C'est bon signe…

6 VOUS EN SOUVENEZ-VOUS ?

Répondez aux questions.

1 Qui est Julien ?
2 Pourquoi est-il chez Bernard et Corinne ?
3 Combien d'argent les Lemoine ont-ils reçu au cours de la soirée ?
4 Qu'est-ce que Corinne veut faire de cet argent ?
5 À qui s'adresse Bernard pour avoir l'adresse d'un bon plombier ?
6 Est-ce que Pierre est de la région ?
7 Pourquoi Bernard choisit-il de faire changer la chaudière ?
8 Qu'est-ce que Pierre a entendu dire ?
9 Comment réagit Bernard ? Et Corinne ?

5

dossier

QUI COURENT...

Bernard s'approche de Joseph et de Raymond en souriant.

BERNARD Bonjour Joseph, bonjour Raymond.

RAYMOND ET JOSEPH Bonjour, Monsieur Lemoine.

BERNARD Ah, ne m'appelez pas Lemoine. Appelez-moi Bernard. On se connaît bien, maintenant… Dites, ma chaudière a besoin d'être réparée, vous connaissez un bon plombier ?

BERNARD D'accord. Venez vous asseoir. Vous serez mieux.

Dans la salle du café, Pierre termine de rédiger les devis.

PIERRE Tenez. Voilà vos devis, à quelque chose près.

Bernard prend les devis et les regarde.

BERNARD Je me demande ce qui est le mieux. Il n'y a pas une énorme différence

Dix jours après.

JOSEPH Un bon plombier, c'est difficile à trouver, hein…

RAYMOND On devrait demander à Charles Cazeneuve s'il se déplace jusqu'ici.

JOSEPH De Toulon ? Oh, ben, ça m'étonnerait !

BERNARD Alors, qu'est-ce que je fais ? La chaudière est posée depuis plus de vingt ans.

JOSEPH Remarquez, si elle a tenu vingt ans, je ne vois pas pourquoi elle ne tiendrait pas un hiver de plus.

RAYMOND Il ne faut pas qu'ils prennent de risque. Mais, j'y pense, il y a le petit Pierre, le fils de Marcel. C'est un bon plombier et il est sérieux.

JOSEPH Eh oui, il a raison. Justement, votre chaudière, elle a été installée par son père.

Près de la chaudière, Bernard et Pierre discutent.

PIERRE Moi, je veux bien la réparer, mais je ne peux pas vous dire combien de temps ça tiendra.

BERNARD Est-ce que vous pouvez me faire deux devis, même approximatifs, un pour la réparation, un autre pour la nouvelle chaudière ?

PIERRE Ils peuvent être faits tout de suite, si vous voulez.

de prix… Il vaut mieux la changer, je crois. Vous pouvez le faire quand ?

PIERRE Oh, le temps de la commander… Disons dans une dizaine de jours. Je vous téléphonerai.

BERNARD D'accord.

Dans le local de la chaudière, dix jours plus tard.

CORINNE Vous en aurez pour longtemps ?

PIERRE Jusqu'à ce soir. Je pensais venir plus tôt, mais j'ai été retenu sur un chantier. Dites, pourquoi vous ne m'avez pas dit que vous alliez quitter le village ? Ça ne valait peut-être pas la peine de changer la chaudière.

CORINNE Quitter le village. Qui vous a raconté ça ?

PIERRE J'ai entendu dire que vos affaires ne marchaient pas très fort et que vous vouliez remonter à Paris. Remarquez, moi, je ne veux pas me mêler de ce qui ne me regarde pas.

Bernard arrive.

CORINNE Quitter le village ! J'aimerais bien savoir qui peut raconter ça.

BERNARD *(souriant)* Un jaloux ! C'est bon signe, c'est que nos affaires commencent vraiment à bien marcher !

DÉCOUVREZ LA **GRAMMAIRE**

L'interrogation indirecte

• **Rappel**
Pour introduire une question au discours indirect, on emploie (*se*) *demander, chercher à savoir...* + mot interrogatif :
Joseph : « Combien de temps ça va durer ? »
➜ *Joseph **demande combien de temps** ça va durer.*

! *Est-ce que* devient *si* : *François (se) demandait **si** Julien se débrouillait bien.*

! *Qu'est-ce qui* devient *ce qui* et *qu'est-ce que* devient *ce que* : *Il veut savoir **ce qui** se passe.*

• **La concordance des temps dans l'interrogation indirecte**
– Les règles de concordance des temps du discours indirect s'appliquent aussi à l'interrogation indirecte :
*« Tes affaires **marchent** bien ? »*
➜ *Il lui a demandé si ses affaires **marchaient** bien.*
– De même, les pronoms personnels, les adjectifs possessifs et les adverbes de temps du discours direct sont transposés :
*« Qu'est-ce que **tu** vas faire à Nice avec **tes** amis **demain** ? »*
➜ *Elle/il voulait savoir ce qu'**il/elle** allait faire à Nice avec **ses** amis **le lendemain**.*

1 Rapportez cette conversation.

*Introduisez les questions avec **je lui ai demandé**, **j'ai voulu savoir** et les réponses par **il/elle a répondu**, **il/elle a répliqué**...*

1 Tu vas chez le docteur ?
2 Eh oui, je vais y passer des heures, comme d'habitude !
3 Qu'est-ce que le docteur va te dire ?
4 Il va me dire que je n'ai rien.
5 Tu y vas pour faire plaisir à ta femme.
6 C'est vrai. Elle me dit d'y aller régulièrement.

Les phrases impératives dans le discours indirect

Pour transposer une phrase impérative au discours indirect on emploie :
– *demander de* + **infinitif** (si celui qui rapporte le discours est le même que celui qui donne l'ordre ou le conseil) :
« Appelez-moi Bernard. »
➜ ***Je vous demande de** m'appeler Bernard.*
– *demander que* + **subjonctif** (si celui qui rapporte le discours n'est pas le même que celui qui donne l'ordre ou le conseil) :
*M. Lemoine **demande qu'on** l'appelle Bernard.*
*Bernard demande que **Pierre** lui fasse deux devis.*

2 *Demander de* + infinitif.

Corinne donne des conseils à Julien. Transposez ces conseils au discours indirect.
Transformez les pronoms si nécessaire.

Exemple : Vous servirez au café.
➜ **Corinne lui demande de servir au café.**

1 Soyez aimable avec les clients.
2 Notez bien ce qu'on vous dit.
3 Ne vous trompez pas en rendant la monnaie.
4 N'oubliez pas les commandes.
5 Vous viendrez me voir si vous avez un problème.

3 *Demander que* + subjonctif ou *demander* + mot interrogatif + indicatif.

Exemple : Un passant (à un agent) : Comment est-ce qu'on va au Louvre ?
➜ **Le passant demande comment on va au Louvre.**

1 Un passant (à un chauffeur de taxi) : Conduisez-moi à la Défense, s'il vous plaît.
2 Un voyageur (à un chauffeur d'autobus) : Est-ce que nous sommes bien à la station Saint-Michel ?
3 Une cliente (à une vendeuse) : Combien coûte la robe rouge qui est dans la vitrine, s'il vous plaît ?
4 Un client (au marchand de chaussures) : Apportez-moi ces chaussures, en noir, pointure 41, s'il vous plaît.
5 Un client (à une secrétaire) : Veuillez m'annoncer à votre directeur.

Demander à + infinitif

Pour demander une permission : *demander à + infinitif* :
*Je peux partir ? Il **demande à** partir.*
*Vous me permettez d'entrer ? Il **demande à** entrer.*

4 *Demander à* ou *demander que* ?

Transformez et choisissez la bonne construction.

> Exemple : Je voudrais changer de table.
> → **Il demande à changer de table.**
> Vous pouvez m'apporter l'addition ?
> → **Il demande qu'on lui apporte l'addition.**

1 Montrez-moi le menu, s'il vous plaît.
2 Je voudrais voir la carte des vins.
3 Apportez-moi du pain, s'il vous plaît.
4 Redonnez-moi un peu de légumes, voulez-vous ?
5 Je peux changer de dessert ?

5 Qu'est-ce qu'ils demandent ?

Transformez ces phrases.

> Exemple : Je peux utiliser l'ordinateur ?
> → **Il demande à utiliser l'ordinateur.**
> Julien se débrouille bien ?
> → **Il demande si Julien se débrouille bien.**

1 Julien, tu peux t'occuper des clients ?
2 Tu peux préparer l'addition de la table 6 ?
3 Est-ce que vous allez garder Julien ?
4 Bernard, je peux me servir de ton téléphone ?
5 Vous pouvez m'apporter une carafe d'eau ?

Le passif

• Formation

Pierre   installe   la chaudière.

La chaudière   est installée   (par Pierre).
                (verbe au passif) (complément
                                    d'agent)

La transformation passive n'est possible que si le verbe actif a un complément d'objet direct (COD).

• Emploi
Avec la transformation passive, on peut :
– mettre en valeur l'objet de l'action qui devient sujet et occupe alors la première place ;
– insister sur l'auteur de l'action (l'agent) introduit par la préposition *par* :
*La chaudière a été installée **par** Pierre (et pas par un autre) ;*
– supprimer l'agent s'il n'est pas important :
La chaudière a été installée. (= On a installé la chaudière.)

❗ Après les verbes *pouvoir, devoir, vouloir*, c'est l'infinitif qui se met au passif :
*Les devis peuvent **être faits** tout de suite, si vous voulez.*

❗ Les verbes pronominaux ne peuvent pas se mettre au passif.

6 Ça a été fait !

Transformez au passif en pensant à l'accord des participes passés.

> Exemple : On devait informer nos lecteurs !
> → **Mais… nos lecteurs ont été informés.**

1 Nous devions montrer les images de cet accident !
2 Il fallait commenter cette nouvelle !
3 On devait interroger les témoins !
4 Je voulais qu'on publie leurs témoignages !
5 Il fallait trouver les causes de cet accident !

7 Racontez au passif.

Vous avez gagné un concours organisé par une ville du Québec et vous avez été invité(e) à y séjourner huit jours avec une autre personne. Racontez comment ça s'est passé.

> Exemple : On nous a très bien reçu(e)s.
> → **Nous avons été bien reçu(e)s.**

1 Quelqu'un nous attendait à l'aéroport.
2 On nous a conduits dans un bon hôtel.
3 Le maire nous a reçus à l'hôtel de ville.
4 Il nous a présenté les personnalités de la ville.
5 On a inauguré l'exposition.
6 On a organisé un dîner en notre honneur.

Sons et Lettres

1 LES VOYELLES MOYENNES.

Prononcez ces phrases à voix haute, puis écoutez l'enregistrement et répétez.

1 Voilà votre bière. Elle m'apporte un verre de bière.
2 – Donnez-nous deux cafés.
 – Tenez, prenez vos cafés.
3 – Un thé, ça fait deux euros.
 – D'accord, ce n'est pas très cher.
4 Pierre peut faire deux devis. Mais il vaut mieux changer la chaudière.
5 Pierre apporte une chaudière neuve. La chaudière actuelle a été installée par son père.

Les voyelles moyennes se prononcent :

– fermées lorsque la syllabe est ouverte
(= terminées par un son de voyelle) : *été, pot, peu* ;
– ouvertes lorsque la syllabe est fermée
(= terminée par un son de consonne) : *terre, port, peur.*

2 LE SON [j] EN FINALE.

Écoutez, répétez et écrivez les phrases. Attention à l'orthographe de [j] en finale : -il ou -ille, selon les cas.

Visionnez les variations

1 PAS FACILE, LE PERMIS DE CONDUIRE !

Un(e) de vos ami(e)s vient de passer son permis de conduire. Vous lui posez des questions sur ce qui s'est passé.

Montrer son intérêt

1 – Ça va, vous vous y faites, tout s'est bien passé ?
 – Oui, oui, ça va très bien, Madame Lemoine.
2 – Ça n'a pas été trop difficile ?
 – Au début, un peu, mais maintenant ça va.
3 – Comment vous vous en sortez ? Pas trop dur ?
 – Non, non, on s'y fait vite.
4 – Ça a bien marché ?
 – Oui, ça a été.

2 DES DÉBUTS DIFFICILES.

Le fils/la fille d'un de vos amis vient de trouver un emploi. Il/elle a quelques difficultés. Vous l'encouragez.

Encourager quelqu'un

1 Oui, c'est normal. Mais ça viendra vite.
2 Ne vous en faites pas, vous apprendrez vite.
3 Je vous fais confiance, vous y arriverez.
4 Je ne me fais pas de soucis pour vous.

3 UN VOYAGE IDÉAL.

Vous avez fait un voyage en voiture dans de bonnes conditions (pas d'embouteillages, beau temps, pas d'accidents...). À l'arrivée, vos ami(e)s vous demandent comment ça s'est passé. Vous vous félicitez que tout se soit si bien passé.

Se féliciter

1 Ça a bien marché, ce soir.
2 On n'a pas à se plaindre, ce soir.
3 On ne pouvait pas faire mieux, ce soir.
4 Si ça pouvait toujours marcher comme ça...`

4 RESTEZ DISCRET.

Les affaires d'un(e) de vos ami(e)s ne marchent pas bien. Vous lui posez des questions. Il/elle hésite à vous répondre. Vous n'insistez pas.

Ne pas s'occuper des affaires des autres

1 Remarquez, moi, je ne veux pas me mêler de ce qui ne me regarde pas...
2 C'est vous que ça regarde, hein...
3 Vous savez, ce n'est pas mon problème...
4 Je vous dis ça, mais ce ne sont pas mes affaires...

COMMUNIQUEZ

1 DES BRUITS QUI COURENT...

*Écrivez un texte pour chacune des images
en ajoutant à chaque fois une information
sur les raisons du départ supposé des Lemoine.
Jouez les scènes avec un(e) voisin(e).*

2 LES CROISSANTS.

*1 Lisez les questions, puis écoutez l'histoire
et répondez.*

a Quelle première boisson demande le client ?
b Qu'est-ce qu'il demande avec cette boisson ?
c Que lui répond le serveur ?
d Quelle est la deuxième boisson demandée
par le client ? Avec quoi ?
e Qu'est-ce que le serveur lui propose à la place ?
Quel ton a-t-il ?
f Quel compliment le client fait-il au serveur ?
g Finalement, que demande le client ?

*2 L'histoire n'est pas finie. Travaillez avec
votre voisin(e) pour trouver une chute amusante.*

3 UN CLIENT DIFFICILE.

*Travaillez à deux. Inspirez-vous de l'histoire que
vous venez d'entendre pour imaginer une scène
humoristique semblable dans un restaurant entre
un(e) client(e) et le/la serveur/serveuse.
Jouez la scène.*

4 LEUR PREMIER JOUR DE TRAVAIL.

*Voici le témoignage de trois personnes qui se
souviennent de leur premier contact avec leur
lieu de travail, leurs collègues et leur employeur.
1 Écoutez et répondez aux questions.*

a Qui s'est senti tout de suite à sa place dans
son métier ?
b Qui a gardé un bon souvenir de son premier
jour de travail grâce à ses collègues ?
c Qui a apprécié le cadre de son lieu de travail ?

*2 Écoutez les interviews séparément et dites
si c'est vrai ou faux. Rétablissez la vérité.*

a La boutique où a travaillé Marie-José Meudec
était située à Saint-Germain-des-Prés.
b C'était une boutique de vêtements classiques.
c La patronne était beaucoup plus âgée qu'elle.
d Les bureaux où a travaillé Christiane Simon
étaient bien séparés de l'usine de jouets.
e Pour son patron, le rôle de standardiste n'était
pas important.
f Au début, elle avait peur du téléphone.
g Xavier Rousseau a été embauché définitivement
dans une entreprise de publicité.
h Ses collègues lui ont tout de suite montré
ce qu'il devait faire.

*3 Dites ce que ces témoignages nous apprennent
sur l'évolution des rapports avec l'employeur et
les collègues, sur le lieu et les conditions
de travail.*

5 JEU DE RÔLES.

*1 Vous n'avez jamais travaillé. Vous cherchez
un travail pour les vacances ou un stage.
Déterminez le type de travail que vous aimeriez
faire : serveur dans un café/restaurant,
disc-jockey, moniteur de sport...
Dites votre choix à votre voisin(e). Chacun fait
une liste pour préparer l'interview. L'un joue
l'employeur, l'autre le candidat. Pensez à
l'expérience, aux qualités, aux motivations...
Puis, inversez les rôles.*

*2 Vous travaillez déjà, mais vous voulez changer
de métier. Déterminez dans quel domaine vous
aimeriez travailler. Dites-le à votre voisin(e).
Chacun prépare l'interview de son côté.
Jouez la situation. Changez de rôle.*

Vive la rapublique !

IAM en concert.

Hélène, 17 ans, est élève dans un grand lycée parisien. Ses héros sont des rappeurs. Les soirées où elle va danser, le look qu'elle copie, les paroles qu'elle apprend par cœur, les vedettes qu'elle adore : pour Hélène la mode est au rap.

Ce n'est que depuis novembre 1982 que le rap américain est importé en France. Dans la salle du Bataclan où se produisent d'excellentes vedettes américaines, les futurs rappeurs français sont enthousiasmés. Parmi eux, Daniel, un garçon de courses qui devient bientôt Dee Nasty, l'âme du hip-hop en France, un fabuleux DJ. C'est lui qui, jusqu'en 1984, est l'animateur de la première émission au monde consacrée à cette nouvelle musique. C'est également lui qui, en 1986, organise les fameuses « rap parties » sur un terrain vague près de la place Stalingrad, dans le XXᵉ arrondissement de Paris. L'année suivante, on le retrouve au Globo, une célèbre boîte funk où de nombreux rappeurs français ont fait leur début, micro en main.

En 1988, est produit le premier 45-tours du rap français. À partir de 1990, toute une série d'albums sort pour le plus grand plaisir des accros. En 1993, le producteur de MC Solaar, le plus grand nom du rap français actuel, lance la deuxième vague du rap. La preuve que le rap a beaucoup de succès est donnée deux ans après, en 1995, quand MC Solaar et IAM sont nommés meilleur artiste et meilleur groupe de l'année.

Le rap français est souvent politiquement engagé. Quand il l'est, il emploie des mots durs et parfois choquants : c'est pour dénoncer ce qui ne va pas dans le pays, le chômage, l'exclusion, le racisme… Mais, d'après Hughes Bazin, chercheur en sciences sociales, le rap français est l'indicateur d'un mouvement nouveau où se mêlent des apports culturels différents et des valeurs universelles.

D'après un article du *Nouvel Observateur*,
n° 1688, 13/03/1997.

dossier 5

ÉCRIT

1 L'ORGANISATION.

Associez un des sous-titres suivants à chacun des paragraphes.

a Les étapes du succès du rap.
b La mode du rap chez les jeunes.
c L'engagement politique du rap.
d Les débuts du rap français.

2 SITUEZ LES ÉVÉNEMENTS.

1 Relevez les expressions de temps du texte.

a Dates précises : …
b Indications de temps plus générales : …

2 Établissez la chronologie des événements.

3 L'EMPLOI DES TEMPS.

1 Quel est le temps employé dans le texte ?
2 Quel temps est généralement utilisé pour marquer le récit d'événements ?
3 Dans ce texte quelle est la conséquence de l'utilisation de ce temps pour le lecteur ?
　a Les événements paraissent plus éloignés dans le temps.
　b Les événements sont plus proches de nous et plus actuels.

4 LE CONTENU.

1 D'où est venue la mode du rap ?
2 Citez une des grandes figures des débuts du rap français.
3 Contre quoi le rap s'élève-t-il quand il s'engage politiquement ?
4 Qu'est-ce qu'annonce le rap français ?
5 Que suggère le jeu de mots du titre de l'article ?

5 ET DANS VOTRE PAYS ?

1 Répondez aux questions.

a Le rap (ou une autre musique récente) est-il populaire chez les jeunes de votre pays ?
b Quand a-t-il été lancé ?
c Quelles ont été les étapes du lancement ?
d Quels sont les thèmes des chansons ?

2 Écrivez un court article sur le sujet pour un magazine francophone.

6 ÉCRITURE : LES DÉBUTS DE L'AUTOMOBILE.

Racontez les débuts de l'automobile en utilisant les faits suivants.

1873　Construction d'une automobile à vapeur par Amédée Bollée, un artisan du Mans.

1883　Amélioration du moteur à vapeur par le marquis de Dion et Georges Bouton.

1886　Mise au point du moteur à essence par Nikolaus Otto.
　　　Construction de la première voiture par Gottlieb Daimler et Karl Benz.

1898　Production des premières voitures de série par Émile Levassor et René Panhard.

1900　Construction de la première voiture fermée par une carrosserie par Louis Renault. Avec ses deux frères, production de 60 voitures en six mois.

1900　Déjà 600 constructeurs en France.

1903　Lancement de la compagnie d'Henry Ford aux États-Unis.

*Automobile vers 1900
© Collection Viollet.*

*Voiture de Dion Bouton, construite en 1885.
© Collection Viollet.*

Montréal, la ville aux deux visages

Avec ses trois millions d'habitants, Montréal est la plus grande ville francophone après Paris. Elle est située sur l'estuaire du Saint-Laurent par où sont arrivés les explorateurs français au XVIe siècle.

C'est une ville où tout est double, deux drapeaux, deux langues, double affichage, journaux dans les deux langues, double système bancaire, deux universités, l'anglophone Mac Gill et l'Université du Québec à Montréal, la francophone.

Le boulevard Saint-Laurent est la frontière entre la partie ouest anglophone et la partie est, majoritairement francophone.

La devise, « Je me souviens », rappelle la découverte du Québec par les Français.

Nous sommes dans les bâtiments du groupe Desjardins, au cœur du pouvoir financier francophone.

Pour les Canadiens de langue française, le nombre 101 est un nombre magique. C'est celui de la loi qui impose que les affichages soient tous faits en deux langues, avec l'obligation d'inscrire le français en premier dans les affichages publics.

À la bourse, si les transactions se font en anglais, les employés, eux, communiquent en français.

Et les nouveaux immigrants reçoivent gratuitement des cours de français.

Dans les écoles, les élèves anglophones apprennent le français.

Les cafés sont des bastions de la culture française et chanteurs et écrivains maintiennent les traditions populaires.

Dans cette ville du XXIe siècle, un Canadien sur deux est bilingue.

Le Saint-Laurent.   *Château Frontenac.*

1 REPÉREZ.

Avant de visionner le reportage, lisez les phrases suivantes.
Puis, visionnez sans le son et notez ce que vous voyez écrit à l'écran.

 1 Notre ville dit non !
 2 Québec, la ville aux mille visages.
 3 Les yeux en amande – le cœur québécois.
 4 Produits et services Desjardins.
 5 Soyez les bienvenus au Québec.
 6 Ça vous profite directement.
 7 Université du Québec à Montréal.
 8 Banque Nationale du Québec.
 9 Caisse populaire – services automatisés.
 10 Pépites de chocolat.

2 QU'EST-CE QUE VOUS AVEZ VU ?

Visionnez le reportage avec le son. Mettez dans l'ordre ce que vous avez vu.

 1 **a** Des journaux. **b** Des gratte-ciel. **c** Des classes de français. **d** Des sigles de banque. **e** Des affiches. **f** Des universités. **g** Des employés à la bourse. **h** Des chanteurs. **i** Le boulevard qui sépare les parties francophone et anglophone.
 2 Qu'avez-vous vu d'autre ?

3 QU'EST-CE QUE ÇA SIGNIFIE ?

 1 Que rappelle la devise *Je me souviens* ?
 2 Que signifie le nombre 101 ?
 3 Quels sont les *deux visages* de Montréal ?
 4 Pourquoi a-t-on choisi de montrer des images du groupe Desjardins ?
 5 Pourquoi donne-t-on des cours de français gratuits aux immigrants ?

MONTRÉAL

400 km

Le Québec, c'est aussi...

Quelques dates historiques

1535	Jacques Cartier débarque à Gaspé et prend possession du territoire au nom de François Iᵉʳ.
1608	Samuel de Champlain fonde une colonie à Québec.
1701-1760	Période de guerres intercoloniales entre Français et Anglais.
1759	Les Anglais prennent Québec.
1760	Les Anglais prennent Montréal.
1763	Traité de Paris. La France cède le Canada et ses dépendances à l'Angleterre.

Les Amérindiens

Il ne reste que 62 000 Indiens (moins de 1 % de la population), qui étaient les premiers habitants du Québec. Ils sont répartis entre dix nations amérindiennes et une nation Inuit. L'agriculture, la chasse et la pêche restent leurs principales sources de revenus. Certaines nations, comme celle des Inuit, sont réputées pour leur art et leur artisanat.

La langue

Depuis 1969, le Canada est un pays officiellement bilingue. Mais il n'y a que 6 millions de francophones entourés par 250 millions d'anglophones. C'est le français qui a assuré l'unité de la majorité francophone du Québec. La lutte pour préserver le français s'est faite par étapes : 1910, reconnaissance du français comme langue officielle ; chèques et timbres canadiens bilingues en 1927 ; billets de banque bilingues en 1936 ; traduction simultanée des débats de l'Assemblée canadienne en 1958 ; étiquetage bilingue des produits alimentaires en 1968. En 1969, reconnaissance du français comme langue officielle du Canada. Depuis 1960, de nombreux organismes de défense du français ont été créés comme l'Office de la langue française. En 1977, est adoptée la charte de la langue française, appelée loi 101, qui fait du français la seule langue officielle de la province.

Le français parlé par la majorité des Québécois présente des différences avec le français de France. Voici quelques variantes lexicales :
Accommoder : rendre service à.
Bonjour : au revoir.
Une camisole : un T-shirt.
Une cane : une boîte de conserve.

Un char : une voiture.
Chauffer : conduire.
Le déjeuner : le petit déjeuner.
Dîner : déjeuner.
Une fève : un haricot sec.
Lumière : feux de circulation.
Magasiner : faire les courses.
Faire du pouce : faire de l'auto-stop.

Ecco sauvé des ours

Un chasseur français qui avait perdu son chien dans la forêt de Sainte-Anne-du-Lac au Québec vient de le retrouver !

Au cours d'une partie de chasse au Canada, le 14 octobre 1998, un chien, Ecco, n'a plus répondu aux appels de son maître, le Dr Ghibaudo qui vit dans l'est de la France. « La dernière image que j'avais gardée de lui, c'est sa silhouette dans les sapins. » Ecco était resté introuvable et le chasseur avait regagné la France.

Le 10 novembre, Richard Luc, habitant à 200 kilomètres du lieu de disparition d'Ecco, voit un chien très maigre près de sa ferme. Il reconnaît un chien de chasse utilisé par les chasseurs français. Il soigne l'animal, puis il communique le numéro de tatouage du chien à l'ambassade de France. Le 2 décembre, le Dr Ghibaudo est prévenu par téléphone...

Grâce au grelot qu'il portait à son cou, le chien avait été protégé contre tous les animaux de la forêt, pour lesquels le grelot signale une présence humaine. De plus, le mois de novembre avait été très doux, ce qui explique qu'Ecco n'était pas mort de froid... Le Dr Ghibaudo regrette seulement que son chien ne puisse pas lui raconter son mois d'aventure dans les forêts canadiennes !

dossier 5

1 EN BREF.

1 Pourquoi le Québec est-il resté si attaché au français ?

2 Quand le français est-il devenu une langue officielle du Canada ?

3 Comment l'histoire du chien Ecco illustre-t-elle les rapports entre Québécois et Français ?

2 DÉBAT.

Quels sont les avantages et les inconvénients de vivre au Québec, dans une communauté bilingue ?
Faut-il protéger et préserver les cultures des minorités ou doivent-elles être assimilées à la culture dominante ?

PROJET

UN SITE POUR VOTRE VILLE.

*La mairie de votre ville organise une campagne de communication pour attirer des jeunes.
Cette campagne comprend la réalisation d'un site sur Internet. Vous êtes chargé(e) de préparer
la partie de ce site concernant les sports qu'ils pourront pratiquer et les loisirs qui leur sont offerts.*

- Des groupes se forment et se réunissent pour décider des éléments à présenter dans le site.
- Chaque groupe choisit une rubrique et se répartit les tâches à l'intérieur du groupe :
  recherche de la documentation, réflexion sur la présentation, rédaction des rubriques…
- Les productions du groupe sont revues afin que chacun puisse proposer des améliorations.
- Puis elles sont présentées à l'ensemble de la classe.
- Au cours d'une discussion générale on rectifie, complète, améliore la présentation du site pour produire
  un document unique.

SOMMAIRE

Les sports	Clubs	Équipements sportifs
Centre aéré		Clubs équestres

LES SPORTS

Club de jeunes multisports
Situé au bout de la plage.

Les jeunes de 12 à 20 ans peuvent s'initier aux activités nautiques et profiter des joies de la mer.
Il fonctionne tous les jours pendant les vacances.

Renseignements : 02 31 14 02 18 ou
02 31 98 13 94 (à partir du 5 juillet)

Le parc de loisirs districal
Situé à Touques, à la sortie de Deauville.
Tél. : 02 31 88 54 49

Il met à la disposition des jeunes un ensemble
d'équipements sportifs variés avec ses deux terrains
de football, son terrain de rugby, une aire de basket-
ball, sa piste de patin à roulettes, son terrain de
boules et, pour les plus jeunes, une aire de jeux !
Pour les fous du volant : si vous avez envie de
devenir pilote automobile le temps d'un tour
de circuit en kart ou en voiture, laissez-vous tenter !

LES LOISIRS

Pratiques artistiques
Atelier sculpture-modelage	Atelier dessin-peinture
– Orientation générale	– Mise en œuvre
– Techniques et applications	– Mise en pratique
– Supports	

Activités nocturnes
Les cinémas :
Cinéma du casino   (renseignements 08 36 68 31 23)
Cinéma Morny-Club (renseignements 08 36 68 69 24)
Les discothèques :   Le Regine's
                     Le Melody Club
                     Y Club

Bibliothèque
67, rue Victor-Hugo
Jours et heures d'ouverture : mardi, jeudi, vendredi,
samedi de 10 h à 12 h, mercredi de 16 h à 18 h.

La bibliothèque met à votre disposition un salon de
lecture et une salle réservée aux adolescents.

épisode **⑥**

1re PARTIE

QUEL BEAU VILLAGE !

2e PARTIE

C'EST UNE BLAGUE !

VOUS ALLEZ APPRENDRE À :

– exprimer des regrets
– faire des suppositions au passé
– exprimer des sentiments
– exprimer des opinions
– exprimer des faits antérieurs à d'autres faits passés

VOUS ALLEZ UTILISER :

– le plus–que–parfait
– le plus–que–parfait dans le discours indirect
– le double comparatif
– l'infinitif passé

ET VOUS ALLEZ AUSSI :

– analyser l'organisation spatiale d'un texte
– décrire une maison de façon ordonnée

– découvrir le Périgord aux mille et un châteaux

Découvrez les situations

1 OBSERVEZ ET FAITES DES HYPOTHÈSES.

Visionnez sans le son.

1 Combien de séquences y a-t-il dans ce début d'épisode ? Où se situent-elles ?
2 Qu'est-ce que Bernard est en train de lire ?
   a Un roman. b Un livre sur le Lubéron.
   c Un livre de cuisine.
3 Qui accompagne Corinne et Bernard ?
4 Ces gens sont venus pour :
   a faire du tourisme ; b acheter une maison.
5 Bernard et Corinne ne sont pas au restaurant. Pourquoi ?

2 OBSERVEZ LES LIEUX.

1 Décrivez la pièce où se trouvent Bernard et Corinne.
2 Comparez le village de Saint-Paul-de-Vence à Falicon. Y a-t-il des points communs ? Quelles sont les différences ?

Observez l'action et les comportements

3 QU'EST-CE QU'ON APPREND ?

Visionnez avec le son.
Dites ce qu'on apprend sur les amis des Lemoine.

1 Comment s'appellent les amis des Lemoine ?
2 Combien de temps avaient-ils prévu de rester ?
3 Quel est le but de leur voyage ?
4 Que ferait Gérard s'il avait de l'argent ?

4 QUI DIT QUOI ?

Notez qui dit cette réplique et retrouvez la suivante.

1 Ils restent combien de temps ?
2 On leur avait trouvé une belle maison, mais ça n'avait rien donné.
3 On n'avait pas dit qu'on irait au bord de la mer ?
4 C'est... c'est de plus en plus beau, tu ne trouves pas ?
5 Ils n'ont pas à regretter d'être venus s'installer dans la région.

5 QU'EST-CE QU'ILS ONT RESSENTI ?

Voici une liste de sentiments et d'émotions. Retrouvez ceux qu'ont éprouvés les personnages. Trouvez les répliques correspondantes.

Étonnement.	Satisfaction.	Doute.
Tendresse.	Déception.	Tristesse.
Mécontentement.	Sévérité.	Ironie.

6 COMMENT L'EXPRIMENT-ILS ?

Trouvez des répliques équivalentes dans le dialogue et dites à quels actes de parole elles correspondent.

1 Quand on vieillit, on n'a plus de problèmes d'argent.
2 C'est toujours un grand plaisir de venir ici.
3 Malheureusement, ce n'est pas toujours le cas !
4 J'aimerais beaucoup acheter une maison ici.

7 QUE VA-T-IL SE PASSER ?

Essayez de deviner ce qui va se passer dans la deuxième partie de l'épisode. Justifiez vos hypothèses.

1 Est-ce que Bernard et Corinne vont contacter une agence immobilière ?
2 Est-ce qu'ils vont visiter une maison ?
3 Est-ce que Nathalie et Gérard auront les mêmes goûts ?
4 Est-ce qu'ils pourront régler l'affaire en trois jours ?

dossier 6

VILLAGE !

Bernard et Corinne sont dans le salon. Corinne est au téléphone.

CORINNE Eh bien, c'est d'accord, Nathalie. On vous attend. Embrasse Gérard.

Elle raccroche et vient s'asseoir sur le canapé, en face de Bernard.

BERNARD C'est sympa que Gérard et Nathalie viennent. Ils restent combien de temps ?

BERNARD Eh oui ! Plus on vieillit, moins on a de problèmes d'argent.

CORINNE Si seulement ça pouvait être vrai ! Ah, je leur ai dit qu'on passerait la journée de lundi avec eux, puisque c'est notre jour de fermeture.

BERNARD On n'avait pas dit qu'on irait au bord de la mer ?

CORINNE Si. Mais on pourra y aller une autre fois.

CORINNE Trois jours. Ils avaient prévu de rester une semaine, mais Gérard a beaucoup de travail en ce moment. Ah, cette fois, ils sont vraiment décidés à acheter une maison. Ils veulent en visiter plusieurs pendant ces trois jours.

BERNARD On va regarder les petites annonces. Ça leur fera gagner du temps. Tu sais ce qu'ils cherchent ?

CORINNE Oui. Ils veulent une maison avec un jardin. Tu te souviens, ils nous avaient déjà parlé d'en acheter une la première fois qu'on est venus dans la région ensemble.

BERNARD Il y a longtemps ! On leur avait trouvé une belle maison, mais ça n'avait rien donné.

CORINNE Il faut dire qu'elle était chère, hein. Ils avaient pas beaucoup d'argent à l'époque.

Dans les rues de Saint-Paul-de-Vence, Nathalie et Gérard Vincent se promènent accompagnés de Bernard et de Corinne.

GÉRARD Chaque fois que je viens ici, j'ai un choc. C'est... C'est de plus en plus beau, tu ne trouves pas ?

NATHALIE Hum... c'est déjà ce que tu m'avais dit la dernière fois.

Ils s'approchent tous d'une fontaine.

GÉRARD Si on avait assez d'argent, c'est ici que j'aimerais acheter une maison.

NATHALIE Avec des si... ! C'est Bernard et Corinne qui ont raison. Ils n'ont pas à regretter d'être venus s'installer dans la région.

BERNARD Bien au contraire. Il fallait même venir plus tôt !

dossier 6

Découvrez les situations

1 OBSERVEZ ET FAITES DES HYPOTHÈSES.

Visionnez sans le son.

1 Corinne regarde la fenêtre de sa maison. Quelle est son expression ? Pourquoi ?
2 Où est Laura ? Avec qui ? Que font-ils ?
3 Comment réagit-elle quand ses parents entrent ? Elle est :
   a gênée ; b triste ; c heureuse.
4 Est-ce que les parents de Laura connaissent le jeune homme ?

2 QUI DIT QUOI ?

À qui attribuez-vous ces répliques ? Mettez-les dans l'ordre de l'action.

1 Tu ne devais pas aller chez des copains ?
2 Tu vois, je t'avais dit que cette fois-ci on trouverait.
3 Qu'est-ce que vous allez voir ?
4 J'adore cette maison. Et ce jardin !

Observez l'action et les comportements

3 REPÉRAGE.

Visionnez avec le son.
Quels mots techniques se rapportant à la vente avez-vous entendus ou vus sur la pancarte ?

a Notaire.
b Annonces.
c Propriétaire.
d Hypothèques.
e Offre.
f Agence.
g Emprunt.
h Achat.
i Promesse de vente.
j Commissions.
k Acte de vente.
l Agent immobilier.

4 VRAI OU FAUX ?

Dites si c'est vrai ou faux et rétablissez la vérité.

1 Nathalie n'aime pas beaucoup la maison qu'ils visitent.
2 Gérard avait prévu de faire un gros emprunt.
3 Les prix ont beaucoup baissé.
4 Gérard et Nathalie ne pourront pas signer la promesse de vente avant leur départ.
5 Laura et Frédéric vont passer la soirée chez des copains.
6 On continue à raconter que les Lemoine vont retourner à Paris.

5 POUR OU CONTRE ?

Trouvez :

1 les arguments de Gérard pour ne pas acheter cette maison ;
2 les arguments de Nathalie pour l'acheter ;
3 les arguments de Bernard ;
4 le point commun entre Nathalie et Corinne.

6 CARACTÉRISEZ-LES.

Observez le comportement général de chaque personnage dans le jardin et caractérisez-le par un des adjectifs suivants.

Enthousiaste. Prudent. Tolérant. Amical. Hésitant. Complice. Réservé. Peu dynamique

7 QU'EST-CE QU'ILS EXPRIMENT ?

Décrivez les expressions des personnages, trouvez les répliques qui les ont provoquées et dites ce qu'elles expriment

8 VOUS EN SOUVENEZ-VOUS ?

1 Trouvez au moins huit événements qui ont eu lieu dans l'épisode.
2 Mettez-les dans l'ordre.
3 Écrivez un résumé de l'épisode.

BLAGUE !

 Les Lemoine et les Vincent sont dans le jardin d'une maison à vendre.

NATHALIE J'adore cette maison. Et ce jardin ! Dès que je l'ai vue, j'ai eu le coup de foudre !

GÉRARD Moi, j'aimerais autant une maison sans jardin, mais avec Nathalie…

NATHALIE Ah oui, moi, sans jardin, je serais malheureuse. Surtout dans le Midi…

GÉRARD Il ne faut pas se précipiter. On a encore du temps pour chercher.

CORINNE Tiens, c'est allumé. Pourtant Laura m'avait dit qu'elle allait chez des copains.

BERNARD Ils ont dû trouver que c'était plus sympa chez nous.

Dans le salon, Laura et Frédéric sont en train de plaisanter et de rire. Les quatre adultes entrent.

LAURA Bonsoir. Euh… On allait partir. Au fait, je vous présente Frédéric Duval. Mes parents et des amis…

FRÉDÉRIC Bonsoir.

NATHALIE Quand on aime quelque chose, il ne faut pas hésiter. Toi, tu ne te décides pas et après, tout ce que tu trouves à dire, c'est : « Ah, si j'avais su ! », « Ah, si on avait été plus entreprenants ! »

CORINNE Moi, je suis comme Nathalie. Je fonctionne au coup de cœur.

GÉRARD Elle est quand même un peu chère. On n'avait pas prévu de faire un gros emprunt.

BERNARD Faites une offre. Les propriétaires ont l'air pressé de vendre. Et puis, après avoir tellement monté, les prix ont bien baissé. N'attendez pas…

NATHALIE S'ils acceptaient notre offre, tu crois qu'on pourrait régler l'affaire en trois jours ?

BERNARD En rentrant, je téléphone à mon notaire. Si tout va bien, vous pourrez signer la promesse de vente avant de partir.

NATHALIE Tu vois, je t'avais dit que cette fois-ci on trouverait.

La voiture des Lemoine arrive dans le village et se gare devant le restaurant. Tout le monde descend.

TOUS Bonsoir.

CORINNE Tu ne devais pas aller chez des copains ?

LAURA Si. Mais, finalement, on préfère aller au cinéma et Frédéric est venu me chercher.

CORINNE Et vous y allez comment ?

FRÉDÉRIC Mon père me prête sa voiture.

BERNARD Qu'est-ce que vous allez voir ?

FRÉDÉRIC Le nouveau film de Luc Besson.

LAURA Bon, ben, on y va, hein. Ah, je voulais vous dire… Cet après-midi, la boulangère m'a demandé si c'était vrai qu'on repartait à Paris. C'est une blague ?

BERNARD Oui, oui. C'est une blague…

LAURA Oh, j'aime mieux ça. À plus tard.

CORINNE Bonne soirée.

FRÉDÉRIC Au revoir.

Laura et Frédéric partent.

GÉRARD Qu'est-ce que c'est que cette blague ?

BERNARD Rien de grave. C'est quelqu'un qui fait courir des bruits sur nous et nos affaires. Comme dirait Joseph (en l'imitant), les bruits, ça ne court pas tout seul…

Le plus-que-parfait

• **Formation**
Le plus-que-parfait se forme avec l'**auxiliaire** *avoir* ou *être* à l'imparfait suivi du participe passé :
*On n'**avait** pas **prévu** de faire un gros emprunt.*
*Nathalie et Gérard **étaient** déjà **venus** ici.*
Les règles d'accord sont les mêmes qu'au passé composé.

• **Emploi**
Le plus-que-parfait indique que **le fait passé exprimé s'est produit avant un autre fait passé** :
*Ils nous **avait** déjà **parlé** d'en acheter une.*
C'est pour la **concordance des temps** qu'on l'emploie le plus fréquemment :
Je suis allée chez des copains.
→ *Laura a dit qu'elle **était allée** chez des copains.*
Je te l'avais dit.
→ *Gérard a répondu qu'il l'**avait dit**.*

1 Rapportez leurs paroles au passé.

Exemple : Nous sommes allés sur la côte.
→ **Ils ont dit qu'ils étaient allés sur la côte.**

1 Nous avons lu des annonces.
2 Nous avons pris contact avec des agences immobilières.
3 Nous voulions une maison avec un jardin.
4 Nous pensions faire un emprunt.
5 Nous avons visité plusieurs maisons.
6 Nous sommes allés voir un notaire.
7 Nous avons hésité plusieurs fois.
8 Nous n'avons rien trouvé qui nous plaise.

2 Qu'est-ce qu'il avait déclaré ?

Rapportez les paroles de l'accusé.

Au cours de l'enquête, l'accusé avait déclaré :
« J'étais chez moi ce jour-là. Je ne suis pas sorti de la soirée. Je n'ai jamais vu ces gens. Je n'ai pas téléphoné à ce monsieur. Je ne sais pas pourquoi vous m'accusez. Je n'ai rien d'autre à vous dire. »
Mais, quelques jours plus tard, le détective a prouvé que ces déclarations étaient fausses.
Il retourne voir l'accusé et lui rapporte ses paroles.

L'autre jour, vous avez déclaré/dit/affirmé/ajouté...

3 Quel temps du passé employer ?

Mettez les verbes entre parenthèses à un temps du passé (passé composé, imparfait ou plus-que-parfait).

Quatre amis étaient partis tôt le matin. Ils (vouloir) faire une grande randonnée dans la montagne. Ils (emporter) des provisions pour trois jours. Le baromètre (être) au beau fixe et nos amis (chanter) en marchant. L'après-midi du premier jour, cependant, le ciel (se montrer) menaçant. De gros nuages noirs (se former). À 5 heures, le soleil (disparaître) et la nuit (tomber). Ils (s'arrêter) et ils (aller) monter leurs tentes quand la pluie (se mettre à tomber). Cette pluie (tomber) si fort qu'en quelques minutes tout leur matériel et leurs provisions (nager) dans l'eau. Ils (se mettre) à l'abri dans une grotte et c'est là qu'ils (devoir) passer la nuit.

Pas question de continuer dans ces conditions ! Leurs provisions et leur matériel (être) pleins d'eau. Il ne leur (rester) plus qu'à repartir.

4 Qu'est-ce qu'ils avaient dit ?

Imaginez la réplique précédente au plus-que-parfait comme dans l'exemple.

Exemple : Si, mais nous n'allons rester que deux jours au lieu de cinq.
→ **Vous n'aviez pas prévu de rester cinq jours ?**

1 Si, mais on a changé d'avis. On ne vient plus.
2 Si, ils nous l'ont écrit, mais finalement, le voyage a été annulé.
3 Si, mais quand on est retournés la visiter, la maison était déjà vendue.
4 Si, ils étaient prévenus, mais il n'y avait personne quand on est arrivés.
5 Si, je l'ai entendu dire, mais je ne savais pas que vous partiez définitivement.

Autres emplois du plus-que-parfait

Il peut exprimer le **regret** qu'un événement n'ait pas eu lieu. Il est alors précédé de *si* :
*Ah, **si** on **avait été** plus entreprenants !*
*Ah, **si** on **était venus** plus tôt !*

6
dossier

5 Concours de regrets !

1 Imaginez tous les regrets que ce vieux monsieur peut avoir.
Utilisez : être plus sérieux, faire des études, sortir tous les soirs, dépenser tout son argent, faire de bonnes affaires…

Exemple : **Ah si j'avais écouté mes amis !**

2 Nous avons tous des choses à regretter ! Faites un concours de regrets avec votre voisin(e). Chacun(e) en dit un à son tour.

La comparaison : le double comparatif

Pour mettre en parallèle deux propositions qui varient en même temps, on peut employer un double comparatif. Cette forme est employée surtout pour exprimer des vérités générales :
Plus *on vieillit,* **moins** *on a de problèmes d'argent.*
On utilise aussi les combinaisons suivantes :
plus… plus, moins… moins, plus… moins, moins… plus, plus/moins… mieux.

6 Comparez.

Complétez la conversation suivante. Utilisez les comparatifs que vous connaissez.

1 De ces deux maisons, c'est celle-ci la … belle.
2 Oui, mais elle est … chère … l'autre !
3 Faites une offre. Les prix ne seront jamais … bas … maintenant.
4 Vous ne croyez pas qu'il vaut … attendre ?
5 Pourquoi ? Vous n'aurez pas … argent dans un an !

7 Le double comparatif.

Imaginez des phrases avec un double comparatif.

Exemple : Si on travaille peu, on se porte mieux.
→ **Moins on travaille, mieux on se porte.**

1 Si on ne fait pas d'efforts, on ne peut pas bien réussir.
2 Quand le nombre des voitures augmente, la pollution augmente aussi.
3 Quand on a de l'argent, on le dépense.
4 Quand on ne s'occupe pas des affaires des autres, on n'a pas de problèmes.
5 Si les prix montent, les salaires doivent augmenter.

L'infinitif passé

Il se forme avec *être* ou *avoir* suivi du participe passé. Il marque l'antériorité :
*Après s'****être reposé*** *et* ***avoir mangé****, il est reparti.*

! À l'infinitif passé, la négation se met en entier devant *être* ou *avoir*, ou bien l'encadre :
Il a été puni pour ***n'avoir pas respecté****/****ne pas avoir respecté*** *le règlement.*

8 Infinitif présent ou passé ?

Racontez cette « cyber » histoire d'amour en utilisant l'infinitif passé avec ***après***.

Exemple : Avant de se connaître, ils ont longtemps surfé sur le Net.
→ **Ils se sont connus après avoir longtemps surfé sur le Net.**

1 Avant d'établir le contact, ils ont parlé à de nombreux correspondants.
2 Avant de commencer une relation suivie, ils ont eu plusieurs échanges.
3 Avant de se donner un premier rendez-vous, ils se sont posé beaucoup de questions.
4 Avant de se marier, ils ont échangé leurs ordinateurs.
5 Avant d'avoir des enfants, ils ont créé un site pour raconter leur histoire.

Sons et Lettres

1 Le e caduc.

Lisez les phrases suivantes à haute voix en supprimant autant de e que vous le pouvez. Puis écoutez l'enregistrement et corrigez-vous.

1 Je me demande s'il se débrouille bien.

2 Juste le temps de la commande.

3 Je ne peux pas vous le dire.

4 Je me demande ce qui est le mieux.

5 Je ne veux pas me mêler de ce qui ne me regarde pas.

2 Quelle est la cause de l'accord ?

1 Écoutez les phrases suivantes et écrivez le participe passé.

2 Dites pourquoi vous avez, ou n'avez pas, fait l'accord.

Visionnez les variations

1 EXCUSES ET REGRETS.

1 Vous avez eu un accident de voiture. Vous exprimez vos excuses et vos regrets au conducteur/à la conductrice de la voiture que vous avez heurtée.

2 Un(e) ami(e) vous fait des reproches (imprudence, vitesse trop élevée, état des pneus et des freins…). Vous exprimez chaque fois des regrets.

2 QUE DE REGRETS POUR CES VACANCES !

Vous avez réservé et payé un hôtel pour vos vacances, sans connaître l'endroit. L'hôtel n'est pas aussi confortable que l'annonçait la publicité, la nourriture n'est pas très bonne, la station de ski mal équipée ou la plage trop éloignée…
Votre voisin(e), qui passe ses vacances avec vous, vous signale les inconvénients et vous exprimez chaque fois un regret.

3 POURQUOI EST-CE QU'ILS ONT CHANGÉ LEURS PROJETS ?

Des amis devaient venir chez vous. Or, ils ont été obligés d'annuler leur voyage.
Votre voisin(e) et vous faites des suppositions sur les raisons de ce changement de projets.

4 QU'EST-CE QUI A PU LE FAIRE ÉCHOUER ?

Un(e) de vos ami(e)s avait été convoqué(e) pour un entretien d'embauche, mais n'a pas obtenu le poste espéré. Vous faites des suppositions sur les raisons de son échec.

Exprimer un regret

1 Il fallait même venir plus tôt !

2 Si on avait su, on serait venus plus tôt !

3 Si c'était à refaire, on serait là depuis longtemps !

4 Quel dommage qu'on ne soit pas venus plus tôt !

Faire une supposition

1 Ils ont dû trouver que chez nous c'était plus sympa.

2 Ils ont dû préférer venir chez nous.

3 Ils ont probablement pensé qu'il valait mieux être chez nous.

4 Ils ont sûrement pensé qu'on était mieux chez nous.

1 DIALOGUE.

De retour à Paris, Nathalie voit son/sa meilleur(e) ami(e). Elle lui parle de son séjour dans le Midi et de leur future maison. Son ami(e) est curieux/ curieuse. Il/elle lui demande comment est la maison, s'ils ont pu négocier un bon prix, s'ils vont pouvoir obtenir leur emprunt… Travaillez à deux et jouez la scène..

2 PROFESSION : PROMOTEUR.

Écoutez l'interview d'un jeune promoteur qui nous parle de sa profession.
Répondez aux questions.

1 Quels sont les trois aspects du métier de promoteur ?
2 Quelle a été la formation de ce promoteur ?
3 Comment peut se passer une de ses journées ?
4 Qu'est-ce qu'il aime dans son travail ?

3 ET VOUS ?

À la manière de ce jeune homme, présentez à la classe votre métier ou celui que vous aimeriez faire. Parlez de vos motivations, de la formation nécessaire, de l'intérêt du travail…

4 CRITIQUES DE FILMS.

Écoutez ces différentes critiques de films et répondez aux questions.

1 Combien de critiques y a-t-il ?
2 Classez les critiques dans l'une des trois catégories suivantes :
   a critique négative, rejet ;
   b le pour et le contre ;
   c critique positive, enthousiasme.
3 D'après vous, quelle est la critique :
   a la plus sévère ?
   b la plus admirative ?
   c la plus neutre ou indifférente ?

5 POUR OU CONTRE ?

Travail à deux. Choisissez un film que vous avez vu tou(te)s les deux. L'un(e) l'a aimé, l'autre pas. Trouvez des arguments pour ou contre. Chaque groupe de deux construit sa critique et la présente à la classe.

© H & K.

© Films Christian Fechner.

Maison de famille

Pour un prix de 1 200 000 francs, clefs en main, les Nouvelles Constructions HB proposent une maison de famille adaptée à la vie en Provence. Il s'agit d'une élégante bastide avec toit à quatre pans.

Le corps principal est d'une architecture classique, mais il est complété et animé par de petites constructions. Côté arrivée, un petit auvent de tuiles amical accueille le visiteur. Côté repas, une grande terrasse couverte sert de véritable cuisine d'été avec barbecue. À l'arrière, un volume à deux pans, directement relié à l'habitation principale, abrite le garage et un studio indépendant, idéal pour loger l'aîné(e) ou les amis de passage.

D'une surface habitable de 171 m², la demeure propose cette convivialité qui est celle des grandes maisons de famille. Le plan intérieur a réservé le rez-de-chaussée à la partie où on vit le jour. Un hall d'entrée donne accès aux pièces. Pour faciliter le service, la cuisine communique directement avec le coin repas, ouvert par un large passage sur le salon et le coin feu. Bureau et coin vestiaire complètent l'espace à vivre.

L'étage est réservé à la chambre des parents, avec sa salle de bains et son dressing, ainsi qu'à trois autres chambres et leur salle d'eau. Ces pièces sont toutes équipées de placards de rangements. La lingerie se trouve derrière l'escalier.

Spacieuse et lumineuse, cette réalisation est un excellent exemple du mariage de la bastide provençale traditionnelle avec des matériaux chaleureux et une fonctionnalité toute contemporaine.

D'après *Maisons et Décors*, n° 151, avril-mai 1999.

ÉCRIT

1 DE QUOI SE COMPOSE LA MAISON ?

Lisez le texte et indiquez le nom de chacune des parties et des pièces de la maison portées sur le plan.

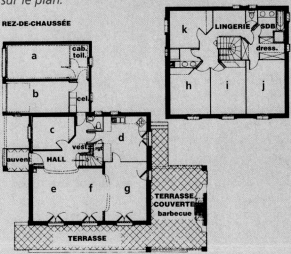

2 COMMENT LA DESCRIPTION EST-ELLE ORGANISÉE ?

Reproduisez le schéma suivant qui décompose la bastide en parties et complétez-le.

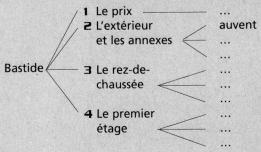

3 CARACTÉRISEZ LA DESCRIPTION.

1 Relevez dans le texte quelques-uns des mots qui donnent des indications objectives.

1 200 000 francs clefs en main, toit à quatre pans…

2 Relevez les mots qui font apparaître la maison sous un aspect agréable, intéressant, vivant.

Élégante, amicale, accueille…

3 Existe-t-il dans la description des mots suggérant des inconvénients ? Pourquoi ?

4 QUEL EST LE SENS DES MOTS ?

Associez le mot et sa définition.

1 Auvent.
2 Abriter.
3 Demeure.
4 Vestiaire.
5 Lingerie.
6 Spacieux.
7 Lumineux.
8 Fonctionnalité.

a Maison, résidence.
b Qui reçoit ou qui donne beaucoup de lumière.
c Pièce où on met des vêtements.
d Qualité de ce qui est bien adapté à ses fonctions.
e Protéger. Dans le texte : contenir.
f Petit toit en avancée pour protéger une entrée.
g Local où on range le linge (serviettes de toilette, draps…).
h Grand, qui a de l'espace.

5 UNE MAISON TYPIQUE.

*Un magazine de décoration francophone lance un concours sur le thème **Décrivez la maison la mieux adaptée à une vie de famille et/ou à votre environnement**.*
Vous participez à ce concours et vous écrivez au journal. Avant de commencer, pensez aux habitudes architecturales et culturelles de votre pays :

– matériaux utilisés (bois, pierre, tuiles…) ;
– à étage ou sur un seul niveau ;
– chauffage/climatisation ;
– garage/cave ;
– jardin…

6 POURQUOI L'AIMEZ-VOUS ?

Vous écrivez à un(e) ami(e) pour lui parler d'une maison que vous aimez ou que vous avez aimée. Ajoutez à la description des éléments plus subjectifs en expliquant pourquoi vous l'aimez, en parlant des souvenirs qu'elle vous rappelle, en disant ce que vous y avez fait…
Par exemple, le grand salon, avec sa cheminée, vous rappelle de longues soirées avec vos grands-parents ou des amis, ou les fêtes de Noël…

dossier

6

Le Périgord aux mille et un châteaux

Les peintures de Lascaux.   *Saint-Cirq-Lapopie.*

Mille et un châteaux ! Chiffre exagéré ?… Sans doute… Et pourtant, quand on parcourt les rives de la Dordogne, on est surpris de voir ces donjons, ces tours de guet, ces châteaux Renaissance ou ces forteresses moyenâgeuses qui ne sont parfois distantes que de quelques centaines de mètres.

Pourquoi tant de châteaux forts dans ce pays de la douceur de vivre ?

Pendant la guerre de Cent Ans, les Français et les Anglais se partageaient la région. Les uns et les autres ont construit beaucoup de châteaux et des villes fortifiées, les bastides. Beaucoup de ces places fortes ne sont plus maintenant que des ruines.

Les bastides étaient aussi ouvertes au commerce comme en témoignent les célèbres arcades de Monpazier.

Châteaux ?… Églises ?… Parfois la distinction se fait mal car les églises peuvent ressembler à des forteresses.

En ces temps lointains et troublés par les guerres, les paysans pouvaient se réfugier dans ces maisons de Dieu.

Avant de construire des villages près de la rivière, les premiers habitants creusaient leurs refuges dans la falaise.

La richesse du patrimoine périgourdin existe aussi sous terre. Il y a 17 000 ans, les habitants décoraient les parois des grottes de Lascaux.

Aujourd'hui, c'est la nature qui décore les murs des grottes…

1 QU'EST-CE QUE VOUS AVEZ VU ?

Visionnez sans le son.

1 Quels différents genres de bâtiments avez-vous vu ?
2 De quelle époque vous semblent-ils ?
   a Du Moyen Âge.
   b Du XIXe siècle.
   c De la préhistoire.
   d De l'époque contemporaine.
3 Dans quel état sont-ils ?
4 Qu'est-ce qu'on voit sur les murs des grottes ?

2 QU'EST-CE QUE C'EST ?

Visionnez avec le son.

1 Les bastides du Périgord étaient :
   a des châteaux forts ; b des villes fortifiées.
2 Un donjon, c'est :
   a la tour principale au centre du château fort ;
   b la cour intérieure du château.
3 Les arcades sont :
   a une galerie couverte ; b une rue ouverte.

3 QUELLE EN EST L'UTILITÉ ?

1 À quoi servaient les bastides ?
2 Pourquoi les églises étaient-elles fortifiées ?
3 À quoi ont servi les trous creusés dans la falaise ?

4 ET DANS VOTRE PAYS ?

1 Où vivaient les premiers habitants de votre pays ?
2 Existe-t-il des grottes préhistoriques avec des peintures ?
3 A-t-on construit des châteaux forts et des villes fortifiées ? Dans quelle(s) région(s) ? Pourquoi ?

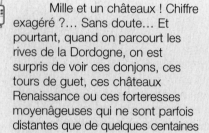

6
dossier

L'Aquitaine, c'est aussi...

L'Aquitaine est vaste : elle occupe 7 % du territoire national mais n'a que 2 850 000 habitants.
Sa ville principale, Bordeaux, est la cinquième ville de France avec 700 000 habitants. C'est un grand port à
95 kilomètres de la mer.
La région est ouverte sur l'extérieur grâce à ses ports et à ses axes de communication entre Paris et l'Espagne
et entre l'Atlantique et la Méditerranée.

Une région aux industries de pointe...

Depuis une quarantaine d'années, l'Aquitaine est devenue le siège de nombreuses industries de pointe, en particulier dans les secteurs de l'aéronautique et du spatial. Elle dispose d'un véritable pôle de recherche en biotechnologie, chimie et agro-alimentaire. Ses universités et ses centres de recherche regroupent 95 000 étudiants.

...mais aussi aux villes historiques

« Prenez Versailles, ajoutez-y Anvers, vous aurez Bordeaux. » C'est ainsi que Victor Hugo, impressionné par la beauté des bâtiments et la largeur du fleuve, définissait la ville.

Le XVIIIe siècle a été pour Bordeaux le « siècle d'or ». La ville était très prospère grâce à son commerce avec les Antilles et l'Afrique. L'intendant de Louis XV, le marquis de Tourny, a remodelé la ville pour lui donner l'apparence classique qu'elle a aujourd'hui.

« Renaissance des cités de France », dont le siège est à Bordeaux, est une association qui a été créée en 1987 pour « favoriser et promouvoir les opérations de conservation, d'entretien, de restauration, d'évolution et de mise en valeur du patrimoine architectural quotidien dans le respect des hommes et des pierres ». Son domaine : la ville. Parmi ses nombreuses actions, la RCF a mis en place à partir de 1989 la nuit du Patrimoine, le troisième samedi de septembre, qui met en scène et en lumière les plus beaux endroits de la ville afin que les habitants puissent retrouver un peu d'une mémoire oubliée.

Place de la Bourse, Bordeaux.

...et aux paysages variés

Les 250 kilomètres de plages de sable sur l'Atlantique, les stations de ski dans les Pyrénées, les paysages et les couleurs du pays basque, la forêt landaise, attirent les touristes du monde entier.

Les landes de Gascogne n'ont été, pendant des siècles, qu'un vaste marécage. La forêt n'a été aménagée qu'à la fin du XVIIIe siècle. Aujourd'hui, la forêt de pins occupe 45 % de la surface de trois grands départements. C'est la plus grande forêt d'Europe. Au départ, l'objectif était de produire de la résine ; c'est maintenant de produire surtout du bois.

1 EN BREF.

1 En quoi la région est-elle tournée vers le XXIe siècle ?
2 Quelles sont les caractéristiques de Bordeaux ?
3 Quelles formes peut prendre le tourisme en Aquitaine ?

2 DÉBAT.

Faut-il préserver le cœur des villes anciennes ? Les vieux quartiers ne présentent-ils pas trop d'inconvénients : les rues sont étroites, les maisons peu confortables, etc. ? Ne vaudrait-il pas mieux les détruire et construire des bâtiments neufs ?

dossier 6

BILAN

1 Compréhension écrite.

Lisez le texte suivant et répondez aux questions.

Catastrophes dans les tunnels

En février 1975, une erreur de conduite dans le métro de Londres avait provoqué la mort de 43 personnes et fait plus de 100 blessés. En février 1996, il avait fallu une semaine d'efforts pour dégager les corps de 20 personnes d'un tunnel routier qui s'était effondré au Japon. En revanche, l'incendie d'un camion dans le tunnel sous la Manche, en novembre 1996, n'avait pas fait de victimes.

L'accident qui s'est produit dans le tunnel du mont Blanc le 24 mars 1999 est l'un des plus graves qui se soient jamais produits. Un camion prenait feu, puis explosait, au milieu du tunnel qui va de France en Italie, au kilomètre 6. On avait cru d'abord qu'il serait facile de maîtriser l'incendie, mais la chaleur s'était élevée jusqu'à 1 000 degrés et le tunnel était plein d'une épaisse fumée noire qui empêchait la progression des pompiers. Deux jours après l'explosion du camion, on n'avait toujours pas pu éteindre l'incendie et on retrouvait encore des victimes.

1 QUEL EST LE SENS ?

Associez le mot et son équivalent de sens.

1 Provoquer. **a** Pousser à faire quelque chose.
　　　　　　　 b Être la cause de quelque chose.
2 Dégager.　 **a** Sortir, retirer.
　　　　　　　 b Laisser libre ou visible.
3 S'effondrer. **a** Tomber.
　　　　　　　 b Toucher le fond.
4 Maîtriser.　 **a** Dominer, se rendre maître de.
　　　　　　　 b Devenir le maître de.
5 Éteindre　　**a** Mettre fin à l'incendie.
　　　　　　　 b Couper le contact
　　　　　　　　 d'un appareil électrique.

2 REPÉREZ LES RÉPONSES DANS LE TEXTE.

1 Quelle a été la catastrophe la plus grave avant celle du tunnel du mont Blanc ?
2 Qu'est-ce qui avait provoqué la catastrophe du métro de Londres ?
3 Combien de victimes y avait-il eu dans l'accident du tunnel sous la Manche ?
4 Quelle a été la cause de la catastrophe dans le tunnel du mont Blanc ?
5 Pourquoi, deux jours après l'accident, n'avait-on pas pu éteindre l'incendie ?

2 Compréhension orale.

Lisez les questions, puis écoutez les commentaires faits à la radio et prenez des notes si nécessaire pour répondre.

1 Comment est-ce que l'employé italien a sauvé les gens ?
2 Pourquoi est-ce que le directeur de la société du tunnel lui a rendu hommage ?
3 Qu'avait-on construit en 1990 pour améliorer la sécurité du tunnel ?
4 Qu'est-ce qui manquait au tunnel ? Pourquoi ?

3 Production écrite.

À partir du texte et des notes ci-dessous, écrivez un article décrivant les événements dramatiques du 24 mars 1999.

11 heures	Un camion belge prend feu. Raison inconnue. Épaisse fumée noire. Alerte donnée avec un certain retard. Circulation interrompue.
15 h 20	Mise en action des moyens de secours. 24 pompiers et employés du tunnel bloqués dans des refuges.
16 h 17	Les secouristes bloqués sont secourus. Deux pompiers gravement blessés, un employé disparu.
17 h 12	Six employés bloqués dans un des refuges.
18 h 18	Les six employés secourus.
20 h 05	Les corps de trois victimes retrouvés. 27 blessés secourus.

4 Production orale.

Un(e) de vos ami(e)s devait passer par le tunnel ce jour-là. Vous téléphonez à sa famille pour avoir des nouvelles.
Jouez la scène avec votre voisin(e).

dossier 6

épisode **7**

1re PARTIE

AU BORD DE LA MER

2e PARTIE

PIRATAGE SUR INTERNET !

VOUS ALLEZ APPRENDRE À :

– vous indigner
– faire des suggestions
– faire des projets
– exprimer qu'un fait futur est antérieur à un autre fait futur
– demander et donner des informations

VOUS ALLEZ UTILISER :

– le futur antérieur
– les pronoms compléments doubles
– l'infinitif et ses fonctions

ET VOUS ALLEZ AUSSI :

– analyser la présentation d'un objet
– écrire une lettre pour exposer des opinions et présenter un objet

– découvrir Bruxelles et quelques aspects de la Belgique

Découvrez les situations

1 OBSERVEZ ET FAITES DES HYPOTHÈSES.

Visionnez sans le son.

1 Qu'est-ce que Raymond regarde avant l'arrivée de François ?
2 En quelle saison sommes-nous ?
3 D'où vient François ?
4 Qu'est-ce qu'il peut demander à Joseph et à Raymond ?
5 Où sont Corinne et Bernard ? Que font-ils ?
6 Pourquoi ne sont-ils pas au restaurant ?

2 ÊTES-VOUS OBSERVATEUR/OBSERVATRICE ?

Décrivez le port de Villefranche-sur-Mer (côté terre et côté mer).

Observez l'action et les comportements

3 QUE DISENT-ILS ?

Visionnez avec le son. Regardez les photos et retrouvez les répliques des personnages.

4 TROUVEZ DES RÉPLIQUES ÉQUIVALENTES DANS LE DIALOGUE.

1 On a une belle arrière-saison, cette année.
2 Ça va bientôt être l'heure de leur retour.
3 Si vous savez quelque chose, il faut les informer.
4 Je ne suis au courant de rien, mais je pense…
5 On n'a pas attendu pour rien.

5 DEVINEZ OU IMAGINEZ…

1 Pourquoi François cherche-t-il Corinne et Bernard ?
2 Quelle peut être la *petite idée* de Joseph ?

6 QUE DIRIEZ-VOUS D'EUX ?

Quand ils disent les répliques suivantes, quel est leur état d'esprit ?
(Vous pouvez choisir plus d'une réponse.)

1 FRANÇOIS : Heureusement que vous êtes là pour nous donner des nouvelles du village !
 a Optimiste.
 b Ironique.
 c Énervé.
2 JOSEPH : Moi, je ne sais rien, mais j'ai ma petite idée…
 a Moqueur.
 b Mystérieux.
 c Pessimiste.
3 BERNARD : Évidemment ! Qu'est-ce qu'on pourrait avoir de plus ailleurs ?
 a Triste.
 b Mécontent.
 c Heureux.

7 COMMENT EST-CE QU'ILS L'EXPRIMENT ?

Trouvez dans le dialogue :

1 une demande d'information ;
2 une façon de suggérer ;
3 deux façons de faire des projets.

7
dossier

DE LA MER

 Sur la place du village. Joseph et Raymond sont sur le banc. François se dirige vers eux.

FRANÇOIS Bonjour Joseph, bonjour Raymond. Vous profitez des derniers beaux jours ?

JOSEPH Eh, oui, bientôt, il faudra faire du feu.

RAYMOND On en aura bien profité cette année. L'été a joué les prolongations.

FRANÇOIS Dites, vous savez où sont Bernard et Corinne ?

RAYMOND Hum… Ils sont partis passer la journée au bord de la mer. Mais ils ne devraient pas tarder à revenir.

FRANÇOIS C'est vrai. Ils me l'avaient dit. Heureusement que vous êtes là pour nous donner les nouvelles du village !

À la terrasse d'un café à Villefranche-sur-Mer. Corinne et Bernard admirent le paysage. Un garçon de café apporte des consommations.

CORINNE Merci.

BERNARD On y aura mis le temps, mais on y sera quand même arrivés à passer une journée au bord de la mer !

CORINNE Oui. Ça valait la peine d'attendre.

BERNARD Quand la saison sera vraiment finie, on pourra prendre quelques jours de vacances pour aller en Italie, si tu veux.

CORINNE Hum, oui, ça serait sympa.

BERNARD Et quand Laura aura terminé ses études, on pourra voyager pendant l'hiver.

JOSEPH En parlant de nouvelles, tu sais qu'on continue à raconter que Bernard et Corinne vont quitter le village ?

RAYMOND Laisse-les dire. Quand les gens seront fatigués de raconter toutes ces histoires, ils s'arrêteront.

FRANÇOIS Il a raison, Raymond. Mais si vous savez d'où ça vient, il faudrait peut-être le leur dire.

JOSEPH Moi, je ne sais rien, mais j'ai ma petite idée…

CORINNE Oui, j'en ai envie et, en même temps, j'ai envie de rester ici. Je m'y sens si bien.

BERNARD Évidemment ! Qu'est-ce qu'on pourrait avoir de plus ailleurs ?

Découvrez les situations

1 OBSERVEZ ET FAITES DES HYPOTHÈSES.

Visionnez sans le son.

1 Qu'est-ce que Corinne peut dire à François quand elle lui prend les bras ?
2 Pourquoi François voulait-il voir Bernard ?

3 Dans la deuxième séquence, que fait Bernard ? Que fait François ?
4 Que voit-on sur la deuxième page-écran ?
5 Regardez les plats proposés et les prix. Est-ce qu'il y a un problème ? Lequel ?

Observez l'action et les comportements

2 QUI PARLE ?

Visionnez avec le son. Dites qui prononce ces répliques. Donnez la réplique suivante.

1 Superbe. La prochaine fois on vous y emmène.
2 Tu vois, c'est assez simple.
3 Et tu crois vraiment que ça me fera vendre dix rosiers de plus, toutes ces histoires ?
4 C'est si grave que ça ?
5 Tu peux changer de code ?

3 QU'EN DÉDUISEZ-VOUS ?

1 Pourquoi la personne qui a pénétré dans le site de Bernard voulait-elle changer les informations ?
2 Quel risque Bernard court-il ?
3 Qu'est-ce qui se passerait si les affaires de Bernard allaient mal ?
4 Est-ce qu'il y a un rapport avec les « bruits qui courent » ?

4 QU'EST-CE QUE ÇA VEUT DIRE ?

Dans la première séquence :

1 Corinne prend les bras de François. Que signifie ce geste ?
2 Après ce geste et la réponse de François, Bernard regarde Corinne. Décrivez son expression et son attitude avant et après la réplique de François. Imaginez ce qu'il pense.
3 Observez l'expression de Corinne. Elle a un léger sourire :
   a gêné ; **b** triste ; **c** heureux ;
   d compatissant ; **e** amical.
   Qu'est-ce que ça veut dire ?

5 LE SAVEZ-VOUS ?

1 Que veut dire *surfer sur le net* ?
2 Cliquer sur la souris sert à :
   a mettre l'ordinateur en marche ;
   b faire une modification à l'écran.
3 Qu'est-ce qu'il faut pour créer un site Internet ?

6 QU'EST-CE QU'ILS EXPRIMENT ?

*Observez les photos.
Décrivez les expressions
des personnages.
Dites ce qu'elles signifient.
Trouvez les répliques
qui accompagnent
ces réactions.*

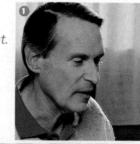

7 VOUS EN SOUVENEZ-VOUS ?

*Corinne écrit à Nathalie pour lui raconter
la journée au bord de la mer et, surtout,
le piratage du site de leur restaurant. Elle parle
aussi de ce que l'on continue de raconter,
de Joseph et Raymond et de François.
Écrivez la lettre de Corinne.*

SUR INTERNET !

La voiture des Lemoine arrive sur la place du village. Bernard et Corinne en descendent. François se dirige vers eux.

FRANÇOIS   Alors, les voyageurs. C'était beau ?

CORINNE   Superbe. La prochaine fois on vous y emmène.

FRANÇOIS   Oh, vous savez, depuis que je suis veuf, j'ai de moins en moins envie de bouger… Bon, Bernard, je t'attendais. Dis, « surfer sur le net » c'est une chose, mais créer un site pour la pépinière, euh, c'est pas facile…

Bernard fait quelques manipulations. Le site apparaît à l'écran. Bernard regarde, l'air consterné.

BERNARD   Mais qu'est-ce que c'est que ça !

François se penche sur l'écran et lit.

FRANÇOIS   Une salade de tomates, 41 euros, Un steak au poivre vert, 68 euros, Une crème brûlée, 32 euros. Eh bien, dis donc, avec ces prix-là, tu peux leur en donner des kilos à tes clients. Mais tu ne vas pas les garder longtemps !

BERNARD   Tu as un moment ? Je vais te montrer.

Au café, Bernard est installé devant un ordinateur. François est à côté de lui.

BERNARD   Vas-y. Clique ici… Tu vois, c'est assez simple.

FRANÇOIS   Je te dirai ça quand je me serai retrouvé seul devant l'écran. Et alors, pour mon site, qu'est-ce que je fais ?

BERNARD   Il faut un logiciel spécial. Quand tu l'auras acheté, je te l'installerai.

FRANÇOIS   Et tu crois vraiment que ça me fera vendre dix rosiers de plus, toutes ces histoires ?

BERNARD   Certainement. Et puis, il faut vivre avec son temps.

FRANÇOIS   À propos, je ne le connais toujours pas, ton site. Tu peux me le montrer ?

BERNARD   Bien sûr.

Bernard a l'air très ennuyé.

FRANÇOIS   C'est si grave que ça ?

BERNARD   Ah oui, alors ! Ça veut dire que non seulement quelqu'un a eu mon code secret et qu'il a pénétré dans mon site, mais que cette personne donne de fausses informations sur mon restaurant !

FRANÇOIS   Tu peux changer de code ?

BERNARD   Oui, ça, ce n'est pas un problème. Mais perdre des clients à cause de ces fausses informations, alors, c'est autre chose.

DÉCOUVREZ LA **GRAMMAIRE**

Le futur antérieur

• Le futur antérieur se forme avec un des deux auxiliaires **être** ou **avoir** au futur suivi du participe passé du verbe.
Il indique **qu'un événement futur est antérieur à un autre événement futur** :
*Quand les gens **seront fatigués** de raconter ces histoires, ils s'arrêteront.*
*Quand Laura **aura terminé** ses études, on pourra voyager.*

• On peut **faire des suppositions** avec le futur antérieur :
*Il n'est pas encore arrivé. Il **aura eu** un problème !*

▮1 Les choses auront bien changé !

1 Complétez le texte avec des futurs simples ou des futurs antérieurs.

En l'an 2050, le monde (se transformer). On (ne pas utiliser) d'essence pour les voitures car on (trouver) d'autres carburants moins polluants. La science (faire) tant de progrès qu'on (pouvoir) vivre sans presque travailler. Les spécialistes de l'espace (mettre) au point des navettes entre la Terre et des centres de vacances en orbite. On (savoir) modifier les sexes des enfants car on (trouver) le moyen de modifier les gènes. Les gens (être) en bonne santé car on (découvrir) la cause des principales maladies. On (inventer) une pilule pour contrôler son poids. Mais est-ce que les hommes (devenir) plus civilisés ?

2 Imaginez d'autres changements et donnez-en les raisons.

▮2 Suppositions et futur antérieur.

Transformez ces phrases pour exprimer la supposition au futur antérieur.

> *Exemple :* Je crains qu'il ait eu un accident.
> → **Il aura eu un accident !**

1 Il a probablement changé d'avis.
2 Et s'il avait eu une panne ?
3 Tu ne crois pas qu'il a été simplement retardé ?
4 Et si sa voiture n'avait pas démarré ?
5 Peut-être qu'il n'a pas pu nous téléphoner.

Les pronoms compléments doubles

Lorsque le verbe a deux pronoms compléments, ces pronoms se mettent dans l'ordre suivant :

	1	2	3	4	5	
	me	le				
	te	la	lui			
sujet (ne)	se	l'		y	en	(pas) verbe
	nous	les	leur			
	vous					

*Il faudrait peut-être **le leur** dire.*
*– Tu peux **nous les** montrer ?*
*– Non, je **les lui** ai donnés.*
*– Tu **m'y** conduis ? – Oui, on **t'y** emmène.*
*Tu peux **leur en** donner des kilos.*

▮3 COD ou COI ?

*Le pronom est-il un complément d'objet direct **(COD)** ou indirect **(COI)** ?*

1 Il faudra leur donner de nos nouvelles.
2 Les rumeurs, où les avez-vous entendues ?
3 Ils y auront mis du temps.
4 J'en ai envie.
5 Il te regarde.

▮4 Doubles pronoms.

Complétez le dialogue avec des doubles pronoms.

1 – Quand **la lui** avez-vous prêtée, votre voiture ?
   – Je ... ai prêtée il y a huit jours.
2 – Pourquoi ... avez-vous prêtée ?
   – Parce qu'il m'a dit qu'il ... rendrait le lendemain.
3 – Quand ... a-t-il rendue ?
   – Il ... a rendue hier.
4 – Pourquoi ne ... avez-vous pas parlé plus tôt ?
   – Parce que je croyais qu'il ... rendrait à temps.

Ordre des pronoms compléments à l'impératif affirmatif

• À la forme affirmative de l'impératif, les pronoms se placent après le verbe dans l'ordre du tableau précédent et sont séparés du verbe par un trait d'union (-) :
Vous ne les leur avez pas donnés !
Alors donnez-les-leur.
– Combien en voulez-vous ? – Donnez-m'en dix.

• Mais, **dans un cas, l'ordre des pronoms est différent :**
Les pronoms **le/la/l'/les** se placent avant **me/te/nous/vous** :
– Vous n'avez pas vu nos dernières créations ?
– Non. Je vous en prie, montrez-les-moi.
– Vous avez reçu notre catalogue ?
– Non, envoyez-le-nous.

▄5 Doubles pronoms après un impératif affirmatif.

Un couple a demandé à un ami architecte de leur faire les plans de leur future maison. Complétez le dialogue avec des pronoms doubles.

1 Si tu as les plans définitifs de notre maison, montre … .
2 Je … prête pour que vous les étudiiez, si vous voulez.
3 Oui, mais il y avait un point que nous ne comprenions pas. Explique … .
4 Emportez les plans. Rendez … dans quelques jours. Et on en reparlera.
5 Si tu as fini le projet pour notre ami Daniel, donne … .
6 Je … donnerai quand vous reviendrez.

▄6 Verbe + infinitif.

1 Un homme d'affaires stressé va voir son médecin. Imaginez ce que le médecin peut lui dire de faire. Utilisez des verbes du tableau suivant de l'infinitif.

Vous devez vous reposer. Vous ne pouvez plus continuer…

2 L'homme veut suivre les conseils de son médecin et il explique à des amis ce qu'il a l'intention de faire.

Je dois me reposer et laisser faire le travail aux autres…

Emplois de l'infinitif

• **L'infinitif** peut avoir toutes les fonctions d'un **nom** et avoir des compléments comme un **verbe** :
Créer un site n'est pas facile.
(*Créer un site* = sujet de *est.*)
Il aime voyager. (*Voyager* = COD de *aime.*)

• Il s'emploie comme deuxième verbe (proposition infinitive) après :
– **aller** (futur proche), **venir de** (passé récent) :
Ils viennent de partir.
– **les verbes de sensation** *voir, regarder, écouter, entendre, sentir* :
Il a entendu marcher, puis il l'a vu arriver.
– **les verbes** *laisser* **et** *faire* :
Faire + infinitif (= être la cause de) : *Il a fait construire ces bâtiments.*
Laisser + infinitif (= permettre de) : *Ils les ont laissé venir.* (Participe passé invariable dans ce cas.)
– de nombreux autres verbes : *pouvoir, vouloir, devoir, aimer… :*
On pourra partir en vacances. Il faut le leur dire.

! Attention à la place des pronoms :
Je peux te le montrer.
(Devant le verbe à l'infinitif.)
Mais : *Je te le ferai voir.*
(Devant *faire* et *laisser* conjugués.)

▄7 Qu'est-ce qu'elle veut lui faire faire ?

Exemple : a Elle veut lui faire porter ses valises.

Qu'est-ce que l'homme veut lui laisser faire ?

Sons et Lettres

Les consonnes doubles

À l'intérieur des mots, les consonnes doubles se prononcent comme une consonne simple : *allumer, apporter, addition, illustration.*
Mais quand, dans une phrase, deux consonnes identiques se suivent, **on prononce les deux consonnes si cela entraîne un changement de sens :**
Il avait mangé. Mais : *Il l'avait mangé.*

! Dans les mots commençant par voyelle + **nn** ou **mm**, la première consonne forme une nasale avec la voyelle : *ennuyer* (en-nuyer), *emmener* (em-mener).

1 FAITES LA DIFFÉRENCE.

1 Écoutez et écrivez chacune des phrases.
2 Écoutez de nouveau et prononcez les phrases.

2 PRONONCEZ.

Lisez les phrases suivantes à haute voix, puis écoutez l'enregistrement et prononcez la phrase qui contient la consonne double.

1 Je le leur ai dit. Je leur ai dit.
2 Vous venez dire la vérité. Vous venez de dire la vérité.
3 Tu trouves de l'argent. Tu te trouves de l'argent.
4 Elle m'écrit pour venir ici. Elle m'écrit pour revenir ici.
5 Il fait une petite tour. Il fait un petit tour.

Visionnez les variations

1 RÉAGISSEZ !

1 On vous accuse à tort d'avoir dit du mal de quelqu'un. Vous vous indignez.
Pourquoi est-ce que tu as dit que…
2 On vous montre un article de journal vous mettant en cause pour quelque chose que vous n'avez pas fait.

S'indigner

1 Mais qu'est-ce que c'est que ça !
2 Non, mais c'est pas vrai !
3 Qu'est-ce que c'est que ces histoires !
4 Ah, bien, ça, c'est trop fort !

2 QU'EST-CE QU'IL FAUT FAIRE ?

Des bruits courent sur un de vos amis ou parents. Quelqu'un vous en informe et fait des suggestions sur l'origine des bruits et sur ce qu'il faut faire.

– Tu sais ce qu'on dit de ton frère ?
– Non, dis-le-moi.
– On dit que…

Suggérer

1 Mais si vous savez d'où ça vient, il faudrait peut-être le leur dire.
2 Vous ne croyez pas qu'on devrait les mettre au courant ?
3 Ça serait peut-être mieux qu'ils le sachent…
4 Si j'ai un conseil à vous donner, dites-le-leur.

3 CE N'EST PAS LA MEILLEURE CHOSE À FAIRE !

Un(e) jeune ami(e) fait un projet que vous n'approuvez pas entièrement (partir travailler à l'étranger après ses études, monter son entreprise…). Vous lui suggérez d'autres possibilités.

Faire des projets

1 Quand Laura aura terminé ses études, on pourra voyager pendant l'hiver, on fermera quelques jours.
2 Quand on aura moins de travail, on pourra prendre des vacances.
3 Dès qu'on pourra, on partira en voyage.
4 Quand les affaires marcheront bien, on fermera quelques jours.

1 DIALOGUE.

*Bernard raconte à Corinne ce qui s'est passé
sur le site. Corinne est indignée, puis inquiète.
Ils font des suggestions pour découvrir la vérité.
Imaginez les dialogues et jouez la scène à deux.*

2 LES FRANÇAIS ET LES MÉDIAS.

*Pour avoir des nouvelles du monde, on peut
s'asseoir sur un banc, comme Raymond et Joseph.
Mais il y a d'autres moyens... Pour connaître
les habitudes et les rapports des gens avec
les médias, un journaliste a posé cinq questions :*

1 Écoutez les réponses et remplissez le tableau.

jamais – ; parfois +/– ; souvent + ; très souvent ++.

	1re pers.	2e	3e	4e
1 Lisez-vous régulièrement un quotidien ?				
2 Lisez-vous des magazines ?				
3 Regardez-vous les informations à la télé ?				
4 Écoutez-vous la radio ?				
5 Utilisez-vous Internet pour suivre l'actualité ?				

*2 Ces réponses vous paraissent-elles être en
accord avec le tableau statistique ci-dessous ?*

1997

95 % des foyers sont équipés d'au moins
un téléviseur couleur.

99 % des foyers ont au moins une radio.

95 % des Français de quinze ans et plus sont
des lecteurs, réguliers ou non, de magazines.

23,2 millions de Français sont des lecteurs de
la presse quotidienne (en baisse constante).

1998

24 % des foyers français possèdent
un micro-ordinateur.

3 millions de Français sont des internautes
(en augmentation constante).

D'après G. Mermet, *Francoscopie 1999*,
© Larousse-Bordas, 1998.

3 ET VOUS ?

*Jouez avec votre voisin(e) et répondez à l'enquête
du journaliste.*

4 BRÈVES...

*Écoutez ces informations entendues à la radio
et répondez aux questions.*

1 Pourquoi l'année commence-t-elle bien pour le
marché automobile français ?

2 Quel effort les grandes marques ont-elles fait ?

3 Où la baisse des communications est-elle la plus
importante : en France ou à l'étranger ?

4 Les usagers de France Telecom ont-ils des raisons
d'être mécontents ?

5 Qu'est-ce que les pays doivent faire pour
supprimer les mines antipersonnels ?

6 Que peut-on espérer des pays qui fabriquent les
mines antipersonnels ?

5 APPRENTIS JOURNALISTES.

*Regardez les photos et les légendes. Faites
le commentaire et présentez les événements
à la manière d'une information radio. Utilisez
le futur antérieur chaque fois que vous le pouvez.*

Exemple : **Les conseils de prudence n'auront pas
été entendus puisque...**

Trois skieurs qui faisaient
du hors-piste ont été
tués par une avalanche,
samedi après-midi.

N'abandonnez pas votre
chien ou votre chat
pendant les vacances.
Laissez-le dans
un refuge.

Adieu laine, soie, coton !
les nouvelles matières
ont fait leur apparition
dans la collection
printemps-été
de tous les grands
couturiers.

6 JEU DE RÔLES.

*Votre mari/femme voudrait partir en vacances
avec un voyage organisé. Vous, vous préférez
partir individuellement. Travaillez à deux.
Choisissez une destination. Faites chacun
une liste des avantages et des inconvénients
des deux manières de voyager. Jouez la scène
en argumentant votre point de vue.*

La mémoire des livres

Si vous parlez de livre électronique à un bibliophile, il trouvera sans doute que le livre, objet chaud, n'a rien de commun avec l'univers froid du numérique. Pourtant, d'ici peu, le livre électronique pourrait bien le séduire. Faisons les présentations. Il s'agit d'un ordinateur de poche dédié à la lecture, dont on trouve déjà quatre modèles dans les boutiques spécialisées. Leur prix varie de 1 200 à 8 000 francs (180 à 1 200 €) et leur format va de la taille d'un livre à celle d'une feuille de papier. Les modèles peuvent stocker de 10 à 1 000 livres.

Qu'apporte de plus ce petit bijou high-tech ? D'abord, des livres moins chers. Sans frais de stockage et de distribution, un livre papier de 18 euros peut être vendu en version électronique à moitié prix. De plus, avec cette tablette de lecture, on peut lire dans le métro, dans l'avion et même dans son lit sans gêner son voisin, grâce au système de rétro-éclairage des ordinateurs portables. Ce système est si puissant qu'on peut lire sur une plage en plein soleil. Autres avantages, et non des moindres, on peut choisir d'agrandir le texte à la taille désirée et, grâce aux outils de recherche par mots clefs, on peut retrouver un passage précis.

Mais tout va très vite. Dès l'année prochaine, on pourra disposer d'un livre électronique avec du vrai papier, pour le plus grand plaisir des allergiques à l'écran. On attend avec curiosité ce livre qu'on croyait n'exister que dans l'univers de la guerre des étoiles.

D'après *L'Express*, 18/03/1999.

Branchez le fil de téléphone directement sur le modem interne

Une touche pour accéder à la liste des contenus

La lecture et les outils de recherche sont accessibles dans le menu

Touchez le coin de l'écran pour marquer la page

Surlignez des passages

Tournez les pages en avant ou en arrière

Pile

Faites des annotations directement sur la page

Visionnez le numéro de page et les marque-pages

Augmentez la capacité de stockage avec des cartes Flash

1 CARACTÉRISEZ LE TEXTE.

1 À qui s'adresse ce texte ?
2 Donnez un titre à chacun des trois paragraphes.

2 COMMENT EST DÉCRIT LE LIVRE ÉLECTRONIQUE ?

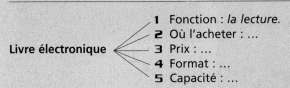

Livre électronique
1 Fonction : *la lecture.*
2 Où l'acheter : ...
3 Prix : ...
4 Format : ...
5 Capacité : ...

3 QUELS EN SONT LES AVANTAGES ?

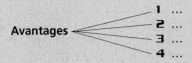

Avantages
1 ...
2 ...
3 ...
4 ...

4 FAITES-LE CONNAÎTRE.

Pour présenter cet objet, rédigez un court texte devant être publié :
1 dans un magazine destiné à des étudiants de lycée ou d'université ;
*2 dans le magazine **Lire**, destiné aux amoureux de littérature.*
Parmi les informations données dans le texte, vous pouvez choisir celles qui vous paraissent les plus intéressantes pour les lecteurs ciblés. Ajoutez d'autres arguments spécialement destinés à les convaincre.

5 QU'EN PENSEZ-VOUS ?

*Écrivez au rédacteur du magazine de **L'Express** pour donner votre opinion sur le livre électronique.*
*Commencez par une formule comme : **J'ai lu votre article sur... avec beaucoup d'intérêt...***

Si vous êtes pour :
1 Vous voyez bien un ou deux inconvénients...
2 Mais... les avantages sont plus nombreux...
3 Concluez : Vous espérez que le rédacteur publiera votre lettre s'il la juge intéressante.

Si vous êtes contre :
1 Mentionnez un ou deux avantages...
2 Mais... les inconvénients sont plus nombreux.
3 Concluez.

6 FAITES LES PRÉSENTATIONS.

*En utilisant une structure proche de celle du texte, présentez une autre nouveauté technologique : **le gardien du foyer** ou **la femme de ménage du futur,** ou toute autre nouveauté de votre choix.*

1 Avant de décrire l'appareil, faites la liste de ses caractéristiques.
2 Comme dans le texte, faites une liste de ses avantages.

LE GARDIEN DU FOYER

Agenda et calendrier électronique, ce moniteur doté d'un écran tactile reçoit la télévision comme la radio. Connecté aux appareils ménagers, il permet de les commander à distance ; relié à Internet, il sélectionne une recette et lance la cuisson du rôti (mis au four avant...) pour le temps nécessaire. Ariston, prix non communiqué.

LA FEMME DE MÉNAGE DU FUTUR

Voici le premier aspirateur-robot que tout le monde attend. Grâce à son sonar, il fait tout seul le tour complet de la pièce, couvre l'ensemble de la surface, contourne obstacles et objets, enjambe les fils électriques. 40 cm de diamètre. Electrolux, environ 7 000 F (1 000 €).

Bruxelles, capitale de l'Europe

Bruxelles, capitale de la Belgique, est une agglomération d'un million d'habitants composée de 19 communes.

Nous survolons l'Atomium, le Palais royal et nous découvrons le Manneken-Pis et la Grand-Place aux façades baroques.

Bruxelles est un centre extrêmement animé où des centaines de milliers de personnes passent chaque jour.

Si elle possède 40 kilomètres de métro et de tramways souterrains, elle conserve et modernise les nombreuses lignes de tramways à ciel ouvert utilisés par les habitants des 19 communes.

Capitale européenne, Bruxelles est une cité cosmopolite. 27 % de sa population est composée de résidents étrangers. Nombreux sont les fonctionnaires européens, mais on y trouve aussi 168 représentations diplomatiques et 1 700 entreprises internationales.

Les grandes institutions de l'Union européenne y ont leur siège : le Parlement européen qui se réunit alternativement ici et à Strasbourg, le Conseil des ministres, le Comité économique et social, le Comité des régions et la très importante Commission européenne.

Ces institutions occupent près de 2 millions de mètres carrés de bureaux.

Mais Bruxelles présente d'autres décors, d'autres visages, plus traditionnels. Marchés et brocantes en plein air attirent toujours autant les Bruxellois.

Et pourtant, l'Europe n'est jamais perdue de vue, car même les parapluies, ici, sont européens.

La Grand-Place.

Détruite en partie en 1695, la Grand-Place est « un riche théâtre » (Jean Cocteau) unique au monde. L'hôtel de ville, de pur style gothique, date des XIIe et XVe siècles. Les maisons des corporations reconstruites au début du XVIIIe siècle entourent la place de leurs façades de style baroque. La Grand-Place est le lieu de nombreuses fêtes dont le défilé de l'Ommegang, reconstitution d'une fête officielle de 1549.

Recette de moules.

La ville de la bière...

Il existe près de 350 variétés nationales de bière, des brunes, des blondes, des rouges, des blanches, des « de saison », des pâles, des claires... La consommation moyenne annuelle est de 150 litres par personne.

... et de la cuisine

Les moules-frites sont l'emblème gastronomique de la Belgique et les Belges se vantent d'avoir inventé la frite. Il faut aussi goûter à quelques spécialités comme les carbonades flamandes, ragoûts de bœuf à la bière, le civet de lapin à la bière, les speculoos, biscuits durs, et les diverses tartes au sucre, au riz, au fromage blanc, sans oublier le fameux chocolat belge !

1 QU'EST-CE QUE VOUS AVEZ VU ?

Notez ce que vous avez vu.

a Une station de métro.
b Le Palais royal.
c Des autobus.
d Un marché à la brocante.
e Le Parlement européen.
f Un parapluie aux couleurs de l'Europe.
g Des tramways.
h Des immeubles aux façades baroques.

2 COMMENT EST-CE MONTRÉ DANS LE REPORTAGE ?

Comment le reportage donne-t-il l'impression que Bruxelles est :

a un centre très animé ;
b une ville cosmopolite ;
c une capitale européenne ;
d une ville à deux visages.

3 C'EST BRUXELLES !

Écoutez de nouveau et dites :

1 combien de communes composent la ville ;
2 quelles sont les principales curiosités ;
3 ce que font la majorité des étrangers qui y habitent ;
4 quelles sont les institutions européennes qui y ont leur siège.

7
dossier

La Belgique, c'est aussi...

Une monarchie parlementaire depuis 1831, date de l'avènement du roi Léopold Ier et de l'indépendance.
C'est un pays de 30 513 km^2, avec une population de 10 millions d'habitants et une des plus fortes densités
européennes : 320 habitants au km^2.
La Belgique est unie au Luxembourg et à la Hollande dans une union douanière et économique.
Ces trois pays forment le Benelux.

Un pays trilingue

En Belgique, on parle le français en Wallonie (39 %), le flamand en Flandres (60 %) et l'allemand dans le Limbourg (1 %). Les problèmes linguistiques sont depuis longtemps au centre de la politique belge. Depuis 1970, on distingue quatre régions linguistiques, car Bruxelles, où le bilinguisme franco-flamand est officiel, constitue une région à part. Certains grands écrivains de langue française, comme Maurice Maeterlinck et Émile Verhaeren, sont flamands.

Le pays de tous les arts...

La littérature francophone contemporaine est bien représentée avec des écrivains belges comme Henri Michaux (1899-1984) et Georges Simenon (1903-1989) ou encore Françoise Mallet-Joris (née en 1930).

Le grand nom de la chanson est évidemment Jacques Brel (1929-1978) qu'on peut même ranger parmi les écrivains pour la qualité poétique de ses textes.

René Magritte, *La Cascade*.

Mais c'est surtout dans la peinture que les Belges se sont distingués au long des siècles et les œuvres de leurs grands peintres figurent dans tous les grands musées du monde. L'un des plus grands peintres est sans aucun doute Jan van Eyck (mort en 1441).

Plus près de nous, l'expressionniste James Ensor (1860-1949), les surréalistes René Magritte (1898-1967) et Paul Delvaux (1897-1994) ou encore Pierre Alechinsky comptent parmi les meilleurs peintres.

...et de la bande dessinée

© Hergé/Moulinsard 1999.

Il existe à Bruxelles, près de la Grand-Place, un Centre belge de la bande dessinée.

En 1929, le quotidien *Le XXe siècle* confie au jeune Hergé la création d'un supplément pour la jeunesse. Tintin, reporter au *Petit XXe siècle*, et son chien Milou font leur apparition dans leur première aventure : *Au pays des Soviets*. C'est le début de la mode de la BD (bande dessinée). Puis Tintin parcourt le monde entier : des centaines de millions d'albums ont été vendus dans presque toutes les langues du monde... La Belgique et ses dessinateurs avaient créé le neuvième art.

Quelques « belgicismes »

En plus de *septante* et *nonante* pour soixante-dix et quatre-vingt-dix, vous entendrez quelques termes uniquement en Belgique, comme *sacoche* pour sac à main, *posture* pour statuette, *carte-vue* pour carte postale, *tirer son plan* pour se débrouiller, *sonner* pour téléphoner, *pistolet* pour petit pain, *bac à ordures* pour poubelle, *faire la file* pour faire la queue, et bien d'autres. Si vous êtes invité(e) à *dîner*, arrivez entre 12 et 13 heures, alors que le soir vous *souperez*.

---

1 EN BREF.

1 Quelle est la particularité linguistique de la Belgique ?
2 Si vous alliez en Belgique, qu'aimeriez-vous voir et visiter ?
3 Les albums de Tintin sont-ils traduits dans votre pays ? Sont-ils lus ?

2 DÉBAT.

La bande dessinée est-elle considérée comme un neuvième art dans votre pays ? Est-elle réservée aux enfants, aux adolescents ou aux adultes ? Est-ce que la lecture des BD empêche de lire des livres ? Est-ce que les BD n'utilisent qu'un langage pauvre ? Est-ce qu'elles développent l'imagination ?...

7
dossier

PROJET

Agrippine. © Claire Brétecher.

Les Bidochon en voyage organisé.
Tome 6
© Binet/Fluide glacial.

Lucky Luke, Western Circus.
© Morris.

ÉCRIVEZ LE SCÉNARIO D'UNE BD.

La classe discute pour déterminer les grandes lignes de l'histoire que des groupes vont écrire sous forme de bande dessinée.

1 À QUI VA-T-ELLE S'ADRESSER ?
La BD va s'adresser à des enfants, à des adolescents ou à des adultes ?

2 QUELS SERONT LES PERSONNAGES ?
– Allez-vous choisir un seul personnage principal ou plusieurs ?
– Est-ce que ce sera un enfant, un adolescent, un adulte (homme ou femme) ?
– Est-ce que ce sera un animal ? Familier, sauvage, ou imaginaire ?

3 À QUELLE ÉPOQUE ?
L'histoire se situera-t-elle dans le passé, le présent ou le futur (ou les trois à la fois) ?

4 OÙ SE DÉROULERA L'HISTOIRE ?
Sur terre, dans l'espace, sous la mer, dans un lieu imaginaire ?

5 QUEL GENRE D'HISTOIRE ?
Quel genre d'histoire choisir : aventure, fantastique, science-fiction... ?

6 COMMENT ALLEZ-VOUS RACONTER L'HISTOIRE ?
Dans les bulles ou sous forme de récit sous chaque dessin ? Allez-vous utiliser les deux formes ?

7 QUELLES INDICATIONS DONNEREZ-VOUS AU DESSINATEUR ?
Il devra travailler en noir et blanc ou en couleur ? produire des dessins stylisés, caricaturaux ou très réalistes ?

Lorsque la classe a répondu à ces questions, chaque groupe écrit un épisode de l'histoire.
La rédaction terminée, les textes sont photocopiés et distribués aux groupes. Au cours d'une séance collective, les étudiants donnent leur opinion et proposent des améliorations.

épisode **⑧**

1ʳᵉ PARTIE

LA FÊTE AU VILLAGE

2ᵉ PARTIE

UNE ABSENCE REMARQUÉE !

VOUS ALLEZ APPRENDRE À :

– marquer votre étonnement
– exprimer de l'inquiétude
– faire une faveur
– rassurer quelqu'un
– mettre en valeur un élément de la phrase
– exprimer la cause et la conséquence

VOUS ALLEZ UTILISER :

– c'est.... qui/que...
– des prépositions et des conjonctions de cause
et de conséquence
– le causatif *faire* + infinitif

ET VOUS ALLEZ AUSSI :

– analyser l'utilisation des liens cause/conséquence
dans un texte
– écrire des textes présentant des réactions en chaîne

– découvrir l'île de la Réunion et la France d'outre-mer

Découvrez les situations

1 REGARDEZ LES PHOTOS ET LE FILM.

Visionnez le film sans le son. Écrivez une légende pour chaque photo de la page de droite.

2 QU'AVEZ-VOUS VU ?

Dites quels produits vous avez vus sur les étalages.

3 QUELLE EST LA BONNE HYPOTHÈSE ?

1 Il y a beaucoup d'animation dans le village :
   a c'est le 14 juillet ;
   b c'est la fête du village.

2 François annonce à Corinne et Laura :
   a qu'il a trouvé le responsable des fausses rumeurs ;
   b qu'il va se passer quelque chose dans leur restaurant.

3 Corinne et Bernard préparent des toasts :
   a parce que Bernard ne veut plus faire la cuisine ;
   b pour accompagner un apéritif.

4 Angèle apporte quatre tartes :
   a pour les faire goûter à Bernard ;
   b parce que François lui a demandé de le faire.

Observez l'action et les comportements

4 METTEZ CES ÉVÉNEMENTS DANS L'ORDRE.

Visionnez le film avec le son.

a François se dirige en courant vers Corinne et Laura.

b On voit des ballons multicolores.

c François annonce une surprise à Corinne et Laura.

d Angèle apporte des pissaladières.

e On voit une banderole à l'entrée du village.

f Corinne place des verres, Bernard prépare des toasts.

g Corinne prend un savon, le sent et le donne à Laura.

h Des gens arrivent sur la place du village.

5 DITES...

1 d'où vient François ;
2 où est Bernard ;
3 ce qui va se passer chez les Lemoine ;
4 pourquoi Corinne est inquiète ;
5 ce que François va faire installer dehors ;
6 ce qu'il y aura pour compléter la fête ;
7 qui va faire le disc-jockey.

6 QU'EST-CE QU'ILS EXPRIMENT ?

Regardez les photos. Décrivez les expressions et retrouvez les répliques.

7 COMMENT EST-CE QU'ILS L'EXPRIMENT ?

Trouvez dans les dialogues :

1 une expression d'insistance pour rassurer ;
2 une marque d'enthousiasme ;
3 une marque d'inquiétude ;
4 deux remerciements chaleureux.

AU VILLAGE

Dans le village, sur une banderole, on peut lire :

> ### Découverte des saveurs de la région
> ### Aïoli monstre à 20 heures
> ### sur la place du village.

Des produits régionaux sont exposés sur la place du village. Corinne et Laura regardent les étalages.

CORINNE   Regarde.

François arrive en courant. Il a l'air essoufflé.

FRANÇOIS   Bonjour.
CORINNE   Bonjour, François.

CORINNE   Encore une de vos bonnes surprises ! Et la salle, elle n'est pas trop petite ?
FRANÇOIS   Je vais faire poser des haut-parleurs dehors. Comme ça, tout le monde entendra le discours. Et ça servira aussi pour la musique.
LAURA   C'est vraiment la fête ! Il ne manque plus qu'un feu d'artifice.
FRANÇOIS   Mais, un feu d'artifice, on en aura un, vous verrez...
CORINNE   Merci, François. Ça me fait vraiment très plaisir, vous savez. Bernard aussi va être content.

FRANÇOIS   Il est là, Bernard ?
CORINNE   Ah, je crois, oui. Il doit être dans la cuisine. Vous avez l'air bien essoufflé !
FRANÇOIS   C'est que je cours depuis la mairie. Nous avons si bien plaidé votre cause que le vin d'honneur et le discours du maire se feront chez vous.

Corinne a l'air surpris.

CORINNE   Chez nous ! Mais on n'était pas au courant.
FRANÇOIS   Vous ne pouviez pas être au courant, puisque je viens de l'apprendre. Je voulais vous faire la surprise. Vous êtes contente ?
CORINNE   Mais oui. Un peu inquiète quand même. On n'a rien prévu. Bernard est très occupé...
FRANÇOIS   Ne vous inquiétez pas puisque je vous promets que vous aurez tout ce qu'il vous faut pour ce soir.

François s'éloigne en faisant un signe amical de la main.

Dans la salle du restaurant, Corinne et Bernard font des préparatifs pour le vin d'honneur.

CORINNE   Il est déjà quatre heures et je ne sais toujours pas ce qu'on va servir tout à l'heure !
BERNARD   Mais puisque François t'a dit de ne pas t'en faire...

Angèle arrive accompagnée d'un adolescent. Ils apportent quatre pissaladières.

ANGÈLE   Bonjour Madame Lemoine, bonjour Monsieur. Quatre belles pissaladières. Vous n'aurez qu'à les faire réchauffer pendant le discours du maire. Vous m'en direz des nouvelles...
CORINNE   Angèle, c'est trop gentil, vraiment...
ANGÈLE   Et mon petit-fils vous prête ses disques. Il en a une quantité ! C'est lui qui va faire le disc-jockey, alors...

dossier

UNE ABSENCE
épisode

Découvrez les situations

1 OBSERVEZ ET FAITES DES HYPOTHÈSES.

Visionnez sans le son.

1 Qu'est-ce que les gens apportent ?

2 Pourquoi Lucie entraîne-t-elle Bernard ?
3 Que fait François dans la deuxième séquence ?
4 Que fait Bernard ?

Observez l'action et les comportements

2 COMMENT L'APPREND-ON ?

Notez la réplique où l'on apprend quelque chose :

1 sur les petits farcis de Lucie ;
2 sur la femme de Joseph ;
3 sur ce que faisait Joseph ;
4 sur Frédéric Duval ;
5 sur la profession de Patrick Duval.

3 QU'EST-CE QUE C'EST ?

À quels plats correspondent ces définitions ?

a Une pissaladière   b Des petits farcis

 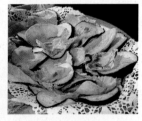

c De la socca   d Des beignets

1 On met les légumes ou les fruits dans une pâte et on les fait frire dans l'huile.
2 Ça ressemble à une tarte et c'est fait à base d'oignons frits.
3 Pour les faire, il faut des légumes : tomates, aubergines, courgettes, oignons et de la viande hachée.
4 C'est une espèce de galette à base d'eau et de farine de pois chiches.

4 QUELLES EXPRESSIONS ONT-ILS ?

Retrouvez les expressions et les gestes quand les personnages disent :

1 LUCIE : C'est bien parce que c'est vous, hein…
2 BERNARD : Ça n'a pas seulement l'air délicieux…
3 LUCIE : Alors, voilà, pour bien réussir…
4 JOSEPH : J'ai été cuisinier sur un bateau…

5 ÊTES-VOUS OBSERVATEUR ?

1 Quelqu'un fait deux fois un geste pour approuver ce que dit une personne. Qui est-ce ? Quel est ce geste ? Retrouvez les circonstances.
2 Quelqu'un fait un geste pour indiquer que c'est très bon. Qui ? Décrivez ce geste.
3 Quelle expression a Bernard sur la dernière image ? Pourquoi ? Qu'est-ce que ça signifie ?

6 COMMENT EST-CE QU'ILS L'EXPRIMENT ?

Dites à quels actes de parole correspondent ces répliques.

1 Je parie que tu nous as fait des petits farcis.
2 Ça fait plaisir de vous entendre dire ça, Joseph.
3 Je suis un peu surpris de ne pas voir Patrick Duval.

7 VOUS EN SOUVENEZ-VOUS ?

Voici un résumé de l'épisode entier. Dites tout ce qui ne va pas et récrivez-le d'une manière chronologique et sans rien oublier.

Le discours du maire va se faire chez Corinne et Bernard. Il y aura un feu d'artifice, comme pour le 14 juillet. Angèle va faire le disc-jockey. François cherche Patrick Duval, le garagiste du village. Les gens du village apportent de la nourriture parce que Bernard ne veut plus faire la cuisine.

REMARQUÉE

Lucie arrive. Elle aussi tient un plat dans chaque main.

LUCIE   Bonjour, Messieurs-dames. Bonjour, Angèle.

ANGÈLE   Bonjour, Lucie. Je parie que tu nous as fait des petits farcis.

Bernard s'approche et regarde ce qu'il y a à l'intérieur du plat.

BERNARD   Hum... Ça a l'air délicieux. Je peux goûter ?

LUCIE   C'est bien parce que c'est vous, hein...

Bernard goûte un petit farci.

CORINNE   Oh, ça fait plaisir de vous entendre dire ça, Joseph.

JOSEPH   Oui... enfin, c'est parce que je lui ai appris. J'ai été cuisinier sur un bateau, quand j'étais jeune.

CORINNE   Vous ne nous aviez pas dit ça... Qu'est-ce que c'est ?

JOSEPH   Des beignets d'aubergine.

CORINNE   Des beignets d'aubergine ! Je sens que Bernard va bientôt changer ses menus...

Sur la place, François est en train d'accrocher des lampions. Du haut de son échelle, il regarde autour de lui, il a l'air de chercher quelqu'un. Bernard installe la sono.

BERNARD   Hum... Ça n'a pas seulement l'air délicieux, c'est vraiment délicieux ! Vous me donnerez la recette ?

LUCIE   C'est une recette que ma grand-mère a inventée. C'est un secret de famille, mais enfin... Alors, voilà. Pour bien réussir des petits farcis... Allez, venez...

Elle entraîne Bernard pour continuer à lui donner la recette, en secret.
Raymond entre. Il a lui aussi un plat dans chaque main.

CORINNE   Raymond !

RAYMOND   Et voilà la socca.

Joseph entre à son tour, un plat à la main.

CORINNE   Et Joseph ! Mais vous aussi vous vous êtes mis à la cuisine ?

JOSEPH   Non, c'est ma femme qui l'a fait. C'est la meilleure cuisinière du village.

BERNARD   Ben, qu'est-ce que tu as ? Tu cherches quelqu'un ?

FRANÇOIS   Je suis un peu surpris de ne pas voir Patrick Duval.

BERNARD   Duval, Duval... ? C'est le père de Frédéric ?

FRANÇOIS   Oui.

BERNARD   Pourquoi ? Tu le cherches ?

FRANÇOIS   Oui, car il vient toujours nous donner un coup de main, d'habitude, pour la fête du village. Et cette année, il n'est pas là !

BERNARD   Il est peut-être malade ou il a eu un empêchement.

FRANÇOIS   Peut-être. En tout cas, à cause de ton succès, il a de moins en moins de clients.

BERNARD   Son restaurant ?

FRANÇOIS   Eh oui. Son restaurant...

DÉCOUVREZ
LA GRAMMAIRE

La mise en valeur d'un élément de la phrase

Pour mettre en valeur un élément de la phrase, on peut employer *c'est...* + **proposition relative**.

• Mise en valeur d'un sujet : *c'est... qui...*
Ma femme l'a fait. → *C'est ma femme qui l'a fait.*

• Mise en valeur d'un complément : *c'est... que...*
C'est une recette que ma grand-mère a inventée.
C'est à Bernard que Lucie donne sa recette.
C'est au restaurant que le maire fera son discours.

! Lorsque l'élément à mettre en relief est **un pronom** on met en valeur **sa forme tonique** :
Il va faire le disc-jockey.
→ *C'est lui qui va faire le disc-jockey.*
Il les conduit. → *C'est eux qu'il conduit.*

! **Le, la, les** (choses) devient **ça** :
Il le lui a envoyé. → *C'est ça qu'il lui a envoyé.*

1 Mettez en valeur les expressions soulignées.

Exemple : Ils passent en général leurs vacances à la mer.
→ **C'est à la mer qu'ils passent en général leurs vacances.**

1 Ils y vont en juillet.
2 Ils passent leurs vacances avec leurs amis.
3 Ils adorent les promenades sur la plage.
4 Les enfants préfèrent les bains de mer.
5 Et ils pensent aux vacances suivantes dès leur retour.

2 Mettez en valeur le pronom souligné.

Exemple : Il me l'a donné.
→ **C'est lui qui me l'a donné.**

1 Il le lui a porté.
2 Il le lui a offert.
3 Il le leur a proposé.
4 Il la lui a suggérée.
5 Il les leur a envoyés.

3 Insistez sur un autre aspect.

Une histoire banale... Mettez l'insistance sur l'expression soulignée.

Exemple : C'est à cause d'elle qu'il a décidé de partir en province.
→ **C'est en province qu'il a décidé de partir à cause d'elle.**

1 C'est elle qui a voulu cette séparation.
2 C'est à la gare qu'il est allé acheter son billet.
3 C'est pour lui qu'elle a préparé sa valise.
4 C'est pour longtemps qu'il la quitte.
5 C'est sans émotion qu'elle lui a dit un simple au revoir.

Expression de la cause et de la conséquence

Cause et conséquence sont liées : il n'y a pas de cause sans conséquence ni de conséquence sans cause.

• **Expression de la cause**
– La conséquence est déjà connue mais la **cause** est une **information nouvelle** :
Patrick Duval a moins de clients parce que Bernard a du succès.
Si Patrick Duval a moins de clients c'est que Bernard a du succès.
L'accident est dû à/résulte de/provient de sa négligence.
– La **cause** est déjà **connue** mais la conséquence est une information nouvelle :
À cause de/par suite de/grâce à sa maladie, il est resté longtemps sans travailler.
Comme/puisque Bernard a du succès, Patrick Duval a moins de clients.

• **Expression de la conséquence**
Bernard a eu du succès, donc/par conséquent/alors Patrick Duval a perdu des clients.
Bernard a du succès, si bien/de sorte que Patrick Duval a moins de clients.
Bernard a tant/tellement de succès que Patrick Duval a moins de clients.
Bernard a si bien réussi que Patrick Duval a moins de clients.
Sa négligence a provoqué/entraîné/causé l'accident.
Son succès a eu pour conséquence/pour effet de lui faire perdre des clients.
Le succès de Bernard lui a fait perdre des clients.

dossier 8

DÉCOUVREZ LA GRAMMAIRE

4 Quels sont les moyens employés ?

Examinez le tableau ci-contre et classez les mots employés. Dites :

1 par quoi peut être introduite l'expression de la cause :
   a prépositions : …
   b conjonctions suivies d'un verbe à l'indicatif : …
   c verbes : …
2 par quoi peut être introduite l'expression de la conséquence :
   a prépositions : …
   b conjonctions suivies d'un verbe à l'indicatif : …
   c verbes : …
   d expressions : …

5 Marquez la cause ou la conséquence.

Complétez l'histoire de ce couple.
Utilisez : c'est pourquoi – comme – puisque – si… que – tellement… que – si bien que.

1 … ils adoraient tous les deux les voyages, ils se sont rencontrés en Afrique.
2 Ils ont vite vu qu'ils avaient les mêmes goûts, ils se sont … rapprochés.
3 Ils se sont … bien entendus … ils se sont mariés.
4 … ils aimaient tous les deux les enfants, ils en ont eu beaucoup.
5 Mais, les années passant, leur caractère a … changé … ils ont perdu l'envie de vivre ensemble.
6 … ils se sont séparés.

6 Causes et conséquences.

Complétez le texte suivant sur l'arrêt de la plus grosse centrale nucléaire française avec des verbes, des adverbes ou des conjonctions.

Les écologistes ont … protesté … le gouvernement a fini par ordonner l'arrêt de l'activité de Super-Phénix. L'arrêt de cette centrale nucléaire a été décidé … elle risquait de devenir dangereuse. Comme il va … la fermeture progressive des installations, il aura pour … la mise au chômage des dix mille personnes qui travaillent sur le site. … les syndicats ont organisé des manifestations pour protester contre la décision. Les opinions sont … très divisées. Ceux qui sont loin du site veulent le fermer alors que ceux qui y travaillent voudraient que les activités continuent … c'est leurs emplois qui sont en jeu ! C'est … il est bien difficile de prendre parti.

7 Rendez les liens logiques plus clairs.

Complétez ce portrait. Reliez les deux phrases en une et marquez la cause ou la conséquence. Variez les expressions.

Exemple : Il vit loin de ses amis. Il ne les voit pas souvent.
→ **Comme il vit loin de ses amis, il ne les voit pas souvent.**

1 Il n'aime pas le bruit. Il vit dans un village.
2 Il habite loin de la grande ville. Il ne peut pas aller y travailler.
3 Il a un ordinateur. Il peut travailler chez lui.
4 Il sort peu. Il n'a pas de voiture.
5 Il n'a pas besoin de beaucoup d'argent. Il n'a pas de problèmes.

8 Qu'est-ce qu'il lui fait faire ?

Christophe a un chien. Dites ce qu'il lui fait faire. Attention : le pronom complément se place avant le verbe faire.

Exemples : Va-t'en !
→ **Il le fait partir.**
Va chercher la balle.
→ **Il lui fait aller chercher la balle.**

1 Donne-moi la patte.
2 Apporte-moi le journal.
3 Cours après le bâton.
4 Va te coucher.
5 Fais le beau sur les pattes arrières.

1 REPRISE DU [r].

Le [r] final est produit par un simple frottement de l'air à l'arrière. Il est plus facile à produire que le [r] initial. Exercez-vous à passer du [r] final au [r] initial sans pause entre les deux mots. Écoutez, puis prononcez les deux mots à la suite.

1 Dire – redire.
2 Port – report.
3 Cours – recours.
4 Mettre – remettre.
5 Tard – retard.
6 Part – repart.
7 Sort – ressort.
8 Gare – regard.
9 Bord – rebord.
10 Vert – revers.

2 INTONATION : S'INQUIÉTER ET RASSURER.

Pour manifester son inquiétude et pour rassurer on utilise un ton bas, mais l'intonation est légèrement montante pour l'inquiétude et nettement descendante pour rassurer. Écoutez et écrivez les phrases.
Lisez-les avec votre voisin(e), puis comparez avec l'enregistrement et répétez si vous jugez que votre interprétation n'était pas bonne.

Visionnez les variations

1 ILS SONT ÉTONNÉS.

Jouez avec votre voisin(e). Chacun affirme une chose pour surprendre l'autre. L'autre exprime son étonnement.

Exemple : **Je suis devenu(e) riche en trois jours.**
        – C'est incroyable...

2 EXPRIMEZ VOTRE ÉTONNEMENT.

Vous avez perdu le contact avec un(e) ami(e) que vous aimiez bien. Une personne qui vous connaît tou(te)s les deux vous invite ensemble chez elle sans vous le dire. Jouez la scène de la rencontre avec votre voisin(e).

Marquer son étonnement

1 Chez nous ? Mais on n'était pas au courant !
2 Pour une surprise, c'est une surprise !
3 Ce n'est pas possible ! On ne s'en serait jamais douté !
4 C'est incroyable, je ne m'y attendais pas du tout !

3 EXPRIMEZ VOTRE INQUIÉTUDE.

Vous exprimez votre inquiétude de plusieurs manières, votre voisin(e) vous rassure.

1 Vous attendez quelqu'un qui est très en retard.
2 Vous risquez de perdre votre place et de vous retrouver au chômage.

Exprimer de l'inquiétude et rassurer

1 – Il est déjà quatre heures et je ne sais toujours pas ce qu'on va servir tout à l'heure.
  – Mais puisque François t'a dit de ne pas t'en faire !
2 – Tu as vu l'heure qu'il est, et toujours rien !
  – Ne te fais pas de soucis, François tiendra parole.
3 – Je commence vraiment à m'inquiéter
  – N'aies pas peur, fais confiance à François.
4 – Il est tard, je me demande ce qui se passe ?
  – Ce n'est rien, François s'en occupe.

4 ILS NE LE FONT PAS POUR TOUT LE MONDE !

Vous donnez ou vous prêtez quelque chose à quelqu'un que vous connaissez bien. Vous lui faites remarquer que c'est un cas exceptionnel.

Exemple : **– Tiens, voilà ma voiture. Je te la prête.**
        Mais c'est bien parce que c'est toi !

Faire une faveur

1 C'est bien parce que c'est vous, hein...
2 Ah, si ce n'était pas pour vous.
3 C'est bien pour vous que je le fais !
4 Je le fais pour vous, mais vous ne le répéterez pas !

1 DIALOGUE.

Bernard vient d'apprendre que Frédéric Duval, l'ami de Laura, est le fils de Patrick Duval, l'autre restaurateur du village. Il commence à avoir des soupçons. Il parle à Laura du sabotage sur Internet et lui dit que l'auteur pourrait être Patrick Duval. Laura est d'abord étonnée, puis inquiète. Imaginez à deux leur conversation et jouez la scène.

2 UNE BONNE RECETTE.

Lisez la recette des petits farcis de Lucie, puis écoutez celle d'un livre de cuisine. Prenez des notes sur le choix des légumes, le choix de la viande pour faire la farce et des autres ingrédients, le temps de cuisson. Comparez les deux recettes. Dites quelles sont les principales différences.

Les petits farcis de Lucie

Pour la farce, il faut mélanger de la viande de veau hachée, 300 grammes pour 4 personnes, du jambon, et environ 200 grammes de bifteck haché. Pour donner plus de goût, vous mettez pendant quelques minutes des foies de volaille dans du cognac et vous mélangez le tout. Vous ajoutez la mie de pain trempée dans du lait, un oignon haché, 2 ou 3 gousses d'ail, du persil et une feuille de basilic, sel et poivre. Vous videz les tomates, les courgettes rondes, les oignons, les aubergines et les poivrons. Vous remplissez les légumes avec la farce. Vous mettez l'intérieur des légumes dans un plat autour des farcis. Vous saupoudrez d'un peu de parmesan, vous versez un filet d'huile d'olive et vous faites cuire environ une heure au four. Vous pouvez les manger chauds ou froids.

3 JEU DE RÔLES.

Votre ville reçoit une personnalité d'un pays étranger. La mairie veut organiser une fête en son honneur et lui faire découvrir les spécialités et artistes locaux. Discutez à deux pour savoir comment vous pourriez l'accueillir et ce que vous lui montreriez. Présentez vos idées à la classe.

4 LE DISCOURS DU MAIRE.

Lisez les questions et écoutez le discours du maire, puis répondez.

1. Qui est venu nombreux à la fête de Falicon ?
2. Grâce à qui et à quoi la fête du village peut-elle continuer ?
3. Qui aide le maire dans l'animation culturelle du village ?
4. Qu'est-ce qui vient d'enrichir le patrimoine de la commune ?

5 UN DISCOURS AMICAL.

Un(e) de vos ami(e)s va partir à l'étranger. Il/elle veut fêter ses derniers jours dans votre pays et réunit quelques amis pour une soirée. Vous avez décidé de faire un petit discours pour lui dire combien il/elle va vous manquer ; pour lui rappeler les bons moments passés ensemble ; peut-être aussi pour lui dire, en plaisantant, qu'il/elle a tort de partir… Préparez votre discours et faites-le devant la classe.

dossier 8

Dopage : jusqu'où ira-t-on ?

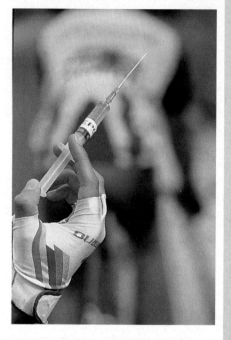

Juste avant le départ du Tour de France 1998, des produits dopants ont été trouvés dans la voiture d'un soigneur, si bien que des médecins, des coureurs, des directeurs sportifs se sont retrouvés en prison. Plus récemment le directeur de la société du Tour de France et le président de la Fédération française de cyclisme ont été mis en examen par le juge d'instruction chargé de l'enquête sur le dopage dans le sport cycliste.

Les plus hautes autorités connaissaient-elles l'usage de ces produits et ont-elles fermé les yeux ? Ces dernières mises en examen des dirigeants ont jeté le trouble dans le monde du cyclisme car on pense généralement que le nombre et la fréquence des courses imposées aux coureurs par les organisateurs rendent presque obligatoire l'usage de substances interdites !

Or, il semble que la Fédération française de cyclisme, soutenue par le ministère de la Jeunesse et des Sports, s'est engagée depuis longtemps dans le combat contre le dopage. Le suivi médical des coureurs, par exemple, est plus exigeant en France que dans d'autres pays. Mais, s'il fallait sanctionner tous les dirigeants qui n'ont pas assez combattu le dopage, le sport n'y survivrait pas ! Un des anciens vainqueurs du Tour a réagi dès l'annonce des mises en examen : « Sous de tels prétextes, on va finir par mettre tout le cyclisme français en examen et, au-delà, l'ensemble du sport… Et cela risque de dégoûter ceux qui luttent contre le dopage. »

L'affaire aura sans doute encore des suites. Rien ne dit que cette affaire n'entraînera pas, de la part de la justice, d'autres mises en examen, même si la politique de lutte contre la drogue pourrait être remise en cause par ses adversaires. En effet, on parle dans les milieux gouvernementaux d'étendre la notion de drogue au tabac et à l'alcool. De gros intérêts sont en jeu et les groupes de pression sont influents. Affaire à suivre…

1 OÙ EN EST-ON ?

1 Quel est le problème ?
2 Quel a été l'effet des dernières mises en examen ?
3 Quelle semble être la cause principale du dopage des coureurs cyclistes ?
4 Quelles mesures ont déjà été prises en France ?
5 Quelles seront les suites probables de l'affaire ?

2 LE DÉROULEMENT DES FAITS.

Établissez la chronologie des événements depuis le début.

Exemple : **D'abord, des produits dopants sont trouvés…**

3 CAUSES ET CONSÉQUENCES.

1 Dites quelles sont les conséquences de ces causes.

a Des produits dopants sont trouvés…
b Des mises en examen…
c Le nombre et la fréquence des courses…
d La Fédération française de cyclisme…

2 Trouvez d'autres relations cause-conséquence dans le texte.

4 LES RELATIONS DE CAUSE ET DE CONSÉQUENCE.

Recherchez les moyens utilisés dans le texte pour exprimer la cause et la conséquence : mots grammaticaux, verbes…

5 LES ÉCHOS DANS LE TEXTE.

1 Quels sont les mots qui font écho à *dopage* dans le texte ?
2 Quels sont les mots qui font écho à *mise en examen* ?
3 De quels prétextes s'agit-il dans le troisième paragraphe ? Que veut dire l'ancien vainqueur du Tour ?
4 Que résume le mot *affaire* au début du quatrième paragraphe ?

6 QU'EN PENSEZ-VOUS ?

1 Qui, d'après vous, fait l'hypothèse que le sport ne survivrait pas à une action trop dure de la part de la justice ?
   a L'auteur de l'article.
   b Les sportifs.
   c Les lecteurs du journal.
2 L'auteur de l'article présente plusieurs points de vue. Lesquels ?
3 Trouvez des arguments contre le dopage et contre l'usage du tabac et de l'alcool.

7 DÉCRIVEZ DES RÉACTIONS EN CHAÎNE.

Voici, dans l'ordre, une série de réactions de nature socio-économique.
Quelles sont les relations de cause à effet ?

1 Augmentation du prix des matières premières dans le monde.
2 Augmentation du prix des biens de consommation.
3 Grèves des ouvriers causées par la montée des prix.
4 Augmentation des salaires.
5 Augmentation des coûts de production.
6 Augmentation du prix des produits.

8 LE CYCLE DE L'EAU.

À partir du résumé du cycle de renouvellement de l'eau décrit en cinq étapes ci-dessous, écrivez un paragraphe destiné à une encyclopédie pour adolescents.

Le cycle :
1 Sous l'effet du soleil → évaporation de l'eau (s'évaporer) – vapeur d'eau monte.
2 Froid en altitude → condensation de l'eau (se condenser) → petites gouttes.
3 Gouttes → nuages → pluie ou neige (2/3 tombent sur les mers).
4 1/3 tombe sur la terre → 50 % s'évapore. 50 % → rivières et pénètre dans le sol → constitution de réserves d'eau en nappes souterraines.
5 Eau des rivières → mer.

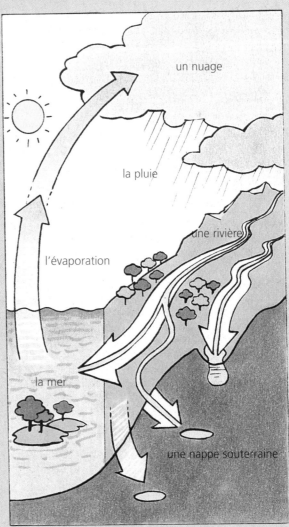

un nuage

la pluie

l'évaporation

une rivière

la mer

une nappe souterraine

dossier **8**

Un département français d'outre-mer (DOM) :
l'île de la Réunion

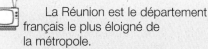

La Réunion est le département français le plus éloigné de la métropole.

Elle est située à l'est de l'Afrique, à 800 kilomètres de Madagascar, à 13 heures de vol de Paris.

C'est une île de 2 500 km² qui compte un peu moins de 600 000 habitants.

Deux pitons s'élèvent à 3 000 mètres d'altitude. L'un des deux, le piton de la Fournaise, est encore un volcan en activité. Le centre de l'île offre des paysages montagneux et tropicaux de toute beauté.

Quand on descend vers la mer, on trouve une côte sauvage et dangereuse avec, cependant, à l'ouest, de magnifiques plages de sable fin.

Cette autoroute qui longe la mer nous conduit à Saint-Denis, la ville principale de ce département où se mêlent Indiens, Malais, Africains, Européens… Ici, le racisme n'est pas pensable. La Réunion est aussi le lieu de toutes les religions, bouddhiste, chrétienne, musulmane, et de toutes les tolérances.

La Réunion offre une profusion de couleurs et d'odeurs.

La terre est très fertile. Les deux grandes ressources de l'île sont la vanille, dont on ramasse les gousses une à une, et la canne à sucre.

On coupe encore la canne de façon artisanale, mais elle est ensuite raffinée dans des usines modernes.

De là, elle est exportée par bateau dans le monde entier.

Le dimanche, les familles réunionnaises se retrouvent autour d'un carry dans la pure tradition créole.

Et c'est à regret que le visiteur prend le chemin du retour !

Le piton de la Fournaise.

Quelques dates

Île déserte au XVIIe siècle, elle sert d'étape à la Compagnie des Indes sur la route de l'Orient. Elle devient l'île Bourbon en 1642, possession du roi de France. Au XVIIIe siècle, des colons y emploient des esclaves pour travailler la terre.

En 1946, elle devient un département français d'outre-mer.

La dernière éruption du piton de la Fournaise, qui s'élève à 2 631 mètres, date de 1992.

Le piton des Neiges, au nord de l'île, qui culmine à 3 070 mètres, est un volcan éteint.

1 QU'EST-CE QUE VOUS AVEZ VU ?

Dites ce que vous avez vu dans l'ordre d'apparition à l'écran.

a Des plages de sable fin.
b Une mosquée.
c Un volcan.
d Des paysages tropicaux.
e Une église.
f Des bateaux.
g Des champs de canne à sucre.
h Des plaines fertiles.

2 CARACTÉRISEZ LA RÉUNION.

1 L'île est située :
  a dans l'océan Indien ;
  b dans l'océan Pacifique.
2 C'est le département :
  a le plus proche de la métropole ;
  b le plus éloigné de la métropole.
3 L'île de la Réunion compte :
  a 1 million 600 000 habitants ;
  b 600 000 habitants.

3 COMMENT EST-CE MONTRÉ DANS LE REPORTAGE ?

1 Qu'est-ce qui reflète la tradition ?
2 Qu'est-ce qui évoque le modernisme ?
3 Qu'est-ce qui montre le mélange de cultures, le métissage ?

dossier 8

CIVILISATION

SAINT-DENIS

10 km

La France d'outre-mer, c'est aussi...

Des départements français hors de la métropole (DOM) : la Réunion, la Martinique, la Guadeloupe, la Guyane. Ce sont d'anciennes colonies qui sont devenues en 1946 partie intégrante de la République française et sont régies par les mêmes lois.

Des territoires d'outre-mer (TOM) : la Nouvelle-Calédonie, La Polynésie, les îles Wallis-et-Futuna dans le Pacifique. Ce sont des territoires océaniens acquis au XIXᵉ siècle. Ils ont une autonomie interne et une assemblée territoriale élue au suffrage universel qui élabore les lois du territoire. Les Terres australes et antarctiques françaises (TAAF) font aussi partie des TOM.

Des collectivités territoriales : Mayotte, dans l'océan Indien, et Saint-Pierre-et-Miquelon, près des côtes canadiennes.

	Superficie en km²	Distance de Paris en km²	Habitants	Densité	Nombre de touristes
DOM					
Guadeloupe	1 780	6 790	408 000	240	340 000
Martinique	1 100	6 860	371 000	329	750 000
Guyane	90 000	7 070	131 000	2	164 000
Réunion	2 510	9 340	617 000	246	217 000
TOM					
Nouvelle-Calédonie	19 103	6 740	175 000	9	80 000
Polynésie française	4 200	15 710	204 000	51	130 000
Wallis-et-Futuna	274	16 060	14 000	55	6 000
TAAF	439 000			200	
COLLECTIVITÉS TERRITORIALES					
Mayotte	375	7 950	94 000	252	21 000
Saint-Pierre-et-Miquelon	242	4 280	6 000	25	14 000

Le territoire de Djibouti, les Comores (sauf Mayotte) et les Nouvelles-Hébrides sont devenus indépendants respectivement en 1977, 1978 et 1980. Depuis 1998, la Nouvelle-Calédonie est sur la voie de l'indépendance.

D'après Jouve, Verfaillie, Stragiotti, *La France des régions*, éd. Bréal, 1996.

Un atout pour la France

• Une présence mondiale et une puissance politique de premier rang.
• Le troisième rang parmi les puissances maritimes. Avec 10 millions de km² d'étendues océaniques à sa disposition, la France peut mener des recherches scientifiques maritimes, procéder à des exploitations minières et s'assurer des territoires de pêche.
• Une présence dans l'Antarctique où elle envoie des milliers de scientifiques.

Des pays aux influences multiples

L'influence de la culture multiraciale des départements et territoires d'outre-mer se fait sentir dans de nombreux domaines, en particulier dans la musique et la danse. Rythmes africains et mélodies européennes se sont mariés harmonieusement pour donner naissance à une musique originale, aux Antilles surtout. Mais ces apports multiples sont aussi visibles dans la cuisine, les croyances, les fêtes. Tous les ans, au mois d'août, a lieu à Point-à-Pitre la fête des cuisinières, à l'ambiance joyeuse, qui a des origines françaises très anciennes.

1 EN BREF.

1 D'après le tableau, quels sont les atouts économiques de la Guadeloupe et de la Martinique par rapport aux autres territoires ?
2 Quel est l'intérêt pour la France de garder les terres australes et antarctiques ?
3 Pourquoi ces territoires permettent-ils à la France d'être au 3ᵉ rang des puissances maritimes ?

2 DÉBAT.

Les échanges multiraciaux et multiculturels vous semblent-ils positifs ? Peuvent-ils apporter des éléments négatifs ? Donnez des exemples dans votre pays ou dans des pays que vous connaissez.

dossier 8

LITTÉRATURE

La promenade du soir

Souvent, après le dîner qu'Adélia servait à sept heures du soir tapantes[1], mon père et ma mère, se tenant par le bras, sortaient prendre la fraîcheur. […] Ils faisaient le tour de la darse[2] humant[3] la brise[4] qui venait de la mer, poussaient jusqu'au quai Ferdinand-de-Lesseps où une odeur de morue[5] salée s'accrochait toujours aux branches basses des amandiers-pays, revenaient vers la place de la Victoire et, après avoir monté et descendu trois fois l'allée des Veuves, ils s'asseyaient sur un banc. Ils demeuraient là jusqu'à neuf heures et demie. Puis, se levaient avec ensemble et rentraient à la maison par le même chemin tortueux[6].

Ils me traînaient toujours derrière eux. Parce que ma mère était toute fière d'avoir une si jeune enfant dans son âge plus que mûr[7] et aussi parce qu'elle n'était jamais en paix lorsque je me trouvais loin d'elle. Moi, je ne prenais aucun plaisir dans ces promenades. J'aurais préféré rester à la maison avec mes frères et sœurs. Sitôt que[8] mes parents leur avaient donné dos[9], ils commençaient à chahuter[10]. Mes frères s'entretenaient avec leurs gamines[11] sur le pas de la porte. Ils mettaient des disques de biguine sur le phonographe, se racontaient toutes

Place de la Victoire, Guadeloupe.

espèces de blagues en créole[12]. Sous le prétexte[13] qu'une personne bien élevée ne mange pas dans la rue, au cours de ces sorties, mes parents ne m'offraient ni pistaches bien grillées, ni sukakoko[14]. J'en étais réduite à convoiter[15] toutes ces douceurs et à me poster[16] devant les marchandes dans l'espoir que malgré mes vêtements achetés à Paris, elles me prendraient en pitié. Des fois, la ruse[17] marchait et l'une d'entre elles, la figure à moitié éclairée par son quinquet[18], me tendait une main pleine :

– Tiens pour toi ! Pitit à manman !

Maryse Condé, *Le cœur à rire et à pleurer, contes vrais de mon enfance*, © Robert-Laffont.

1. Tapantes : au moment même où elles sonnent.
2. Darse : bassin du port.
3. Humer : aspirer de l'air par le nez pour sentir.
4. Brise : vent léger.
5. Morue : gros poisson des mers froides qu'on fait sécher et qu'on sale.
6. Tortueux : qui fait beaucoup de tours et de détours.
7. Âge mûr : entre 40 et 60 ans.
8. Sitôt que : aussitôt que, dès que.
9 Donner dos : partir.

10. Chahuter ; jouer de façon bruyante et désordonnée.
11. Gamines : petites amies.
12. Créole : le parler local.
13. Sous le prétexte que : parce que.
14. Sukakoko : bonbon à la noix de coco.
15. Convoiter : envier.
16. Se poster : se placer.
17. Ruse : moyen habile utilisé pour tromper.
18. Quinquet : lampe à pétrole.

1 LA RÉPONSE EST DANS LE TEXTE.

Choisissez la bonne réponse.

1 L'action se situe :
  a en France ;   **c** au bord de la mer ;
  b aux Antilles ;   **d** au milieu des terres.

2 Ses frères étaient :
  a du même âge ;
  b beaucoup plus âgés qu'elle.

3 Entre eux, les enfants parlaient :
  a français ;   **b** créole.

4 Maryse Condé a reçu :
  a une éducation stricte ;
  b l'éducation de tous les petits Antillais.

2 UNE VIE RÉGLÉE.

1 À quel temps sont les verbes du texte ? S'agit-il de la description d'une journée particulière ou d'un emploi du temps habituel ?

2 Quels mots montrent que la vie de la famille était bien réglée ?

3 UNE ENFANCE ANTILLAISE.

1 Quelles remarques révèlent le niveau social de la famille ?

2 Qu'aurait préféré faire la petite Maryse au lieu de se promener avec ses parents ?

3 Que faisaient ses frères dès que les parents étaient sortis ?

épisode **9**

1re PARTIE

UN MESSAGE EFFICACE

2e PARTIE

MESSAGE REÇU

VOUS ALLEZ APPRENDRE À :

– vous inquiéter de l'opinion de quelqu'un
– reprendre un mot pour changer de sujet
– faire une hypothèse
– faire des hypothèses non réalisées dans le passé
– exprimer des regrets
– faire des reproches

VOUS ALLEZ UTILISER :

– le conditionnel passé
– *si* + plus-que-parfait, conditionnel passé
– des adjectifs et des pronoms indéfinis

ET VOUS ALLEZ AUSSI :

– lire un récit littéraire au passé simple et analyser
la situation de récit
– écrire un récit

– découvrir la Bourgogne et ses crus prestigieux

UN MESSAGE
épisode

9 1ʳᵉ PARTIE

Découvrez les situations

1 OBSERVEZ ET FAITES DES HYPOTHÈSES.

1 Décrivez les garçons et les filles. Où sont-ils ?
2 Qu'est-ce qui a changé dans le comportement de Laura et de Frédéric par rapport à l'épisode 6 ?
3 Quel peut être leur sujet de conversation ?

4 Après la discussion avec ses copains, autour de la table, quelle expression a Laura ?
5 Laura lit à ses copains ce qu'elle vient d'écrire. Qu'est-ce que ça peut être ?

Observez l'action et les comportements

2 QU'EST-CE QU'ILS RÉPONDENT ?

Visionnez le film avec le son. Dites quelle est la réplique suivante et qui la dit.

1 LAURA : J'ai été obligée de dire à mes parents que je t'avais donné le code d'accès de leur site Internet.
2 NICOLAS : Mais pourquoi il aurait fait ça ?
3 PATRICIA : C'est vrai que vous allez partir, Laura ?
4 FRÉDÉRIC : Mais, non, on ne peut pas lui faire ça, c'est mon père.
5 PATRICIA : J'ai une idée. Si on lui envoyait un message comme si ça venait du père de Laura ?

3 QUE DIT LE MESSAGE ?

1 De quoi Patrick Duval aurait dû se douter ?
2 Qu'est-ce que Bernard Lemoine connaît déjà ?
3 Qu'est-ce qu'il aurait pu faire ?
4 Qu'est-ce qu'aurait souhaité Bernard Lemoine ?
5 Pourquoi cette rivalité est-elle ridicule ?
6 Qu'est-ce que Bernard Lemoine attend ?

4 PENDANT LA LECTURE DU MESSAGE.

1 Observez Laura quand elle lit le message. Que fait-elle pour connaître l'opinion de ses copains ?
2 Ses copains sont-ils d'accord avec le contenu du message ? Comment le montrent-ils ?

5 COMMENT EST-CE QU'ILS L'EXPRIMENT ?

Trouvez les expressions équivalentes dans le texte et dites à quels actes de parole elles correspondent.

1 Quelle idée j'ai eu de le donner à mon père !
2 Ça n'a pas l'air d'aller. Vous avez un problème ?
3 Ça serait étonnant que ça soit lui.
4 Ah non, ne commence pas !

6 QUELS SENTIMENTS ÉPROUVENT-ILS ?

Observez Laura et Frédéric quand ils sont autour de la table. Voici une liste d'adjectifs de sentiments. Choisissez ceux qui semblent correspondre à ce qu'ils ressentent au fur et à mesure de la discussion.

a Ennuyé.
b Honteux.
c Indifférent.
d Gêné.
e Malheureux.
f Content.

g En colère.
h Triste.
i Soulagé.
j Heureux.
k Jaloux.
l Désespéré.

cent vingt **120**

EFFICACE

Au lycée international de Sophia-Antipolis, des élèves marchent dans les allées. Frédéric et Laura sont assis, en train de discuter.

LAURA   J'ai été obligée de dire à mes parents que je t'avais donné le code d'accès de leur site Internet.

FRÉDÉRIC   Mais pour qui ils vont me prendre, tes parents ! Si j'avais su, je ne l'aurais pas donné à mon père, ce code. C'est un fan d'informatique.

Un garçon, Nicolas, et une jeune fille, Patricia, les rejoignent.

NICOLAS   On dérange ?

LAURA   Non, non.

FRÉDÉRIC   Oui.

PATRICIA   Alors, on n'a qu'à lui faire la même chose.

FRÉDÉRIC   Mais, non, on ne peut pas lui faire ça. C'est mon père…

LAURA   Non, il a raison, Fred. Il faut essayer d'arranger les choses, mais pas en faisant n'importe quoi.

PATRICIA   J'ai une idée. Si on lui envoyait un message comme si ça venait du père de Laura ?

FRÉDÉRIC   Ça, ça peut marcher. J'aurais dû y penser tout seul !

LAURA   On s'y met ?

PATRICIA   Vous en faites une tête. Mais qu'est-ce qui se passe ?

FRÉDÉRIC   Rien… enfin, si… Mon père est entré dans le site Internet du père de Laura et il a trafiqué toute la page pub de son restaurant.

NICOLAS   Tu es sûr que c'est lui ? Ça pourrait être n'importe qui.

FRÉDÉRIC   Non. Il faut avoir le code et je le lui ai donné.

NICOLAS   Mais pourquoi il aurait fait ça ?

FRÉDÉRIC   Je ne sais pas, moi. Tu sais, notre restaurant marche un peu moins bien en ce moment. Il est peut-être jaloux…

PATRICIA   C'est vrai que vous allez partir, Laura ?

LAURA   Ah, non, tu ne vas pas t'y mettre, toi aussi ! J'en ai marre de ces rumeurs.

NICOLAS   (à Frédéric) Dis donc, ton père, il a bien un site ?

Un peu plus tard, Laura lit à voix haute le message qu'ils veulent envoyer au père de Frédéric.

LAURA   Vous auriez dû vous douter que vous ne resteriez pas anonyme très longtemps. Moi aussi, je connais votre code. Et si j'avais voulu faire comme vous, j'aurais modifié votre site pour diffuser de fausses informations. Mais ce message n'est pas une menace. Bien au contraire. J'aurais souhaité que vous fassiez le premier pas. Vous ne l'avez pas fait. Je vous offre donc une chance de mettre fin à cette rivalité ridicule. Il y a assez de clients dans la région pour que nos deux établissements fonctionnent en bonne entente. J'attends votre réponse.

Laura arrête de lire. Ses trois copains ont l'air d'apprécier le contenu du message.

Découvrez les situations

1 OBSERVEZ LES IMAGES.

Visionnez l'épisode sans le son.

1 Notez dans l'ordre d'apparition à l'écran le nom des personnages que vous connaissez.
2 Où sont-ils ?
3 Que font-ils ?
4 Lisez le texte sur l'écran d'ordinateur et dites qui écrit, à qui, pourquoi.

2 QU'EST-CE QUI SE PASSE ?

1 Récapitulez tous les événements qui ont conduit Patrick Duval à écrire ce message.
2 Comment imaginez-vous le caractère de Patrick Duval ?
3 Imaginez la suite. Patrick Duval et Bernard vont-ils se rencontrer ? À quelle occasion ? Est-ce qu'ils vont se réconcilier ?

Observez l'action et les comportements

3 LE CONTENU DU MESSAGE.

Visionnez le film avec le son. Trouvez dans le message envoyé par Patrick Duval :

1 un accusé de réception d'une lettre ;
2 un remerciement ;
3 une excuse et une justification ;
4 une façon d'admettre ses torts ;
5 une demande de réconciliation.

4 QU'APPREND-ON...

1 sur Julien ?
2 sur le nombre d'invités au mariage ?
3 sur la préparation du repas de noces ?

5 QU'EST-CE QUE ÇA VEUT DIRE ?

Quel ton, quelles expressions, quels gestes ont-ils ? Qu'est-ce que ça signifie ? Retrouvez ce qu'ils disent.

6 DITES-LE AUTREMENT.

Trouvez dans le dialogue :

1 une marque d'inquiétude ;
2 une manière d'accueillir quelqu'un ;
3 deux conseils.

Et trouvez des expressions équivalentes.

7 VOUS EN SOUVENEZ-VOUS ?

Qui dit ces répliques ? Mettez-les dans l'ordre de l'action.

a Si je lui avais envoyé un message, je te l'aurais dit !
b Il faut essayer d'arranger les choses, mais pas en faisant n'importe quoi.
c Vous en faites une tête. Mais qu'est-ce qui se passe ?
d Tu peux venir une minute ?
e On s'y met ?
f Tu sais, notre restaurant marche un peu moins bien en ce moment.
g Si tu as des problèmes, tu pourras toujours te faire donner un coup de main par Patrick Duval.
h C'est un fan d'informatique.

8 RÉSUMÉ.

Faites un résumé de chacun des deux messages.

dossier 9

REÇU

Julien sert des clients au café et Corinne passe entre les tables.
Bernard est devant l'ordinateur.
Bernard se retourne et appelle discrètement Corinne.

BERNARD Corinne, tu peux venir une minute ?

CORINNE Encore un problème ?

BERNARD Non. Je suis en train de lire mon courrier électronique. Regarde.

CORINNE Ça serait Laura et Frédéric que ça ne m'étonnerait pas !

BERNARD Oui, tu as peut-être raison…

François arrive sur ces mots.

BERNARD Tiens, tu arrives bien ! Lis !

Bernard et François discutent dans le café.

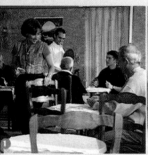

> Monsieur Lemoine
>
> J'ai bien reçu votre message et je vous remercie de me l'avoir envoyé. C'est moi qui aurais dû vous écrire le premier, mais je ne savais pas comment m'y prendre. Je sais que j'ai eu tort de faire croire que vous vouliez retourner à Paris et surtout d'avoir pénétré dans votre site.
> Je suis prêt à vous rencontrer et à vous présenter toutes mes excuses de vive voix.
>
> Signé : Patrick Duval.
> Duval@telecel.ch

Corinne se penche et lit.

CORINNE Monsieur Lemoine. J'ai bien reçu votre message et je vous remercie de me l'avoir envoyé. C'est moi qui aurais dû vous écrire le premier, mais je ne savais pas comment m'y prendre. Je sais que j'ai eu tort de faire croire que vous vouliez retourner à Paris et surtout d'avoir pénétré dans votre site. Je suis prêt à vous rencontrer et à vous présenter toutes mes excuses de vive voix. Signé : Patrick Duval.

Corinne arrête de lire.

CORINNE Tu ne m'avais pas dit que tu lui avais envoyé un message.

BERNARD Mais ce n'est pas moi ! Si je lui avais envoyé un message, je te l'aurais dit !

FRANÇOIS Le mieux, c'est que tu voies Duval le jour du mariage de Julien. C'est une belle journée pour faire la paix.

BERNARD Justement, parlons-en du mariage de ton fils. Tu ne m'as toujours pas dit combien vous serez.

FRANÇOIS C'est du côté de la mariée qu'ils ne savent pas, sinon je te l'aurais déjà dit.

BERNARD Ne tarde pas trop. Il faut plusieurs jours pour organiser un repas de noces. On ne peut pas faire n'importe quoi.

FRANÇOIS Si tu as des problèmes, tu pourras toujours te faire donner un coup de main par Patrick Duval.

BERNARD Je ne suis pas sûr qu'on ait les mêmes spécialités…

dossier 9

DÉCOUVREZ LA **GRAMMAIRE**

Le conditionnel passé

• **Formation** : auxiliaire **être** ou **avoir** au conditionnel présent suivi du participe passé.

• **Emplois :**
– **dans le discours indirect :**
Il indique qu'une action s'est réalisée avant une autre action exprimée au conditionnel simple :
*Celui qui **aura** communiqué le code sera le plus ennuyé.*
➜ *Il a dit que celui qui **aurait** communiqué le code serait le plus ennuyé.*
– **dans la condition passée imaginée (irréel du passé) :**
La condition passée imaginée est au plus-que-parfait et la conséquence, hypothèse non réalisée, au conditionnel passé.
*Si j'avais voulu faire comme vous, j'**aurais modifié** votre site.*
*Si j'avais su, je **ne l'aurais pas donné** à mon père, ce code.*

1 Conditionnel passé et hypothèses.

Transformez ces phrases comme dans l'exemple.

> **Exemple :** C'est parce que Bernard a donné son code à quelqu'un que Patrick Duval a pu le connaître.
> ➜ **Si Bernard n'avait pas donné son code à quelqu'un, Patrick Duval n'aurait pas pu le connaître.**

1 Si les Lemoine se sont installés à Falicon, c'est qu'ils aimaient l'endroit.
2 C'est parce qu'il aimait faire de la bonne cuisine que Bernard est devenu restaurateur.
3 Bernard n'a pas pu obtenir de réponse sans avoir écrit.
4 Patrick Duval a changé les informations de Bernard parce que c'est un fan d'informatique.
5 C'est parce qu'il avait le code qu'il a pu trafiquer la page pub.

2 Mettez au discours indirect.

*Vous êtes parti(e) en randonnée en montagne. À votre retour, vous racontez tout ce que votre guide vous a dit. Faites précéder les phrases de **Il a dit/annoncé/répété/ajouté**.*

> **Exemple :** Quand on aura franchi l'obstacle, on pourra se reposer.
> ➜ **Il a dit qu'on pourrait se reposer quand on aurait franchi l'obstacle.**

1 Quand on sera arrivés de l'autre côté de cette colline, on verra le restaurant.
2 Quand tout le monde aura déjeuné, on repartira.
3 Celui qui sera arrivé le premier au sommet sera récompensé.
4 Quand on aura bien contemplé le paysage, on redescendra.
5 Quand on sera redescendus, on discutera de nos projets pour la suite.

3 Qu'est-ce qui aurait pu se passer si... ?

Terminez les phrases.

1 Si on n'avait pas inventé la roue, (ne pas construire des voitures).
2 S'ils n'y avait pas eu tant d'aventuriers et d'explorateurs, (ne pas découvrir le monde).
3 Si les femmes n'avaient pas défendu leurs droits, (ne pas obtenir leur statut actuel).
4 Si l'électricité n'avait pas été trouvée, (beaucoup d'autres inventions être impossibles).
5 Si la recherche spatiale n'avait pas été aussi importante, (aller sur la Lune).

Autres emplois du conditionnel passé

Le conditionnel passé sert à :
– **exprimer des regrets :**
***J'aurais dû** y penser tout seul.* (Mais il ne l'a pas fait et il ne peut que le regretter !)
– **faire des reproches :**
***Tu aurais pu** faire attention !*
– **présenter des informations non confirmées :**
*Un grave incendie s'est déclaré. **Il y aurait eu** beaucoup de victimes.*

DÉCOUVREZ LA **GRAMMAIRE**

4 Emploi du conditionnel passé.

Dites s'il s'agit de regrets, de reproches, d'informations non confirmées ou d'hypothèses non réalisées.

1 L'accident d'avion d'hier aurait fait une centaine de victimes.
2 Il aurait dû être plus prudent.
3 Vous auriez pu faire plus attention.
4 Tu n'aurais pas vu mon chien, par hasard ?
5 J'aurais dû vous téléphoner.

5 Quels reproches peut-on leur faire ?

Exemple : L'étudiant a raté ses examens.
➜ **Tu aurais dû travailler davantage !**

1 Le monsieur n'a pas prévenu ses amis de son arrivée.
2 La dame a dépensé beaucoup d'argent.
3 Ils ont laissé leur porte ouverte et on leur a volé leur télévision.
4 Elle a oublié un rendez-vous chez son docteur.
5 Il a perdu ses papiers d'identité.

6 Information et conditionnel.

Soyez prudent ! N'affirmez rien sans preuves certaines.
À partir de cette dépêche d'agence de presse, utilisez des conditionnels...

Des rumeurs indiquent que les combats qui se déroulaient dans le nord du pays se poursuivent maintenant vers la côte et le centre. Des troupes rebelles sont entrées dans la capitale de la province. Mais cette nouvelle n'est pas confirmée par la radio gouvernementale. Des gens qui fuient devant les combats ont déclaré que l'avance des rebelles se poursuit.

Les adjectifs et les pronoms indéfinis

Ils indiquent :
• une **quantité nulle** : aucun, pas un (adjectifs et pronoms), **personne, rien** (pronoms) :
– *Ses amis l'ont félicité ?*
– *Pas un ! Il n'a eu aucun succès.*
• une **quantité indéterminée** : **quelques, plusieurs, certains** (adjectifs), **quelque chose, quelqu'un, quelques-uns, plusieurs, d'autres, certains** (pronoms) :
Nous sommes quelques-uns/plusieurs à penser la même chose.
• une **totalité** : **tout, chacun** (pronoms), **chaque** (adjectif) :
Chacun/tout le monde est libre de faire ce qu'il veut.
• une **identité indéterminée** : **n'importe qui, n'importe quoi, n'importe quel...** :
On ne peut pas faire n'importe quoi ! (Pronom.)

7 N'importe quoi.

Un journaliste interviewe une personne pas très enthousiaste. Donnez les réponses en utilisant n'importe quoi/qui/comment/où/quand/quel...

Exemple : Quel genre de films aimez-vous ?
➜ **N'importe quoi, pourvu que ce soit un film.**

1 Où aimez-vous partir en vacances ?
2 Quand partez-vous ?
3 Comment aimez-vous vous habiller ?
4 À quelle heure préférez-vous dîner ?
5 Si vous aviez le choix, avec qui aimeriez-vous passer un week-end ?

8 Indéfinis.

Complétez le texte avec des adjectifs ou des pronoms indéfinis.

... personnes affirment périodiquement qu'elles ont vu ... objets brillants traverser le ciel. ..., cependant, ne peut ... dire de plus précis.
Ces gens semblent en général sérieux et ne disent pas ... . Mais, presque ... fois, il n'y avait ... autre témoin et ils ont pu se tromper sur la nature d'un objet aperçu ... fractions de seconde. Souvent, d'... gens se promènent au même endroit et ne remarquent ... . Alors, faut-il croire ... les témoignages ou n'en croire ... ?

Sons et Lettres

1 LIAISONS FACULTATIVES ET LIAISONS INTERDITES.

1 Lisez à voix haute les phrases suivantes.

1　Il y a des appartements à louer dans ces immeubles anciens.
2　Mes onze amis italiens vont-ils arriver à six heures ensemble ?
3　Comment iront-ils en Espagne ? En avion ou en autobus ?
4　– Dort-il encore ? – Oui, il dort encore.
5　Lucie part en autobus mais ses amies partent en avion.

2 Écoutez et notez les liaisons.
3 Dites pourquoi certaines liaisons sont interdites.

2 DE QUEL ACTE DE PAROLE S'AGIT-IL ?

Écoutez et dites s'il s'agit d'un regret ou d'un reproche.

> *Exemples :* Si tu avais été plus attentif !
> → **Reproche.**
> Si tu avais su !
> → **Regret.**

Visionnez les variations

1 JE VAIS PASSER POUR QUI ?

Imaginez une situation où vous vous inquiéteriez de l'opinion de quelqu'un : ami(e), collègue, directeur… Trouvez des répliques qui vous amèneraient à utiliser la première variation.

> *Exemple :* – J'ai dit à mon amie que tu ne voulais pas participer au cadeau.
> – Tu n'aurais pas dû. Pour qui elle va me prendre !

Reprendre un mot pour changer de sujet

1　Justement, parlons-en du mariage !
2　En parlant du mariage…
3　À propos de mariage…
4　Puisque tu parles du mariage…

S'inquiéter de l'opinion de quelqu'un

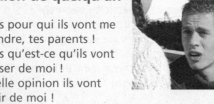

1　Mais pour qui ils vont me prendre, tes parents !
2　Mais qu'est-ce qu'ils vont penser de moi !
3　Quelle opinion ils vont avoir de moi !
4　Je vais passer pour qui, moi ?

3 QU'EST-CE QUI SE PASSE ?

Vous êtes à l'aéroport dans un pays étranger. L'avion que vous devez prendre a un retard important. Vous ne savez pas ce qui se passe. Vous faites des hypothèses avec un autre passager.

2 PARLONS-EN !

Imaginez un dialogue où chaque interlocuteur reprend un mot que vient de dire l'autre pour réorienter la conversation.

> *Exemple :* – Tu as vu le match de foot à la télé hier ?
> – Dis, en parlant de foot, si on prenait des billets pour vendredi ?
> – Ah, à propos de vendredi…

Préparez le dialogue et jouez-le avec votre voisin(e).

Faire une hypothèse

1　Ça serait Laura et Frédéric que ça ne m'étonnerait pas…
2　Ça pourrait bien être Laura et Frédéric…
3　Combien tu paries que c'est Laura et Frédéric ?
4　Il y aurait du Laura et Frédéric là-dessous que je n'en serais pas étonnée.

1 DIALOGUE.

Laura et Frédéric se revoient quelques jours après l'envoi de leur message. Laura l'interroge pour savoir si son père a réagi et s'il lui en a parlé. Frédéric lui dit que oui et que son père vient d'envoyer un message à ses parents. Laura n'est pas au courant. Ses parents ne lui ont encore rien dit. Écrivez la scène à deux et jouez-la.

2 NOTRE GRAND SONDAGE SUR LES JEUNES.

Dans le cadre de notre enquête sur les jeunes de 15 à 24 ans, nous avons interrogé Laurence, 16 ans, lycéenne, Djamel, 19 ans, en deuxième année d'université et Éric, 22 ans, titulaire d'une maîtrise de lettres, actuellement à la recherche d'un emploi, sur ce qu'ils pensent de notre société, sur leurs valeurs, sur leur avenir. Pour illustrer notre enquête, voici quelques extraits de la Charte du jeune citoyen de l'an 2000, votée au Sénat le 8 mars 1997 par 300 collégiens de troisième pour l'opération « Sénateurs juniors ».

ARTICLE PREMIER
Toute personne a le droit d'avoir une éducation, sans distinction d'âge, de sexe, de position économique et de race. [...] Chacun doit pouvoir s'éduquer à son rythme, s'épanouir selon ses intérêts et réaliser son projet dans la vie.

ARTICLE 2
L'emploi et sa contrepartie, le salaire [...] doivent être un droit pour chaque individu...

La Croix, 12/03/1997.

Écoutez l'interview.
1 Répondez aux questions.

1 Laurence n'a pas vraiment l'impression de vivre la plus belle époque de sa vie. Pourquoi ?
2 Qu'est-ce qui fait peur à Djamel ?
3 Qu'est-ce qu'Éric trouve dangereux ?
4 Quelle valeur ont en commun Laurence et Djamel ?
5 Relevez les deux phrases d'Éric qui montrent qu'il est plus âgé, plus mûr que Laurence et Djamel.
6 Le journaliste cite quatre enjeux politiques à mettre dans l'ordre. Repérez-les. Lequel n'est repris par aucun des jeunes interviewés ?

2 Dites si certaines des préoccupations de ces trois jeunes gens se retrouvent dans la Charte du jeune citoyen.

3 SONDAGE.

Travail par groupes de 3 ou 4. Préparez un sondage sur les relations parents-adolescents. Pensez à ce qui est interdit ou autorisé selon les âges, à ce que vous ne supportez pas chez un adolescent ou un adulte, aux principaux reproches que font les adultes aux adolescents et réciproquement. Chaque groupe présente un questionnaire. On reprend les idées communes pour préparer les questions du sondage.

4 CONVERSATION.

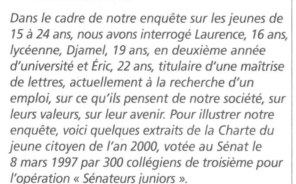

Écoutez la conversation entre Pierre et Paul et trouvez :
1 la situation de communication :

1 Qui téléphone à qui ?
2 Pourquoi téléphone-t-il ?

2 les actes de parole :

1 Comment Pierre marque-t-il son étonnement ?
2 Comment Pierre montre-t-il son regret ?
3 Comment Paul s'excuse-t-il ?
4 Comment Pierre change-t-il de sujet (deux fois) ?
5 Comment Paul montre-t-il son intérêt ?
6 Comment Paul change-t-il de sujet ?

5 JEU DE RÔLES.

Imaginez les reproches et les excuses que se font les deux personnages et leur réconciliation. Jouez à deux.

dossier 9

Après le naufrage

En septembre 1759, Robinson Crusoé, un marchand anglais, allait en Amérique du Sud pour affaires. Son bateau, pris dans une violente tempête, est jeté sur des rochers au large des côtes du Chili.

Lorsque Robinson reprit connaissance, il était couché, la figure dans le sable. [...] Il se laissa rouler sur le dos. Des mouettes noires et blanches tournoyaient dans le ciel redevenu bleu après la tempête.

Robinson s'assit avec effort et ressentit une vive douleur[1] à l'épaule gauche. La plage était jonchée[2] de poissons morts, de coquillages brisés et d'algues noires rejetées par les flots. À l'ouest, une falaise rocheuse s'avançait dans la mer et se prolongeait[3] par une chaîne de récifs[4]. C'était là que se dressait la silhouette de « La Virginie » avec ses mâts[5] arrachés et ses cordages[6] flottant dans le vent.

Robinson se leva et fit quelques pas. Il n'était pas blessé, mais son épaule contusionnée[7] continuait à lui faire mal. Comme le soleil commençait à brûler, il se fit une sorte de bonnet en roulant de grandes feuilles qui croissaient[8] au bord du rivage. Puis il ramassa une branche pour s'en faire une canne et s'enfonça[9] dans la forêt. [...]

Après plusieurs heures de marche laborieuse[10], Robinson arriva au pied d'un massif de rochers entassés en désordre. Il découvrit l'entrée d'une grotte[11] ombragée[12] par un cèdre[13] géant ; mais il n'y fit que quelques pas, parce qu'elle était trop profonde pour pouvoir être explorée ce jour-là. Il préféra escalader[14] les rochers, afin d'embrasser une vaste étendue du regard. C'est ainsi, debout sur le sommet du plus haut rocher, qu'il constata que la mer cernait de tous côtés la terre où il se trouvait et qu'aucune trace d'habitation n'était visible : il était donc sur une île déserte.

Michel Tournier, *Vendredi ou la vie sauvage*, © Éditions Gallimard.

1. Douleur : sensation physique difficile à supporter, souffrance.
2. Jonché : couvert.
3. Se prolonger : continuer.
4. Récif : rocher dangereux peu visible car en grande partie sous la surface de l'eau.
5. Mât : pièce de bois qui porte les voiles d'un bateau.
6. Cordage : grosse corde ou câble.
7. Contusionné : blessé.

8. Croître : pousser (pour des plantes).
9. S'enfoncer : pénétrer, entrer profondément.
10. Laborieux : qui demande beaucoup de travail, difficile.
11. Grotte : trou naturel dans la paroi d'une colline ou d'une montagne.
12. Ombragé : à l'ombre, protégé du soleil.
13. Cèdre : espèce d'arbre.
14. Escalader : monter sur, gravir.

1 ROBINSON CRUSOÉ

Avant de lire le texte, mettez ces événements dans l'ordre.

a Robinson trouve l'entrée d'une grotte profonde.

b Robinson se retrouve sur une plage. Il a mal à l'épaule.

c Une violente tempête jette le bateau de Robinson Crusoé sur des rochers.

d Robinson monte sur une hauteur et regarde autour de lui. La mer entoure toute la terre.

e Robinson se lève et entre dans la forêt.

f Robinson lève les yeux et voit le bateau brisé sur les rochers.

2 LE RÉCIT DE MICHEL TOURNIER.

Répondez aux six questions qui permettent de construire le récit.

Situation I : avant le naufrage

Qui ?   R. Crusoé et l'équipage du bateau.
Quoi ?   Voyage vers le Chili.
Quand ?   …
Où ?   …
Pourquoi ?   Pour affaires.
Comment ?   En bateau.

Situation II : après le naufrage

Qui ?   Robinson Crusoé seul.
Quoi ?   …
Quand ?   Quand il reprend connaissance.
Où ?   …
Pourquoi ?   …
Comment ?   …

3 LES TEMPS DU RÉCIT.

1 Relevez dans le texte les formes verbales terminées en **-a**, **-it** ou **-ut**.

2 À quelle personne sont ces verbes ?

3 Quel est l'infinitif des verbes terminés en **-a** ? en **-it** ?

4 Qu'expriment ces verbes ?
 a Des actions, des événements. **b** Des états.

5 Quel autre temps est utilisé ? Qu'exprime-t-il ?

4 RACONTEZ L'AVENTURE À DES ENFANTS.

Vous racontez le naufrage de Robinson Crusoé à des enfants. Vous voulez que les faits leur paraissent plus proches.
Vous utilisez le passé composé.

1 Écrivez un texte faisant environ le quart du passage de Michel Tournier où vous vous limitez à rapporter les événements au passé composé.

2 Ajoutez quelques passages descriptifs du décor et des circonstances à l'imparfait.

5 TEXTE LIBRE.

Écrivez une aventure de votre choix, soit tirée de l'actualité, soit en reprise d'un texte déjà écrit dans votre langue, d'un conte ou d'une nouvelle par exemple.

 Le passé simple

• Le passé simple est un temps de l'indicatif utilisé dans le récit littéraire.

On le trouve aussi dans les journaux où il est quelquefois utilisé dans les faits divers.

• Il est presque toujours utilisé à la troisième personne du singulier ou du pluriel.
Il suffit de reconnaître les formes en *-a/èrent*, *-it/irent* ou *-ut/urent*.

Verbes en *-er* : il arri**a**, ils arri**vèrent** ;
                      il all**a**, ils all**èrent**.

Autres verbes :
faire :   il **fit**, ils **firent** ;
s'asseoir : il s'ass**it**, ils s'ass**irent** ;
être :   il **fut**, ils **furent** ;
avoir :   il **eut**, ils **eurent** ;
vouloir :   il voul**ut**, ils voul**urent**.

dossier 9

La Bourgogne aux crus prestigieux

On ne peut voir ces toits aux tuiles vernissées multicolores qu'en Bourgogne.

C'est, avec le Bordelais, la plus célèbre région vinicole de France. C'est dans ces vignes couvrant les pentes ensoleillées des collines que mûrissent les raisins. Ils donneront les crus les plus renommés.

La saison des vendanges réunit chaque année, en septembre, des travailleurs saisonniers et des étudiants venus de partout.

Les grappes sont détachées une à une avec le plus grand soin.

Et si, dans la journée, le travail dans les rangs de vigne est très fatigant, le soir est consacré à la détente et à la fête.

« C'est le terroir… C'est la magie des différents sols. Vous allez d'un côté de la terre, de l'autre côté d'un mur, et ça donne des goûts différents… c'est la magie de la Bourgogne. »

Dans ces caves séculaires vieillissent lentement, à température constante, des millions de bouteilles aux étiquettes prestigieuses : Nuits-Saint-Georges, Clos-Vougeot, Vosne-Romanée, Gevrey-Chambertin, Pommard, Aloxe-Corton…

Les vignerons vérifient régulièrement la qualité du vin qui s'élabore. Ils font jouer le vin dans leurs verres pour en apprécier la couleur de la robe et le bouquet.

Ces bouteilles sont la fierté et la richesse de la Bourgogne.

Ce sont les Grecs qui ont apporté la vigne en France, il y a plus de 2 500 ans.

Le développement de la vigne a été favorisé par la religion chrétienne. Au Moyen Âge, chaque monastère avait sa vigne pour fabriquer du « vin de messe ». Au XVIᵉ siècle, c'est un moine, Dom Pérignon, qui découvrit le procédé de fabrication des « vins mousseux », donc du champagne.

Vendanges à Nuits-Saint-Georges.

On n'écrase plus les raisins avec les pieds. Tout se fait mécaniquement. Les grains de raisin sont détachés de la grappe et envoyés dans un pressoir pour y être écrasés. Le jus qui coule est mis dans des tonneaux.

Le foulage du raisin vers 1500.

1 QU'EST-CE QUE VOUS AVEZ VU...

1 sur les pentes des collines ?
2 dans les vignes ?
3 dans les caves ?

2 LA BOURGOGNE.

1 Qu'est-ce qui, d'après le reportage, caractérise la région ?
2 Où sont plantées les vignes ?
3 Quelle est la saison des vendanges ?
4 Où vieillissent les bouteilles ?

3 UNE TERMINOLOGIE SPÉCIFIQUE.

Quel vocabulaire spécifique à la vigne et au vin relevez-vous dans la double page ?
Classez-le en lieux, acteurs, fabrication, conservation, vente.

dossier **9**

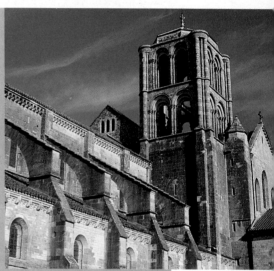

CIVILISATION

La Bourgogne, c'est aussi...

Une région au riche passé politique et religieux.
Un lieu de passage entre deux grandes régions prospères, l'Ile-de-France et Rhône-Alpes.
Un espace de 31 600 km², aussi grand que la Belgique comprenant quatre départements dont un seul vraiment dynamique :
la Côte d'Or, avec une population de 1 million 600 000 habitants, soit 51 au km² (France : 104 habitants/km²).
Une région de petites exploitations agricoles et d'élevage (bœufs du Charolais, poulets de Bresse).

Le pays des abbayes : Clairvaux, Cîteaux, Cluny, Paray-le-Monial, Fontenay, Pontigny, Vézelay, Avallon, Tournus.

Au xe siècle, est fondée l'abbaye de Cluny, indépendante du pouvoir royal. Deux siècles plus tard, on compte 1 450 maisons et 10 000 moines dépendant de Cluny dans toute l'Europe.

Pour lutter contre le luxe de la vie des moines, un jeune noble de 21 ans, qui deviendra Saint-Bernard, se présente au monastère de Cîteaux en 1112 avec 32 compagnons. En 1115, il crée l'abbaye de Clairvaux (« la claire vallée »), à la limite de la Bourgogne et de la Champagne, dans un pays pauvre, et impose aux moines des conditions de vie rigoureuses et de durs travaux.

Écrivain, théologien, philosophe, moine, homme politique, il a une renommée extraordinaire et devient l'homme fort de l'Europe. Il meurt en 1153.

Vézelay

En 1146, Saint-Bernard y a prêché la seconde croisade. Vézelay était alors le rendez-vous des pèlerins qui se rassemblaient là avant de partir pour Saint-Jacques-de-Compostelle. Le roi de France, Philippe Auguste, et le roi d'Angleterre, Richard Cœur de Lion, s'y sont retrouvés en 1190, au départ de la troisième croisade.

L'abbaye de Vézelay.

La Bourgogne, région gastronomique, région agricole

On ne peut évoquer la Bourgogne sans parler de sa cuisine, et on ne peut parler de sa cuisine sans parler de son agriculture. Si le nombre d'agriculteurs ne cesse de diminuer, le pourcentage reste cependant supérieur à la moyenne française et la taille des exploitations augmente chaque année. La culture de céréales et l'élevage sont les deux pôles principaux. Élevage pour la viande réputée être la meilleure de France : bœufs du Charolais, poulets de Bresse et gibiers. Élevage pour le lait qui permet la fabrication de fromages très réputés : Saint-Florentin, Époisses, Bleu de Bresse.

Le manège de Petit Pierre.

La fabuloserie

Dicy, petit village de l'Yonne, abrite depuis quinze ans un fabuleux musée. C'est là que des « artistes » sans aucune formation ou culture artistique ont trouvé un lieu pour montrer leurs créations. Ils sont maçons, mineurs, agriculteurs, facteurs... et ils créent depuis des années des œuvres faites de boîtes de conserve, de vieux jouets, d'objets de tous les jours pour les transformer en un ensemble magique. Comme Petit Pierre, ce jeune ouvrier agricole, sourd et muet, qui a fabriqué en trente ans un grand manège de cyclistes, de vaches, d'hélicoptères, de voitures, qui tourne joyeusement au fond du parc.

1 EN BREF.

1 Quelles sont les particularités de la Bourgogne ?
2 Pourquoi Saint-Bernard a-t-il créé des abbayes ?
3 Quel lien faites-vous entre l'agriculture bourguignonne et sa gastronomie ?

2 DÉBAT.

L'art peut-il s'enseigner ? Peut-on créer de véritables œuvres d'art sans avoir suivi un enseignement particulier ? Connaissez-vous des exemples ?
L'art est-il partout, comme certains l'ont dit : objets de tous les jours, jeux vidéo, graffitis... ?

dossier 9

BILAN

1 Compréhension écrite.

Lisez le texte ci-dessous sur le courrier électronique et répondez aux questions.

Principal usage d'Internet, le courrier électronique est à la fois complémentaire et concurrent du téléphone, de la télécopie et du courrier postal. Grâce à lui, on peut contacter n'importe qui en n'importe quel point du globe, transmettre et récupérer des textes, des images, des sons, pour le prix d'une communication locale.

Dans les débuts d'Internet, on aurait pu craindre que l'écrit laisse la place à des pratiques surtout orales ou qu'on se limite à de brefs messages. Il n'en a rien été. Beaucoup d'accros de l'électronique ont retrouvé le plaisir de rédiger pour correspondre avec leurs parents et amis dans le monde, car on peut les joindre en temps réel. C'est pourquoi on peut dire que la messagerie électronique aura été un bon moyen de redonner l'habitude d'écrire à de nombreux utilisateurs. Elle les aura obligés à faire un effort pour soigner leur style et consulter leur dictionnaire.

Mais les plus motivés ne vont-ils pas se laisser décourager par les inconvénients du système ? Comment, en effet, contrôler la quantité et l'origine des messages ? Si on a une adresse électronique, on s'expose à recevoir bien des annonces publicitaires et des communications inutiles ! Devoir lire une trentaine de messages par jour prend déjà beaucoup de temps, alors si il faut éliminer tous les courriers indésirables ! ...

1 DANS QUEL ORDRE ?

Attribuez un sous-titre à chacun des trois paragraphes du texte. Choisissez parmi ces propositions ou trouvez de meilleurs sous-titres.

a Risque de découragement.
b Un stimulant pour l'écriture.
c Définition.
d Fonctions du courrier électronique.
e Un plaisir retrouvé.
f Une publicité démotivante.

2 FAÇONS DE DIRE.

Dans le texte, relevez :

1 deux façons d'exprimer la cause ou la conséquence ;
2 une hypothèse passée non réalisée ;
3 une opposition.

3 QU'EST-CE QUE LE COURRIER ÉLECTRONIQUE ?

1 À quoi sert le courrier électronique ?
2 Combien coûte l'envoi d'un message ?
3 En combien de temps le message parvient-il à son destinataire ?
4 Pourquoi est-ce que le courrier électronique favorise l'écriture ?
5 Quels sont les inconvénients du courrier électronique ?

2 Compréhension orale.

Écoutez l'enregistrement et répondez aux questions.

1 Les télétravailleurs sont des gens :
  a qui travaillent pour une station de télévision ;
  b qui travaillent sur ordinateur.
2 Les télétravailleurs sont des travailleurs :
  a non-salariés ;
  b qui ne travaillent pas dans les bureaux de l'entreprise.
3 Une entreprise virtuelle est conçue ici comme :
  a une entreprise qui a des bureaux ;
  b une entreprise qui ne travaille qu'avec Internet.
4 Le kiosque permet :
  a de trouver des adresses si on cherche du télétravail ;
  b de lire la presse du jour.

3 Production écrite.

Commentez une des prédictions ci-dessous et écrivez un texte de 100 à 150 mots pour un magazine ou pour servir de base à un forum de discussion sur Internet.

1 L'éducation sera faite en ligne à tous les niveaux.
2 Quand le télétravail se sera développé, moins de chercheurs et de savants s'expatrieront pour aller travailler hors de leur pays.

4 Production orale.

Faites vos commentaires sur les avantages et les inconvénients d'Internet. Réfléchissez et préparez votre intervention pendant une dizaine de minutes.

épisode

1re PARTIE

UN BEAU MARIAGE

2e PARTIE

LA RÉCONCILIATION

VOUS ALLEZ APPRENDRE À :

– avoir une réaction indignée
– essayer de savoir ce que l'autre pense
– empêcher quelqu'un de parler
– exprimer l'opposition et la concession
– exprimer la possession

VOUS ALLEZ UTILISER :

– les conjonctions *alors que, tandis que, même si* + indicatif, *bien que, quoique* + subjonctif
– les adverbes *cependant, au contraire, pourtant, toutefois, en revanche, par contre*
– les pronoms possessifs
– les pronoms compléments d'objet indirect de personne

ET VOUS ALLEZ AUSSI

– retrouver divers modes de développement (opposition, concession, comparaison, hypothèse) dans un texte
– écrire un commentaire de sondage en utilisant des modes de développement variés

– découvrir la région Nord-Pas-de-Calais au cœur de l'Europe du Nord

Découvrez les situations

1 OBSERVEZ ET FAITES DES HYPOTHÈSES.

Regardez les photos et visionnez le film sans le son.

1 Où se passe la première séquence ? À quelle cérémonie assistons-nous ?
2 Qui est le monsieur en face du couple ?
3 Qui sont les jeunes gens qui s'approchent du couple ?
4 Où se dirigent-ils tous après la mairie ?
5 De quoi peuvent parler Joseph et Raymond ?

2 DÉCRIVEZ-LES.

Décrivez tout ce qui indique qu'il s'agit d'un mariage : les invités, le maire, les mariés, la salle de la mairie, la sortie de la mairie.

Observez l'action et les comportements

3 LES PAROLES DU MAIRE.

Visionnez avec le son.
Complétez les phrases rituelles du maire et remettez-les dans le bon ordre.

a Nous allons procéder… des registres.
b Je vous déclare…
c Monsieur Julien Larodé, acceptez-vous… Mlle Valérie Forestier… ?
d Si les témoins veulent…
e Mademoiselle Valérie Forestier… ?

4 QU'EST-CE QUI SE PASSE ?

1 Qu'est-ce que cette cérémonie rappelle à Joseph ?
2 Que voulait sa fiancée ?
3 Est-ce qu'il était d'accord ?
4 Que lui conseille Raymond ? Pourquoi ?

5 COMMENT LE DISENT-ILS ?

Décrivez le ton et l'attitude de Joseph et de Raymond quand ils disent :

1 Mais qu'est-ce que tu crois ?
2 Et pour la mienne…

6 QU'EST-CE QU'ILS RESSENTENT ?

Regardez les photos et dites quelles émotions et quels sentiments les jeunes mariés peuvent ressentir, selon vous. Quels autres sentiments peuvent-ils avoir ressenti tout au long de la journée ?

Bonheur. Surprise.
Tristesse. Colère.
Désir. Tendresse. Pitié.
Courage. Amour.
Crainte. Joie. Fierté.
Résignation.
Énervement.
Anxiété. Indifférence.

MARIAGE

 Dans la salle des mariages de la mairie, le maire, portant son écharpe tricolore, est en train de marier Julien Larodé et Valérie Forestier.

LE MAIRE Monsieur Julien Larodé, acceptez-vous de prendre pour épouse Mlle Valérie Forestier, ici présente ?

JULIEN Oui.

LE MAIRE Mademoiselle Valérie Forestier, acceptez-vous de prendre pour époux M. Julien Larodé, ici présent ?

VALÉRIE Oui.

LE MAIRE Nous allons procéder à la signature des registres. Si les témoins veulent bien s'approcher.

LES GENS Vive la mariée !

Joseph et Raymond sont ensemble, comme d'habitude.

JOSEPH Ça me rappelle le mien.

RAYMOND Le tien ?

JOSEPH Eh, mon mariage.

RAYMOND Mais, tu ne t'es même pas marié à l'église.

JOSEPH Bien sûr que je me suis marié à l'église, et pourtant je n'y tenais pas !
Ma femme, enfin ma fiancée, n'aurait jamais accepté de ne pas se marier à l'église ! Mais qu'est-ce que tu crois !!

Les témoins s'approchent de la table. On assiste à la signature.

LE MAIRE Je vous déclare mari et femme…

Les jeunes mariés sortent de la mairie et se dirigent vers l'église.

RAYMOND Ne t'énerve pas comme ça, Joseph. Tu sais bien que c'est mauvais pour ta tension !

JOSEPH Ouah !

RAYMOND Et pour la mienne !

10
dossier

Julien Larodé   Valérie Forestier

se marient

à Falicon

le 4 septembre 1999

Découvrez les situations

1 OBSERVEZ ET FAITES DES HYPOTHÈSES.

Visionnez sans le son.

1 Où est-on ? Que font Corinne et Laura au début de la séquence ?
2 Corinne parle à Laura. Sachant ce qui s'est passé à l'épisode précédent, de quoi peut-elle lui parler ?
3 Comment est habillé Bernard ? D'où vient-il ?
4 Qui peut être l'homme qui vient le voir ?
5 Est-ce que Bernard lui serre la main tout de suite ? Pourquoi ?

2 QUELLE AMBIANCE !

Décrivez le décor général (jardin, maison, tables…). Parlez de l'ambiance et de ce qui se passe.

Observez l'action et les comportements

3 DITES POURQUOI.

Visionnez avec le son.
Trouvez la réponse dans le dialogue ou déduisez-la.

1 Pourquoi Laura va-t-elle se préparer ?
2 Pourquoi Corinne demande-t-elle à Laura si elle connaît les parents de Frédéric ?
3 Pourquoi François se fâcherait-il avec Joseph ?
4 Pourquoi est-ce que ce n'est pas à Joseph et à Raymond de faire le service ?
5 Pourquoi Bernard n'est-il pas là pendant la fête ?

4 C'EST BIEN COMPLIQUÉ !

1 Corinne explique à Laura l'échange des messages. Que dit-elle ?
2 Laura dit : *Il écrit le sien en réponse sans avoir reçu le vôtre !*
   À quoi correspondent *le sien* et *le vôtre* ? Récrivez la phrase sans utiliser les pronoms possessifs.
3 Il y a eu combien de messages envoyés en tout ? Qui les a envoyés, à qui ?

5 COMMENT L'EXPRIMENT-ILS ?

Trouvez dans les dialogues :

1 un souhait ;
2 un ordre atténué ;
3 une marque d'intérêt/un compliment ;
4 une excuse.

6 QU'EST-CE QU'ILS EXPRIMENT ?

Regardez les photos, décrivez les attitudes et les expressions. Dites ce qu'elles expriment et retrouvez la réplique.

7 C'ÉTAIT UNE BELLE JOURNÉE !

Vous avez été invité(e) au mariage. Vous envoyez des photos à un(e) ami(e), avec une phrase explicative sous chaque photo (utilisez les photos des doubles pages). Vous lui écrivez une lettre pour raconter la journée en détails.

RÉCONCILIATION

Dans la propriété des parents de la mariée, Corinne et Laura finissent de préparer les tables. Corinne s'éloigne et juge du résultat.

CORINNE   Je crois que ça va comme ça.

LAURA   Oui, c'est très joli… Je vais aller me préparer. Ils vont bientôt arriver.

CORINNE   Il vient, Frédéric ?

LAURA   Oui. On doit se retrouver ici.

CORINNE   Tu connais ses parents ?

Laura est hésitante.

LAURA   Non. Pourquoi tu me demandes ça ?

CORINNE   Eh bien, je crois que son père a décidé de mettre fin à cette jalousie stupide.

JOSEPH   C'est toujours comme ça. D'un côté il y a ceux qui travaillent et de l'autre côté il y a ceux qui en profitent. C'est comme les patrons.

François l'interrompt.

FRANÇOIS   Commence pas à parler de ça ! Parce que, malgré toute l'amitié que j'ai pour toi, je sens que je me fâcherais.

RAYMOND   Il a raison, François. Des patrons, il en faut… Au lieu de dire des bêtises, aide donc Mme Lemoine à faire le service.

CORINNE   Certainement pas. Ce n'est pas à vous de le faire. Vous êtes des invités. Ce n'est pas votre rôle.

LAURA   Ah bon ? Comment tu le sais ?

CORINNE   Bien que ton père n'ait rien envoyé à Patrick Duval, il a reçu en réponse un message de réconciliation. Ton père lui a donc répondu. Tu me suis ?

LAURA   Oui… mais ça me semble bien compliqué toutes ces histoires de messages. Il écrit le sien en réponse sans avoir reçu le vôtre ! Mais le principal, c'est qu'ils se réconcilient, non ?

CORINNE   Tu as raison… Allez, va vite te préparer.

———

L'ambiance est à la fête. Corinne s'approche de François, Joseph et Raymond.

FRANÇOIS   J'espère que Bernard va venir prendre un verre.

CORINNE   Oh, oui, mais plus tard. Si vous voulez dîner, il faut bien qu'il soit derrière les fourneaux !

FRANÇOIS   Corinne, ce n'est pas le vôtre non plus. Vous aussi vous êtes une invitée, même si vous jouez à la maîtresse de maison.

———

Un peu plus tard… Bernard et Corinne sont dans le jardin, un peu à l'écart des invités.

CORINNE   Alors, tu es content ? C'était très réussi, mon chéri.

Elle l'embrasse.
Bernard aperçoit un homme qui se dirige vers lui. C'est Patrick Duval.

P. DUVAL   Monsieur Lemoine ?

BERNARD   Oui.

P. DUVAL   Patrick Duval. Je suis venu pour vous présenter mes excuses… (Il tend la main à Bernard.) et faire la paix.

BERNARD   D'accord, on va parler de tout ça autour d'un verre.

DÉCOUVREZ LA **GRAMMAIRE**

dossier 10

Exprimer l'opposition et la concession

• **L'opposition** marque la **différence entre deux faits** indépendants l'un de l'autre :
*Raymond est toujours gentil **alors que** Joseph peut être un peu méchant.*
*Raymond est toujours gentil. **Par contre** Joseph peut être méchant.*
On peut marquer l'opposition avec :
– des adverbes : **mais, en revanche, au contraire, par contre** ;
– la préposition **au lieu de** ;
– ou avec les conjonctions **tandis que** et **alors que** suivies de l'indicatif.

• La **concession** introduit un fait ou une idée qui ne semble pas logique dans la situation ou qui attire l'attention sur une contradiction :
***Bien que** ton père n'ait rien envoyé à Patrick Duval, il a reçu en réponse un message de réconciliation.*
*Joseph ne tenait pas à se marier à l'église. **Pourtant**, il l'a fait pour faire plaisir à sa femme.*
On peut marquer la concession avec :
– des adverbes : **cependant, toutefois, pourtant** ;
– la préposition **malgré** ;
– ou avec les conjonctions **même si** + indicatif et **bien que** + subjonctif.

1 Marquez l'opposition ou la concession.

Complétez les phrases avec l'une des possibilités suggérées. Il peut y avoir plus d'une solution.

1 Je n'aime pas les écrits de Woody Allen, … j'aime bien ses films.
   a par contre ; **b** même si ; **c** alors que.
2 Ils attendaient 20 personnes, … il en est venu 50 !
   a bien que ; **b** mais ; **c** même si.
3 L'économie prospère … le chômage augmente.
   a en revanche ; **b** pourtant ; **c** alors que.
4 Les gens continuent de fumer … les dangers que présente le tabac.
   a malgré ; **b** mais ; **c** au lieu de.

2 Opposition et concession.

*Choisissez **a** ou **b** en fonction du sens.*

1 Raymond contredit souvent Joseph et pourtant :
   a il ne l'aime pas ;
   b ils s'entendent bien.
2 Bernard a reçu une réponse alors que :
   a il ne s'y attendait pas ;
   b il en attendait une.
3 Julien n'a pas aidé Corinne à passer les plats bien que :
   a il se marie ;
   b il soit serveur.
4 Corinne est une invitée même si :
   a elle parle aux mariés ;
   b elle joue à la maîtresse de maison.
5 Patrick Duval n'est pas venu à la mairie malgré :
   a son désir de réconciliation ;
   b la concurrence que lui fait Bernard Lemoine.

3 Quelle forme pour le verbe ?

Mettez le verbe à la forme qui convient.

Bien que les critiques (être) nombreuses, une enquête récente montre que les Européens choisiraient en priorité notre pays pour y vivre. Ils sont en effet 13 % à le citer alors qu'ils ne (être) que 11 % et 10 % à préférer l'Espagne et l'Italie, et cela même si la vie leur (paraître) chère et si des grèves (se produire) souvent !
Donc, bien que les journaux étrangers ne (faire) pas de cadeaux à la France, sa réputation reste bonne, même si les Français eux-mêmes (se montrer) assez critiques pour leur pays.

4 Introduisez des concessions.

Le jeune Olivier entre dans la vie active. Faites des phrases en introduisant une concession. Changez chaque fois de structure de phrase.

> *Exemple :* Temps difficiles – aller de l'avant.
> → **Olivier pense que, même si les temps sont difficiles, il faut aller de l'avant.**

1 Difficultés – longues études.
2 De bons diplômes – chômage reste un danger.
3 Nombreux candidats – a été embauché.
4 Emploi modeste – espoir de promotion rapide.
5 Problèmes à surmonter – volonté de réussir.

DÉCOUVREZ LA **GRAMMAIRE**

Exprimer la possession

Pour exprimer le rapport entre le possesseur et ce qu'il possède, on peut utiliser :
• un **nom ou un pronom démonstratif suivi de la préposition** *de* qui marque la dépendance :
*C'est **la voiture de** mes amis.* (Complément de nom.) *C'est **celle de** mes amis.*
• un **adjectif possessif** : *C'est **leur** voiture.*
• un **pronom possessif** : *C'est **la leur**.* (= Leur voiture.)
– *Ça me rappelle **le mien**. – **Le tien** ? – Eh, mon mariage.*

	Singulier	Pluriel
1re pers. sing.	le mien, la mienne	les miens, les miennes
2^e pers. sing.	le tien, la tienne	les tiens, les tiennes
3^e pers. sing.	le sien, la sienne	les siens, les siennes
1re pers. plur.	le nôtre, la nôtre	les nôtres
2^e pers. plur.	le vôtre, la vôtre	les vôtres
3^e pers. plur.	le leur, la leur	les leurs

Les pronoms possessifs prennent les marques du genre
et du nombre du nom qu'ils remplacent.

C'est le vôtre ?

Hélas non !
Le mien c'est celui-là !

5 Pronoms possessifs.

Complétez avec des pronoms possessifs.

1 – À qui est cette voiture ?
 – C'est … .
 – Je croyais que … était rouge.
 – Non, la rouge, c'est celle de ma sœur.
2 – J'ai oublié mes clefs. Donne-moi … .
 – Désolé, je n'ai pas pris … .
 – Avec quoi est-ce que tu as fermé la porte, alors ?
 – Nicolas avait … . C'est lui qui a fermé.
3 Merci de vos vœux. Acceptez … en échange.

6 Faut-il conserver la préposition ?

*Remplacez les mots soulignés par des COI précédés
ou non de la préposition.*

Lucien pense souvent <u>à Mélanie</u>. Il écrit <u>à son amie</u>
tous les jours. Or, Mélanie ne tient pas
<u>à Lucien</u>. Elle sourit quelquefois à Lucien parce
qu'elle sait qu'elle plaît <u>à son ami</u>. Mais, en fait, elle
se moque de Lucien. Lucien s'inquiète beaucoup
<u>pour Mélanie</u>. Il s'occupe <u>de celle qu'il aime</u>. Il rêve
souvent <u>de cette femme</u>. En un mot il a besoin
<u>de Mélanie</u>. Même si Mélanie se détourne
<u>de Lucien</u>, le jeune homme se souviendra longtemps
de cette période de sa vie.

7 Politesses dans le train.

Complétez avec des pronoms possessifs.

– Je suis désolé, Monsieur, mais cette place n'est pas… .
– Si, Monsieur, c'est … .
– Voici mon billet, Monsieur. Voudriez-vous me
 montrer … ?
– …, mais oui, Monsieur. Le voilà.
– Mais nous avons tous les deux la même réservation !

Compléments d'objet indirect de personnes (COI)

Les compléments d'objet indirect de personnes
ne peuvent pas toujours être remplacés par des
pronoms COI.

• **La préposition et la personne sont remplacées
par un pronom COI** avec des verbes comme
*donner à, apporter à, envoyer à, prêter à, rendre
à, plaire à, et dire à, parler à, répondre à…* :
Martine a envoyé une lettre à ses parents.
*Elle **leur** a envoyé une longue lettre.*

• **La préposition se conserve et on utilise un
pronom tonique** pour remplacer la personne :
– avec les verbes *penser à, tenir à* :
*Il pense à ses parents. → Il pense à **eux**.*
– avec les verbes *s'occuper de, se souvenir de,
rêver de, rire de, s'amuser de* :
*Elle s'occupe de ses enfants. → Elle s'occupe **d'eux**.*

Sons et Lettres

1 INTONATION.

Faites une distinction entre l'expression de l'opposition et de la concession et le reste de la phrase.

> Exemple : **Bien que Bernard n'ait rien envoyé, il a reçu une réponse.**

1 Joseph s'est marié à l'église alors qu'il n'y tenait pas.
2 Corinne est une invitée même si elle joue à la maîtresse de maison.
3 Malgré l'amitié qu'il a pour lui, il se fâcherait.
4 Les invités discutent près de la piscine tandis que Bernard est à la cuisine.

2 OÙ SONT LES ACCENTS D'INSISTANCE ?

Les accents d'insistance s'ajoutent à l'accent tonique.
Écoutez les énoncés suivants, notez la syllabe qui porte un accent d'insistance et répétez la phrase.

1 Je t'en prie, ça suffit comme ça !
2 Alors ça, non ! Parle d'autre chose.
3 Comment ça, je ne leur ai pas téléphoné !
4 Bien sûr que j'y suis allé !
5 Non mais, pour qui tu te prends !

Visionnez les variations

1 VOUS N'ÊTES PAS CONTENT(E) !

On vous reproche de ne pas travailler assez...
Vous réagissez avec vigueur. Imaginez plusieurs situations et jouez-les avec votre voisin(e).

2 RÉAGISSEZ !

Quelqu'un vous a prêté un objet que vous lui avez rendu peu après. Quelques mois plus tard, cette personne vous redemande l'objet, pensant que vous l'avez toujours. Il/elle insiste, vous vous énervez et vous réagissez avec indignation.

Avoir une réaction indignée

1 Bien sûr que je me suis marié à l'église, et pourtant je n'y tenais pas !
2 Évidemment que je me suis marié à l'église. Qu'est-ce que tu crois !
3 Comment ça, je ne me suis pas marié à l'église !
4 Qu'est-ce que tu racontes ? Je me suis marié à l'église !

3 QU'EST-CE QU'ON VOUS CACHE ?

Un(e) ami(e) pense que vous lui cachez quelque chose. Il/elle vous pose des questions pour découvrir ce que vous ne voulez pas lui dire.
À deux, inventez plusieurs situations.

> Exemple : **– À quel restaurant es-tu allé(e) hier soir ?**
> **– Au Sybarite, pourquoi ?**

Essayer de savoir ce que l'autre pense

1 Non. Pourquoi tu me demandes ça ?
2 Où est-ce que tu veux en venir ?
3 Qu'est-ce qui te fait croire ça ?
4 Tu n'aurais pas une idée derrière la tête, par hasard ?

4 N'EN PARLONS PAS !

Quelqu'un veut amener la conversation sur un sujet que vous ne voulez pas aborder avec lui/elle : vie privée d'un(e) ami(e), projets... Vous essayez de l'arrêter, mais il/elle insiste.
À deux, imaginez les conversations dès le début.

5 PAS DE DISCUSSIONS POLITIQUES !

Vous avez invité quelques ami(e)s à un dîner. L'un(e) d'eux/elles commence à parler politique. Vous savez que les autres invité(e)s ne partagent pas ses opinions. Vous essayez de l'arrêter.

Empêcher quelqu'un de parler

1 Ne commence pas à parler de ça !
2 Ah ! non, je t'arrête tout de suite !
3 Je t'en prie, ça suffit comme ça !
4 Tu n'as pas autre chose à nous raconter ? !

COMMUNIQUEZ

1 DIALOGUE.

Imaginez la conversation entre Patrick Duval et Bernard Lemoine à la fin de la soirée. Jouez la scène à deux.

2 QUE LA FÊTE COMMENCE !

Évolution des mariages en France depuis 1970					
Année	1970	1980	1990	1995	1997
Nombre	394 000	334 000	287 000	254 000	284 000

Âge moyen du premier mariage					
Hommes	24,4	25,2	27,8	29,2	29,5
Femmes	22,4	23	25,7	27,2	27,5

Lisez les questions et écoutez l'interview d'un responsable d'une agence d'événements nous parler du mariage.

1 Quels services peut offrir une agence d'événements pour l'organisation d'un mariage ?

2 Quelle est la période où on se marie le plus en France ?

3 Quels sont les mois où il ne faut pas se marier, d'après certaines superstitions ?

4 Qu'est-ce que M. Martin a constaté en 1996 et 1997 ?

5 Quels exemples de maintien des traditions M. Martin donne-t-il ?

6 Quelle est la proportion des divorces en France ?

3 UNE BELLE HISTOIRE.

Écoutez, dites si c'est vrai ou faux et rétablissez la vérité.

1 Antoine et Stéphanie étaient amoureux l'un de l'autre au lycée.

2 Stéphanie est partie faire des études à l'étranger.

3 Antoine a fait son service militaire.

4 Antoine et Stéphanie se sont retrouvés par hasard, cinq ans plus tard.

5 Stéphanie a tout de suite reconnu Antoine.

6 Antoine a demandé Stéphanie en mariage le jour où ils se sont revus.

4 QUELLE SOIRÉE !

Travail à deux. Reconstituez la conversation entre Stéphanie et Antoine pendant cette soirée. Vous pouvez même imaginer la demande en mariage d'Antoine. Jouez la scène.

5 JEU DE RÔLES.

Vous avez lu la brochure de présentation de la société de M. Martin. Vous devez préparer une réception de mariage, le vôtre ou celui d'un de vos enfants. Vous discutez avec M. Martin pour préparer l'organisation en fonction du style que vous souhaitez – classique, décontracté, original... – et de votre budget.
Préparez le dialogue à deux. Pensez à ajouter des éléments de vos habitudes culturelles ou de votre expérience. Jouez la scène.

« OCCUPEZ-VOUS DE VOTRE BONHEUR, notre agence fera le reste. »

De l'éclairage à la location d'un orchestre ;
du choix de votre robe à la couleur des dragées ;
de la limousine à la voiture à cheval ;
de la salle de château au pont d'une péniche,
confiez vos rêves les plus fous à nos professionnels
qui sauront vous conseiller, vous guider pour
vraiment faire de cette journée
« le plus beau jour de votre vie ».

À la recherche des nouveaux hommes

Aujourd'hui, neuf femmes sur dix n'auraient souhaité vivre ni au temps de leurs grands-mères ni même à celui de leurs mères. Elles se déclarent heureuses d'être nées dans la seconde moitié de ce siècle, plus libres de choisir leur destin, mieux armées pour affronter les difficultés, plus reconnues par les hommes et la société.

Bien qu'il ne s'agisse pas d'affirmer que tout va pour le mieux, on ne peut que constater les formidables progrès accomplis par les femmes au cours du siècle. Sauf dans un domaine, celui de la redéfinition de l'identité masculine face aux femmes désormais « libérées » et des relations au sein du couple et de la famille. Autant les opinions positives sont nombreuses en ce qui concerne les femmes, autant, dès qu'il s'agit des hommes, des doutes et des interrogations apparaissent.

Même si une majorité d'hommes se disent plus heureux que leurs pères et grands-pères (52 %), les femmes ne partagent pas nécessairement leur optimisme. Elles les trouvent souvent moins heureux que par le passé (42 %), moins sûrs de leur pouvoir de séduction et de leur autorité, surtout quand ils approchent de la retraite et de la vieillesse.

Si on n'arrivait pas à établir de nouveaux rapports harmonieux entre les sexes, certains acquis pourraient être remis en question. Au XXIe siècle, il faudra donc encore beaucoup de patience et d'efforts de compréhension pour trouver un équilibre plus juste entre les hommes et les femmes. Les jeunes ne doutent pas d'y parvenir. Ce sont eux qui ont les opinions les plus positives sur les cent ans de progrès de la condition féminine : 57 % des 18-24 ans interrogés s'en félicitent même. Souhaitons qu'ils réussissent pour la tranquillité et le bien-être de tous.

D'après Christiane Collange, *Le Figaro Madame*, n° 16971.

OPINIONS DES HOMMES SUR LES CONSÉQUENCES DE LA LIBÉRATION DES FEMMES

	Plutôt d'accord en %	Plutôt pas d'accord en %	Sans opinion en %
Les hommes sont plus proches de leur femme et de leurs enfants.	80	14	6
Les hommes ont le sentiment que les femmes ont moins besoin d'eux, ils se sentent un peu inutiles.	41	53	6
Les hommes ne savent plus très bien comment s'y prendre pour séduire les femmes.	44	46	10
Les hommes ont perdu leur autorité dans le couple et la famille.	40	56	4

1 REPÉRAGE.

1 Relevez dans le texte ce qui illustre et confirme des résultats du tableau ci-contre.

2 Quelles sont les opinions des hommes qui ne sont pas commentées dans le texte ?

3 Les opinions des hommes, telles qu'elles apparaissent dans le tableau ci-contre, confirment-elles celles des femmes ?

2 QUE DIT LE TEXTE ?

1 Qu'est-ce qui aura marqué le XXᵉ siècle pour la condition féminine ?

2 Pourquoi les hommes doivent-ils redéfinir leur rôle ?

3 Quel jugement les femmes portent-elles sur les hommes actuels ?

4 À quoi les hommes et les femmes doivent-ils parvenir ?

5 Quel est le risque en cas d'échec ?

3 LES MODES DE DÉVELOPPEMENT.

Trouvez dans le texte un exemple de concession, de restriction, de comparaison et d'hypothèse.

4 COMMENTEZ LE SONDAGE.

En utilisant le tableau suivant, écrivez un texte commentant les réponses des femmes au sondage sur les innovations techniques qui ont le plus changé leur vie.
Ne vous contentez pas de répéter les informations contenues dans le sondage. Introduisez vos commentaires. Utilisez des modes de développement différents (opposition, concession, cause, conséquence, hypothèse…) pour varier les présentations et donner plus de mouvement au texte.

Exemple : **Jusqu'au XXᵉ siècle, les femmes ont assumé les tâches ménagères, mais les choses ont bien changé depuis. Que feraient-elles si… ?… C'est la machine à laver qui… Au lieu de laver à la main… Même si l'aspirateur…**

PARMI LES INNOVATIONS TECHNIQUES SUIVANTES, QUELLES SONT CELLES QUI ONT LE PLUS CHANGÉ LA VIE QUOTIDIENNE DES FEMMES SELON VOUS ?

La machine à laver	94 %
Les couches jetables pour les enfants	68 %
Le réfrigérateur	48 %
L'aspirateur	35 %
La cuisinière	28 %
Le four à micro-ondes	27 %

5 TEXTE LIBRE.

Écrivez à un(e) ami(e) francophone pour donner votre point de vue sur la condition des femmes dans votre pays et pour lui expliquer comment sont réglés les rapports entre les sexes et pour quelles raisons.

dossier 10

Au cœur de l'Europe du Nord

TER à deux niveaux.

Vue de satellite, voici l'Europe la nuit. Quand l'Europe s'allume, le Nord-Pas-de-Calais brille.

La région est située dans la zone la plus peuplée de la Communauté européenne. C'est aussi la plus riche. Son centre est Lille.

Dans un rayon de 300 km, se trouvent plusieurs capitales européennes parmi lesquelles Paris, Londres et Bruxelles.

Ouvert sur le détroit le plus fréquenté du globe, la côte nord est le siège d'une activité intense, encore plus dynamisée depuis l'ouverture du tunnel sous la Manche.

680 km de canaux, qui forment un réseau très dense, relient la région au nord-est de l'Europe. Lille dispose du troisième port fluvial français.

Un réseau autoroutier très dense dessert la région.

Six autoroutes mettent Lille à moins de 3 heures de Bruxelles, Luxembourg, La Haye, Paris et Londres.

De nombreuses initiatives publiques et privées contribuent au rapide développement de la région, comme ce Centre international des affaires, Euralille, qui offre 850 000 m² de bureaux.

Le Nord-Pas-de-Calais est la région carrefour par excellence entre l'Europe du Nord et l'Europe du Sud.

Depuis 1992, la région conseille aux habitants de laisser leur voiture pour prendre le train. Elle a lancé une opération pilote avec le TER (Train express régional), un nouveau train à deux niveaux, peu polluant, qui offre confort, rapidité et régularité. Même si le matériel et les gares appartiennent toujours à la SNCF, compagnie nationale, c'est la région qui choisit les tarifs, les horaires, les itinéraires et les lignes en fonction des besoins des usagers.

1 QU'EST-CE QUE VOUS AVEZ VU ?

1 D'après les cartes, où se situent Lille et sa région en France ?
2 Quelles capitales sont reliées à Lille ?
3 Quels moyens de transport avez-vous vus ?
4 Qu'est-ce qui montre que Lille est une ville très animée ?

2 Y A-T-IL UNE EXPLICATION ?

1 On appelle cette région une *région carrefour*. Pourquoi ?
2 Pourquoi Lille est-elle le troisième port fluvial français ?
3 Qu'a apporté à la région l'ouverture du tunnel sous la Manche ?
4 Pourquoi a-t-on créé un Centre international des affaires à Lille ?

3 ET AILLEURS ?

1 Connaissez-vous une région comparable par la densité de ses moyens de communication et ses activités commerciales ?
2 Où est-elle située ?
3 Décrivez-la.

Le Nord-Pas-de-Calais, c'est aussi...

Un pays plat entre le Bassin parisien et le nord de l'Europe qui fait communiquer deux mondes.
350 km de frontière avec la Belgique et 140 km de côtes ouvertes sur la Grande-Bretagne le long de la mer
la plus fréquentée du monde où 600 navires transitent par jour.
4 millions d'habitants, soit 7 % des Français sur 2,3 % du territoire ; une région jeune (30 % des habitants ont moins
de 20 ans), largement ouverte aux entreprises étrangères qui y trouvent un vaste marché et une main d'œuvre qualifiée.
Une région très industrialisée (75 % des constructions ferroviaires et le centre le plus important de vente
par correspondance), une terre fertile, de nombreuses industries agro-alimentaires.

Une région méconnue

La région Nord-Pas-de-Calais a longtemps souffert de deux images négatives.

Ceux qui ne la connaissent pas l'imaginent comme une région grise, au climat froid et pluvieux, au paysage uniformément plat, avec pour seul relief les terrils, ces montagnes de déchets de charbon De plus, depuis la fermeture

Un terril.

des dernières mines en 1991, elle a souvent la réputation d'une région économiquement sinistrée.

S'arrêter à ces clichés, c'est ne pas connaître une réalité bien plus chaleureuse. C'est oublier une vraie diversité des reliefs et des paysages qui n'ont rien à envier à d'autres régions françaises. C'est méconnaître la joie de vivre, la générosité, le sens de la fête des gens du Nord.

C'est surtout sans compter avec la construction de l'Europe qui fait de la région Nord-Pas-de-Calais un des principaux acteurs de la grande aventure du début du XXIe siècle.

Une manifestation du Moyen Âge : la grande braderie de Lille

Sens de la fête et générosité ne sont jamais aussi présents que pendant la grande braderie de Lille qui a lieu le premier week-end de septembre. Cette tradition remonte aux grandes foires du Moyen Âge puisqu'on parlait déjà de la « foire de Lille » en 1127 ! Tout Lille se retrouve du samedi au lundi et on vient en famille pour vendre ou échanger, sur des kilomètres de trottoirs, toutes sortes d'objets ou de meubles récupérés dans les armoires ou les greniers.

La ville natale du général de Gaulle

C'est dans une maison située au cœur de Lille qu'est né le général de Gaulle, le 22 novembre 1890. Il n'y a vécu que trois mois, mais sa maison natale est devenue un lieu de mémoire pour tous ses admirateurs.

Chef de la France libre, chef du gouvernement provisoire après la Libération, président de la République de 1958 à 1969, le général de Gaulle reste pour beaucoup de Français un des chefs historiques de la France. Il meurt en 1970, quelques jours avant son quatre-vingtième anniversaire, mais sa personnalité et ses idées influencent encore la vie politique française.

1 EN BREF.

1 Pourquoi la région est-elle si peuplée et si animée ?
2 Quels sont les principaux atouts de la région en Europe ?
3 Qu'est-ce qui a pu donner une mauvaise réputation à la région ?

2 DÉBAT.

Que pensez-vous de l'Union européenne ?
Peut-on se sentir *européen(ne)* comme on se sent *américain(e)*, *italien(ne)* ou *espagnol(e)* ?
Si vous n'êtes pas européen(ne), croyez-vous que la construction européenne a eu ou pourra avoir une influence sur l'économie ou la politique de votre pays ?

LITTÉRATURE

Le plat pays

Avec la mer du Nord pour dernier terrain vague[1],
Et des vagues de dunes pour arrêter les vagues
Et de vagues rochers[2] que les marées dépassent
Et qui ont à jamais le cœur à marée basse
Avec infiniment de brumes à venir
Avec le vent d'ouest écoutez-le tenir,
Le plat pays qui est le mien.

Avec des cathédrales pour unique montagne
Et de noirs clochers comme mâts de cocagne[3]
Où les diables en pierre décrochent les nuages
Avec le fil des jours[4] pour unique voyage
Et des chemins de pluie pour unique bonsoir
Avec le vent de l'est écoutez-le vouloir,
Le plat pays qui est le mien.

Avec un ciel si bas qu'un canal s'est perdu
Avec un ciel si bas qu'il fait l'humilité
Avec un ciel si gris qu'un canal s'est pendu
Avec un ciel si gris qu'il faut lui pardonner
Avec le vent du nord qui vient s'écarteler[5]
Avec le vent du nord écoutez-le craquer
Le plat pays qui est le mien.

Avec de l'Italie qui descendrait l'Escaut[6]
Avec Frida la blonde quand elle devient Margot[7]
Quand les fils de novembre[8] nous reviennent en mai
Quand la plaine est fumante[9] et tremble[10] sous juillet
Quand le vent est aux rires
Quand le vent est aux blés
Quand le vent est au sud
Écoutez-le chanter,
Le plat pays qui est le mien.

JACQUES BREL

Jacques Brel.

1. Terrain vague : terrain à l'abandon, pas utilisé.
2. De vagues rochers : des rochers peu nombreux et peu visibles.
3. Mât de cocagne : dans les fêtes de campagne, des jeunes gens grimpaient à un grand mât, pour essayer de décrocher le cadeau accroché au sommet.
4. Le fil des jours : les jours qui passent avec monotonie.
5. Écarteler : tirer en des sens opposés.
6. De l'Italie qui descendrait l'Escaut : du sud, du soleil qui arriverait par le fleuve du nord, l'Escaut.
7. Frida : prénom féminin du nord.
Margot : prénom féminin du sud.
8. Les fils de novembre : les graines semées en novembre.
9. Fumante : le soleil fait sortir l'humidité de la terre.
10. Qui tremble : qui est vivante.

1 DES MOTS RÉVÉLATEURS.

1 Relevez les mots qui révèlent :
   a la tristesse ; b la dureté du climat.
   Que pourrait-on en conclure ?
2 Quels verbes montrent la capacité de résistance du *plat pays* ? Où se trouvent-ils placés ?

2 LE CONTRASTE.

1 Qu'apporte le vent du sud ?
2 Quels contrastes sont exprimés dans la dernière strophe ?

3 JACQUES BREL, POÈTE.

1 Combien de syllabes comptez-vous dans chaque vers ? Pourquoi les derniers vers sont-ils plus courts ?
2 Relevez les comparaisons qui vous paraissent originales.
3 Qu'est-ce qui montre que Jacques Brel s'identifie à ce plat pays ? Pensez-vous qu'il l'aime ?

épisode **11**

1re PARTIE

1re PARTIE

LE MARCHÉ À LA BROCANTE

2e PARTIE

UN AMATEUR ÉCLAIRÉ

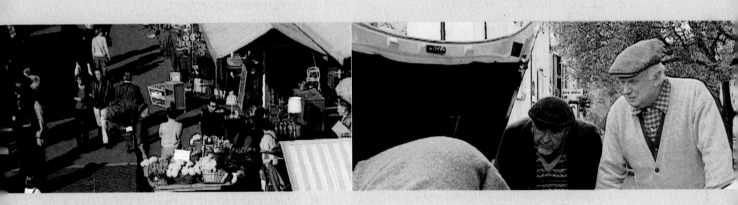

VOUS ALLEZ APPRENDRE À :

– tenir compte de l'avis de l'autre
– atténuer une affirmation
– approuver l'opinion de quelqu'un
– modaliser l'expression de vos opinions, intentions, appréciations

VOUS ALLEZ UTILISER :

– des verbes dits modaux : *savoir, devoir, pouvoir, vouloir* + infinitif
– des constructions impersonnelles
– des adverbes de modalisation
– des adjectifs de couleur invariables
– les relatifs *dont* et *lequel* et ses composés

ET VOUS ALLEZ AUSSI :

– étudier les procédés argumentatifs dans un texte
– écrire pour exprimer des opinions et argumenter

– découvrir la région Rhône-Alpes

Découvrez les situations

1 OBSERVEZ ET FAITES DES HYPOTHÈSES.

Regardez les photos et visionnez sans le son.

1 Où Bernard et Corinne se promènent-ils ?
2 Décrivez le tableau (couleur, sujet) qu'ils regardent.
3 Corinne regarde une première fois le tableau, puis une deuxième. Remarquez le changement de son expression. Qu'est-ce que cela signifie ?

4 Lequel des deux personnages semble mener la conversation ?
5 Quel peut être le sujet de leur discussion ?
   a Laura.
   b Le restaurant.
   c Un projet pour le café.
   b Patrick Duval.

Observez l'action et les comportements

2 ÇA S'EST PASSÉ COMMENT ?

Dites si les affirmations sont vraies ou fausses. Rétablissez la vérité.

1 Bernard et Patrick Duval ne se sont pas réconciliés.
2 Bernard aime le tableau que Corinne lui montre.
3 Corinne a changé d'avis en ce qui concerne ce tableau.
4 Corinne a reçu un coup de téléphone d'un peintre que Bernard apprécie beaucoup.
5 Elle a refusé d'exposer ses tableaux au restaurant.
6 Un vernissage doit avoir lieu dans trois semaines.

3 TROUVEZ LES RÉPLIQUES PRÉCÉDENTES.

Visionnez avec le son.
Qui dit ces phrases ? Trouvez les répliques qui les ont provoquées.

1 Moi aussi. Il n'est pas méchant ce Duval. Il est même plutôt sympathique.
2 Oh, allez ! Pas de mauvais esprit.
3 Celui dont tu trouves la peinture assez difficile à comprendre.
4 Hum… Et qu'est-ce que tu lui as répondu ?

4 QU'EST-CE QU'ILS EXPRIMENT ?

Regardez les trois photos.
Dites quel ton les personnages emploient, quelles sont leurs expressions et ce qu'ils disent.

5 QU'EN PENSEZ-VOUS ?

1 Observez les gestes, les regards, les changements de physionomie de Corinne. Comment définiriez-vous son attitude envers Bernard ? (Plusieurs réponses sont possibles.)
   a Tendre. b Douce. c Agressive. d Indifférente.
   e Distraite. f Suppliante. g Charmante.
   h Convaincante. i Complice. j Amoureuse.
2 Quelles sont l'expression et l'attitude de Bernard sur la dernière image ? Dites ce qu'il peut penser.

6 COMMENT EST-CE QU'ILS L'EXPRIMENT ?

Trouvez dans le dialogue :

1 un désaccord atténué ;
2 une appréciation négative ;
3 une suggestion ;
4 une demande d'autorisation.

À LA BROCANTE

À Nice. Bernard et Corinne marchent sur le cours Saleya où se tient un marché à la brocante.

CORINNE   Je suis heureuse que cette histoire de rivalité dont on a trop parlé soit terminée.

BERNARD   Moi aussi. Il n'est pas méchant, ce Duval. Il est même plutôt sympathique. Il ne savait plus quoi faire pour se racheter. Il m'a même promis de me faire une surprise.

CORINNE   Il t'en a déjà fait une !

BERNARD   Oh, allez ! Pas de mauvais esprit.

CORINNE   Tu as raison…

Ils reprennent leur promenade tout en continuant la discussion.

CORINNE   Tu sais, le peintre dont je t'ai parlé, il m'a téléphoné.

BERNARD   Lequel ? Tu m'as parlé de deux peintres.

CORINNE   Celui dont tu trouves la peinture assez difficile à comprendre.

BERNARD   Ah, oui… Qu'est-ce qu'il voulait ?

CORINNE   Oh, il m'a demandé si on pouvait exposer quelques-unes de ses toiles dans la salle du restaurant.

BERNARD   Hum… Et qu'est-ce que tu lui as répondu ?

Corinne et Bernard voient un tableau sur un étal de brocanteur et font quelques commentaires.

CORINNE   Oh… Tu aimes les mélanges de couleur de ce tableau ?

BERNARD   Ça me paraît un peu criard.

CORINNE   Je ne suis pas tout à fait d'accord, mais c'est vrai, je n'aime pas ces grosses taches jaune citron et ces grands coups de pinceau marron. Il y a pourtant de bons peintres, hein, dans la région.

BERNARD   Dis donc, tu n'aurais pas une idée derrière la tête par hasard ?

CORINNE   Oh, j'en ai plus d'une…

BERNARD   D'accord. Mais, tu pourrais me dire à quoi tu penses.

CORINNE   Je lui ai dit que… on essaierait d'organiser une petite exposition, avec un vernissage auquel assisteraient nos amis et nos clients. Et, en plus, on pourrait peut-être utiliser les listes d'invitation du syndicat d'initiative. Mais, bien sûr, je voulais t'en parler avant.

BERNARD   Bien sûr… Alors, il est prévu pour quand, ce vernissage ?

Corinne lui prend le bras et le regarde d'un air complice.

CORINNE   Dans trois semaines… si tu veux bien, hein…

dossier 11

Découvrez les situations

1 OBSERVEZ ET FAITES DES HYPOTHÈSES.

Visionnez sans le son.

Première séquence.

1 Quel est le problème ?
2 Qui arrive en voiture ?
3 Qu'est-ce que Patrick Duval propose à Bernard ?
4 Pourquoi Bernard a-t-il absolument besoin d'une voiture ?

Deuxième séquence.

5 Qu'est-ce qui se passe ?
6 Qui est le monsieur avec les cheveux blancs près du tableau ?
7 Qu'est-ce qu'il fait ?
8 Décrivez le tableau.
9 Que fait Joseph ?

Observez l'action et les comportements

2 QUI DIT QUOI ?

Qui dit la réplique suivante ? Quelle est-elle ?

JOSEPH : Il doit avoir des problèmes de batterie.
BERNARD : Je ne sais pas ce qui se passe. Elle marchait bien hier soir.
JOSEPH : Eh, c'est comme pour les gens. Un jour on est en bonne santé, et le lendemain…
RAYMOND : Mais, dites, ce n'est pas aujourd'hui, votre… vernissage ?

3 LE TABLEAU.

1 Que représente ce tableau pour le peintre ?
2 Qu'est-ce qu'il souhaiterait que les visiteurs fassent ?
3 À quoi Joseph compare-t-il le sujet du tableau ?
4 À quelle région du monde fait-il allusion ?
5 Que pense le peintre de cette interprétation ?

4 QU'EST-CE QUE ÇA VEUT DIRE ?

Décrivez les gestes et les expressions des personnages. Dites ce qu'ils expriment. Souvenez-vous de ce qui les a provoqués. Imaginez ce que pensent les personnages.

5 COMMENT EST-CE QU'ILS L'EXPRIMENT ?

Imaginez des expressions équivalentes et dites à quels actes de parole elles correspondent.

1 Vous avez un problème ? On peut vous aider ?
2 Eh ben, heureusement que je passais par là !
3 C'est ça, c'est tout à fait ça.
4 Eh bien, Joseph ! Eh bien, ça alors !

6 VOUS EN SOUVENEZ-VOUS ?

Mettez ces événements dans l'ordre. Ajoutez ceux qui manquent et faites un résumé de l'épisode. Décrivez le cours Saleya, l'ambiance, les rapports entre Corinne et Bernard. Parlez de l'exposition, de Joseph et de la réaction de ses amis.

a Bernard n'a pas aimé le tableau que lui montrait Corinne.
b Corinne et Bernard se sont promenés sur le cours Saleya.
c Bernard est tombé en panne de voiture le jour du vernissage.
d Le vernissage a eu lieu au café.
e Joseph a surpris tout le monde.

ÉCLAIRÉ

Sur la place du village, Bernard essaye de faire démarrer sa voiture, sans succès. Raymond et Joseph le regardent.

JOSEPH — Il doit avoir des problèmes de batterie.

RAYMOND — Ça ne peut pas être la batterie puisque le démarreur fonctionne.

JOSEPH — Alors, c'est probablement les bougies.

Bernard sort de la voiture et ouvre le capot. Il inspecte le moteur, touche deux ou trois choses. Raymond et Joseph s'approchent de lui.

PATRICK DUVAL — Eh ben, heureusement que je passais par là, hein ! Allez, viens. On va les chercher ensemble, tes tableaux.

————

Dans la salle du café, quelques personnes sont en train de regarder les tableaux exposés. Laura offre des gâteaux sur un plateau. Sébastien, l'artiste peintre, explique ses nouvelles recherches.

RAYMOND — Vous avez un problème ? On peut vous aider ?

BERNARD — Je ne sais pas ce qui se passe. Elle marchait bien hier soir.

JOSEPH — Ça ne serait pas l'arrivée d'essence qui se ferait mal ? C'est une chose à laquelle il faut toujours penser.

BERNARD — Je ne comprends pas. Je viens de faire réviser ma voiture !

JOSEPH — Eh, c'est comme pour les gens. Un jour on est en bonne santé, et le lendemain…

RAYMOND — Arrête, ça ne va pas aider Bernard, tes histoires. Mais, dites, ce n'est pas aujourd'hui, votre… vernissage ?

BERNARD — Mais si, justement. J'allais chercher les tableaux.

Une autre voiture s'arrête à la hauteur de celle de Bernard. Patrick Duval en descend et s'approche.

PATRICK DUVAL — Des problèmes, Bernard ?

BERNARD — Oui. Ma voiture ne veut pas démarrer et je dois aller chercher des tableaux.

SÉBASTIEN — Ce tableau est le premier de ma nouvelle série. Ce que je voudrais, c'est que les visiteurs expriment ce qu'ils ressentent et qu'ils laissent parler leur imagination, vous comprenez ?

Personne n'ose donner son interprétation. Joseph prend du recul.

JOSEPH — Pour moi, c'est les énormes vagues du cap Horn, quand le soleil se lève… et que la lumière se reflète sur l'eau. On dirait un feu d'artifice !

SÉBASTIEN — C'est ça, c'est tout à fait ça. Cher monsieur, vous avez parfaitement traduit ce que j'ai voulu exprimer !

Tout le monde regarde Joseph, surpris et admiratif.

RAYMOND, FRANÇOIS, CORINNE ET BERNARD — Eh bien, Joseph ! Eh bien, ça, alors !

La modalisation

• *Il travaille* est la simple constatation d'un fait. Mais celui qui parle peut présenter ce fait de différentes manières selon ce qu'il sent ou ce qu'il pense. Il peut modifier le sens, il peut nuancer ses points de vue, il peut **modaliser**. Il peut, par exemple, exprimer les appréciations suivantes :
Il sait travailler. (Compétence.)
Il travaille bien/mal. (Qualité.)
Il travaille mieux que les autres. (Comparaison.)
Il se pourrait qu'il travaille. (Probabilité.)
Ça m'étonnerait qu'il travaille. (Doute.)
Il est possible qu'il travaille. (Possibilité.)
Il est évident qu'il travaille. (Certitude.)
Il faut qu'il travaille. (Obligation.)

• **Cinq procédés principaux permettent de modifier le sens :**
– des **verbes dits modaux** : *savoir, devoir, pouvoir, vouloir* suivis de l'infinitif ;
– le **conditionnel** ;
– des **adverbes** : *bien/mal/trop/peut-être, plus/moins…* ;
– des **constructions impersonnelles** : *il est probable, il est possible, il est évident que…* ;
– l'**intonation**.

1 Entre la certitude et le doute.

Dans cet article sur les élections au Parlement européen, relevez les procédés utilisés par le journaliste pour ne pas affirmer comme certains des faits qui n'ont pas été confirmés.

La liste PS[1] aux élections européennes devancerait aujourd'hui de 6 points la liste RPR[2]-DL[3], selon un sondage Ipsos[4] à paraître demain dans *Le Point*. On pense que ces deux listes obtiendraient respectivement 24 % et 18 % des intentions de vote dans l'hypothèse où plusieurs petits partis présenteraient des candidats. Il y a des chances pour que la liste PCF[5] obtienne 9 %. Il est d'autre part probable que la liste UDF[6] n'atteindra pas la barre des 10 % et que les Verts devront vraisemblablement se contenter de 7 à 8 % des voix.

1. PS : Parti socialiste.
2. RPR : Rassemblement pour la république.
3. DL : Démocratie libérale.
4. IPSOS : Institut de sondage.
5. PCF : Parti communiste français.
6. UDF : Union pour la démocratie française.

2 Expression de la certitude.

Classez les expressions suivantes du plus certain au moins certain.

1 Il paraîtrait que…
2 Il est évident que…
3 Il est presque certain que…
4 On peut penser que…
5 Il y a de fortes chances pour que…
6 Je doute que…
7 Il est peu probable que…
8 Il semble que…

3 Conserver la modalisation.

Trouvez une ou plusieurs manières d'exprimer ces actes de parole en restant le plus proche possible de la modalisation initiale.

> *Exemple :* Elle ne fait que parler.
> ➔ **Elle passe son temps à parler./Elle parle sans arrêt./Elle n'arrête pas de parler.**

1 Je voudrais qu'elle ne chante plus !
2 Je doute qu'elle accepte.
3 Il n'est pas impossible qu'elle s'en aille.
4 J'en serais surpris.
5 Il faut faire quelque chose !

vert olive   bleu ciel   jaune citron   rose clair

Les adjectifs de couleur

• Généralement, les adjectifs de couleur se placent après le nom qu'ils qualifient et s'accordent en genre et en nombre avec lui :
Des taches jaunes.

• Mais **l'adjectif de couleur est invariable** si c'est **un nom de plante, de fleur ou de fruit** (*marron, orange, cerise, abricot, citron…*) ou s'il est lui-même **qualifié par un autre adjectif** (*gris foncé, jaune abricot, rose clair, jaune citron, vert olive…*) :
*Des chaussures **marron**, des taches **jaune citron**, une robe **bleu ciel**, des portes **vert olive**.*

4 Imaginez les couleurs.

Associez un objet de la liste avec une couleur et faites l'accord si nécessaire.

Exemple : **Des yeux marron foncé.**

1	Une mer	**a**	châtain clair.
2	Des nuages	**b**	rouge.
3	Des tomates	**c**	vert foncé.
4	Des feuilles	**d**	orange.
5	Des cheveux	**e**	gris perle.
6	Des abricots	**f**	vert émeraude.

Les pronoms relatifs

• **Qui** remplace un sujet ou, s'il est précédé d'une préposition, un COI :
C'est la personne à qui il a parlé.
Que remplace un COD, **où** un complément de lieu ou de temps :
C'est la peinture que j'ai achetée.
C'est l'heure où il vient d'habitude.

• Le relatif **dont** remplace **de** + nom :
Je t'ai parlé de ce peintre.
→ *C'est le peintre dont je t'ai parlé...*

5 Complétez avec des pronoms relatifs.

Claude Monet est un des peintres ... je préfère. On a exposé récemment ses séries d'impressions de Londres, tableaux ... on a beaucoup parlé. Monet les a peints de 1899 à 1901, années ... il a séjourné à Londres. C'est de la fenêtre d'un hôtel ... il avait une chambre qu'il a peint le Parlement à toutes les heures de la journée. Monet est un grand peintre ..., pendant la dernière partie de sa vie, a vécu à Giverny, ... il a conçu le plus merveilleux des jardins ... on peut encore admirer la composition.

La maison de Monet à Giverny.

Le pronom relatif *lequel* et ses composés

• **Lequel** prend les marques du genre et du nombre du nom qu'il remplace.

	masculin	féminin
singulier	**lequel**	**laquelle**
pluriel	**lesquels**	**lesquelles**

• Avec **à** et **de**, on obtient les combinaisons suivantes :
auquel, à laquelle, auxquels, auxquelles
duquel, de laquelle, desquels, desquelles
C'est une chose à laquelle il faut toujours penser.
On organise un vernissage auquel assisteront nos amis et nos clients.

! Ne pas confondre avec **lequel, pronom interrogatif**.
De ces deux maisons, laquelle est-ce que tu préfères ?

6 Le relatif *lequel*.

Reliez les deux phrases avec le relatif lequel.

Exemple : Regarde le tuyau. L'arrivée d'essence se fait par là.
→ **Regarde le tuyau par lequel se fait l'arrivée d'essence.**

1 Je te prête ce livre. J'y tiens beaucoup.
2 J'ai une invitation pour un vernissage. J'y assisterai.
3 Regarde la table. C'est sur cette table qu'on a signé notre contrat.
4 Je te présente mon amie. J'ai pris une place pour elle.
5 Tu te souviens de ces réunions ? Nous y avons participé.

7 Les relatifs *lequel, dont* et *où*.

Complétez ce texte sur Gauguin et la Bretagne avec des pronoms relatifs.

En 1886, Gauguin part pour la Bretagne, un pays vers ... il se sent attiré et ... il fera plusieurs séjours. C'est à Pont-Aven qu'il rencontre des peintres avec ... il se lie d'amitié. La nature sauvage de la Bretagne est une inspiratrice devant ... il rêve. En 1888, il fait un séjour à Pont-Aven au cours ... il peint quelques-uns de ses plus beaux tableaux ... *Le Christ jaune*. Gauguin a peint de magnifiques tableaux dans ... il communique son émotion par la couleur.

Le **h** ne se prononce pas. Cependant, dans quelques cas, il bloque la liaison. C'est le **h** aspiré que l'on trouve dans des mots comme : **hall, halles, hamac, handicap, harasser, harem, haricot, harpe, hasard, haut, héros, heurter, Hollande, Hongrie, honte, hors-d'œuvre, huit** (mais pas dans **dix-huit**), **hurler, dehors**.

1 Le H aspiré.

Écoutez et écrivez les phrases.

2 L'accent d'insistance.

Prononcez les phrases en mettant un accent d'insistance sur les syllabes soulignées. Conservez l'accent tonique sur les syllabes finales des groupes. Puis écoutez l'enregistrement et reprenez.

1 – C'est <u>tout</u> à fait ça ! – Mais <u>non</u> ! Ce n'est <u>pas</u> ça du tout !

2 – C'est exactement ce que je voulais ! – <u>Pas</u> du tout ! C'est <u>tout</u> le contraire de ce que tu voulais !

3 – Ça ne pouvait pas être <u>plus</u> réussi ! – Qu'est-ce que tu <u>dis</u> ! C'est une <u>vé</u>ritable catastrophe !

Visionnez les variations

1 UN AVIS QUI COMPTE...

Vous avez pris une décision (acheter une voiture, changer les meubles de l'appartement, changer de métier...). Vous savez que votre ami(e) n'y est pas favorable. Mais vous lui demandez ce qu'il/elle en pense...

Tenir compte de l'avis de l'autre

1 Mais, bien sûr, je voulais t'en parler avant.
2 Je ne voulais pas le faire sans t'en parler, hum.
3 Il fallait que tu sois d'accord.
4 J'attendais ton avis avant de le faire.

2 VOUS N'ÊTES SÛR(E) DE RIEN.

1 Votre ami(e) ne se sent pas bien. Vous essayez ensemble de trouver la cause du mal.

– Je ne me sens pas très bien. J'ai mal à la tête.
– C'est sans doute parce que tu n'as pas bien dormi...
– Je ne crois pas. Ça vient probablement de l'estomac.
– C'est possible, mais...

2 Un(e) de vos ami(e)s ne vous a pas écrit depuis longtemps. Vous vous demandez pourquoi.

Atténuer une affirmation

1 Il doit avoir des problèmes de batterie.
2 C'est sans doute la batterie.
3 Je pense que c'est à cause de la batterie.

3 C'EST BIEN VOTRE OPINION.

1 Jouez le rôle d'un personnage commentant un tableau ou un roman et celui du/de la peintre ou du romancier/de la romancière approuvant les opinions favorables.

2 Inversez les rôles. C'est le/la peintre ou le romancier/la romancière qui parle et un admirateur/une admiratrice qui approuve avec enthousiasme.

Approuver l'opinion de quelqu'un

1 C'est ça, c'est tout à fait ça.
2 Vous m'avez très bien compris.
3 C'est exactement ce que j'ai voulu dire.
4 On ne peut pas mieux exprimer ma pensée.

11
dossier

1 DIALOGUE.

Joseph a un secret : il peint en cachette. Mais le vernissage lui a donné des idées, et il voudrait faire exposer ses tableaux. Il va voir Sébastien pour lui dire son secret et lui demander conseil. Il ne veut pas lui montrer ses tableaux, mais il les lui décrit. Imaginez la scène à deux et jouez-la.

2 ART.

« L'art s'adresse à un nombre excessivement restreint d'individus ». (Paul Cézanne.)

1 Avant d'écouter l'extrait, associez le mot ou l'expression et sa définition.

1 Chercher la petite bête.
2 Transversale.
3 Vingt briques.
4 Dingue.
5 La cote du peintre.

a 200 000 francs.
b Évaluation qui dépend du prix moyen atteint par ses tableaux.
c Qui n'a pas de sens, idiot.
d Vouloir trouver tous les petits problèmes.
e Qui traverse, qui va d'un côté à l'autre.

*2 Lisez la présentation de la pièce **Art** de Yasmina Reza, puis écoutez l'extrait.*

> *Serge, médecin et amateur d'art, vient d'acheter pour un prix élevé un tableau d'art contemporain. Marc, un de ses amis, trouve cet achat ridicule.*
> *Il va voir Yvan, un ami commun.*

1 Pourquoi est-ce que Marc va voir Yvan ?
2 Qu'a de particulier le tableau qu'a acheté Serge ?
3 Comment peut-on voir des lignes blanches sur fond blanc ?
4 Pourquoi est-ce que les questions d'Yvan sur le tableau énervent Marc ?
5 Qu'est-ce qu'Yvan veut savoir avant de répondre à la question de Marc sur le prix du tableau ?
6 Qu'est-ce que Marc veut faire dire à Yvan à propos de leur ami Serge ?

3 LA PEINTURE MODERNE.

Travail à deux. Reprenez l'argument central de la pièce de Yasmina Reza : un ami vient d'acheter, à un prix élevé, ce tableau que vous n'aimez pas du tout.

1 Fixez un prix.
2 Chacun trouve les arguments pour dire pourquoi il l'a aimé et acheté, l'autre pourquoi il trouve que c'est idiot d'avoir dépensé tellement d'argent pour ça. Jouez la scène.

Relief éponge bleu, Yves Klein.

4 LES CONSEILS D'UN ASSUREUR.

Les accidents de voiture ou de deux-roues (cyclomoteurs, vespa, moto) sont la première cause de mortalité chez les jeunes entre 15 et 24 ans. Nous avons interviewé un assureur pour qu'il nous parle de ce phénomène.

1 Lisez les questions puis écoutez l'interview. Prenez des notes et répondez.

1 Quel est le pourcentage des accidents dus à des problèmes mécaniques ?
2 Qu'est-ce qui a permis de réduire le nombre de voitures en mauvais état ?
3 Quelle est la principale cause des accidents graves ?
4 Quelles autres raisons s'ajoutent à cette cause ?
5 Pourquoi les accidents des deux-roues sont-ils particulièrement douloureux ?
6 Quelles solutions propose M. Delarue pour essayer de diminuer le nombre d'accidents ?

2 Et vous ? Est-ce que vous roulez en deux-roues ? Quel est votre comportement de conducteur ? Quelles sont les mesures de sécurité prises dans votre pays ?

⑪

La ruée vers l'or blanc

Skier en France

La station d'Avoriaz.

Le tourisme sportif a redonné vie aux Alpes du Nord qui sont devenues la première région au monde pour la capacité d'accueil des sports d'hiver.

Les sports de neige se sont tellement développés que même un petit village savoyard comme Valmorel, au cœur du massif de la Tarentaise, s'est équipé pour offrir ses pentes aux nombreux skieurs.

Une autre façon de profiter de cette nature est de la survoler en ULM, une petite aile volante munie de skis pour se poser en douceur sur les champs de neige.

On peut également pratiquer le parapente qui vous entraîne dans les hauteurs au gré des vents.

Il n'est jamais trop tôt pour chausser des skis.

Il y a peut-être de futurs champions dans ce petit groupe qui semble beaucoup apprécier sa première journée de ski.

Mais la haute montagne a d'autres visages. En hiver, ce fermier fait visiter sa ferme aux jeunes skieurs.

« Les journées commencent à cinq heures et demie puisqu'avec la traite on a des horaires à respecter. C'est-à-dire douze heures de décalage entre deux traites. On trait les vaches deux fois par jour. »

Souhaitons que l'équilibre entre vie rurale et activités touristiques soit longtemps préservé !

Dès le début du XXe siècle, quelques villages se sont ouverts au tourisme d'été, puis timidement aux sports d'hiver. Mais il a fallu attendre les années cinquante pour voir se construire des stations d'altitude bien équipées. L'engouement était tel qu'à la fin des années soixante, on a créé des villages de béton plus ou moins esthétiques, plus ou moins chaleureux. L'important était qu'on puisse faire du ski en quittant sa chambre d'hôtel et qu'on puisse utiliser des installations puissantes : téléphériques de 200 places, télécabines allant jusqu'à 20 places, télésièges à 6 places…

Heureusement, dans les années quatre-vingt, des stations plus humaines se sont créées. Valmorel est l'une d'elles.

L'ensemble de toutes les stations de la région constitue le premier domaine skiable du monde.

1 QU'EST-CE QUE VOUS AVEZ VU ?

1 Quels équipements de la station de Valmorel voit-on à l'écran ?
2 Qui s'occupe du petit groupe d'enfants ?
3 Que découvrent les enfants dans l'étable ?
4 Que montrent leurs expressions ?

2 LA VIE EN MONTAGNE.

1 Décrivez un ULM et un parapente.
2 Lequel fonctionne avec un moteur, lequel avec le vent ?
3 Le reportage évoque deux aspects différents de la vie en haute montagne. Lesquels ?

3 ET DANS VOTRE PAYS ?

1 Est-ce qu'il y a des domaines skiables ?
2 Quelle part prennent les sports de neige dans l'activité sportive en général ?

dossier 11

CIVILISATION

La région Rhône-Alpes c'est aussi...

La deuxième région française par sa taille, le nombre de ses habitants et l'importance de ses activités agricoles et industrielles.
Elle regroupe huit départements français d'une superficie de 43 695 km² (superficie équivalente à celle de la Belgique et des Pays-Bas réunis) avec une population de 5,35 millions d'habitants dont les trois quarts vivent dans des villes. Un couloir de plaines entre deux régions montagneuses, Alpes et Jura à l'est, Massif central à l'ouest, facilite les communications nord-sud. 4,1 millions de passagers transitent chaque année par l'aéroport de Lyon-Satolas. Avec les universités de Lyon et de Grenoble, la région possède le deuxième pôle universitaire français qui compte 197 000 étudiants. La coopération scientifique se fait principalement avec la Catalogne, la Lombardie et le Bade-Wurtemberg.

Guignol.

Le berceau du cinéma

C'est à Lyon que les frères Louis et Auguste Lumière ont inventé le cinéma.

Un jour de mars 1895, à la sortie du hangar où elles travaillaient, les ouvrières de l'usine Lumière ont vu une boîte munie d'une manivelle que tournait un des frères Lumière. Elles étaient devenues, sans le savoir, les premières actrices d'un art nouveau. Le film, *La Sortie des usines Lumière*, a été présenté à Paris, à la fin de la même année. Le cinématographe était né !

L'esprit satirique de Guignol

Depuis deux siècles, l'esprit et l'humour populaires lyonnais s'expriment par la voix de Guignol, une sympathique marionnette de bois qui commente l'actualité de la ville et des quartiers en compagnie de sa femme, Madelon, et de son partenaire habituel, Gnafron.

C'est un ancien ouvrier de la soie, Laurent Mourguet, devenu arracheur de dents sur les foires, qui a inventé ces marionnettes au début du XIXe siècle pour attirer les clients. Leur succès fut immédiat et Guignol reste toujours aussi populaire et aussi direct dans ses propos.

Lyon, la ville des canuts

C'est à la soie que Lyon doit son essor industriel au XVIe siècle. En 1804, Jacquard invente un métier qui permet à un seul ouvrier de faire le travail de six ! Dans des maisons-ateliers, les ouvriers, appelés canuts, tissent la soie fournie par le fabricant. Si les canuts ont disparu, remplacés par les machines, le tissage de fibres de toutes origines reste un art lyonnais.

Une région ouverte au dialogue social

Avant même que la loi impose la limitation du temps de travail à 35 heures par semaine dans les entreprises pour lutter contre le chômage, la région Rhône-Alpes, deuxième région économique de France, s'était engagée dans une réflexion sur la transformation profonde des rapports entre entreprises et salariés et sur les nouveaux rythmes et modes de vie des gens que vont nécessairement entraîner les changements en cours. Beaucoup d'entreprises de la région avaient déjà une longue tradition de dialogue social comme dans les laboratoires pharmaceutiques Boiron qui emploient 2 000 salariés et dont le PDG, Christian Boiron, considérant que l'aspect social est un facteur essentiel du résultat d'une entreprise, avait mis en place les 35 heures bien avant la loi.

1 EN BREF.

1 Qu'est-ce qui fait de cette région un lieu de passage naturel et un nœud de communications ?
2 La région Rhône-Alpes est-elle dynamique ?
3 En quoi l'invention de Jacquard annonçait-elle un nouveau mode de travail ?

2 DÉBAT.

Quel est le temps de travail légal dans votre pays ? Le problème de la réduction du temps de travail est-il à l'ordre du jour ? Quelles seraient les conséquences de l'adoption de nouveaux rythmes de travail pour la vie des salariés ?

dossier 11

PROJET

FAITES UNE DOUBLE PAGE « CIVILISATION ».

Certaines régions françaises, comme la Normandie, l'Auvergne, la Franche-Comté, la Corse, ainsi qu'un pays francophone, la Suisse romande, n'ont pas été présentées.
La classe choisit la région ou le pays à présenter, puis se divise en groupes.
On se répartit les tâches, le but étant de produire une double page comme les pages Civilisation du manuel.

Piana, Corse du sud.

Les Champeaux, Normandie.

Alpes Vaudoises, Suisse.

1   LA VIDÉO.

1   Écrire un synopsis pour présenter un aspect de la région choisie.

2   Écrire le texte du commentaire de la vidéo.

2   LA RÉGION, C'EST AUSSI...

1   Faire une présentation générale de la région : sa situation géographique par rapport à la France et l'Europe ; quelques chiffres ; ses principaux atouts...

2   Développer trois ou quatre aspects de la région : son économie, son industrie, son éducation, son patrimoine, ses personnages célèbres, ses festivals...

3   Illustrer les textes.

4   Chaque groupe présente à la classe sa production qui est commentée par tous.

épisode

1re PARTIE

LE CONCOURS DE PÉTANQUE

2e PARTIE

UNE RÉUSSITE MÉRITÉE

VOUS ALLEZ APPRENDRE À :

– accueillir quelqu'un chaleureusement
– interroger quelqu'un sur sa santé
– faire des projets d'avenir

VOUS ALLEZ UTILISER :

– les cas d'emploi des articles (révision)
– des cas où l'article n'est pas employé
– des adjectifs placés devant le nom
– des adjectifs dont le sens change selon leur position
par rapport au nom

ET VOUS ALLEZ AUSSI :

– revoir ce qu'est la situation de communication d'un texte
et rechercher ses implications
– écrire une lettre de demande d'information

– découvrir le château de Chambord et la région du Centre

LE CONCOURS

épisode

Découvrez les situations

1 ÉCRIVEZ DES LÉGENDES.

Visionnez le film sans le son et regardez les photos.
Trouvez une légende pour chaque photo.

Observez l'action et les comportements

3 LA PÉTANQUE.

Visionnez avec le son.

1 Avec quoi joue-t-on à la pétanque ?
2 Pourquoi les joueurs tracent-ils un cercle ?
3 Qu'est-ce que l'*art* de la pétanque ?
4 Donnez une définition de *tirer* à la pétanque.

4 QU'EST-CE QUE VOUS AVEZ APPRIS ?

1 De quoi Patrick Duval est-il le président ?
2 À qui remet-il la coupe ?
3 Quelle était la *surprise* de Patrick Duval dont Bernard a parlé à l'épisode 11 ?

5 POURQUOI ?

Rappelez-vous l'épisode 3 et dites pourquoi Corinne dit au client :

1 Ah oui, je sais, vous ne supportez pas le monde, vos nerfs…
2 Ah, vous voyez, elle est faite pour vous.
3 Mais vous savez, aujourd'hui, mon mari a fait un menu unique.

6 AVEZ-VOUS UNE BONNE MÉMOIRE ?

Retrouvez ce qu'il y a dans le menu.

a De la crème d'asperges.
b Des tomates au basilic.
c De la mousse de saumon.
d De l'agneau de Sisteron.
e Des petits farcis.
f Du gratin de fruits rouges.
g Du fromage.
h Du soufflé de légumes.
i De la mousse de fruits rouges.
j Du gratin de légumes.

2 COMPAREZ.

1 Comparez l'ambiance dans le restaurant avec celle de l'épisode 3 (le soir de l'ouverture).
2 Comparez l'expression, l'attitude, le comportement du client dans cet épisode et dans l'épisode 3. Qu'en déduisez-vous ?

7 QU'EST-CE QU'ILS EXPRIMENT ?

Observez les expressions, les gestes, décrivez-les et dites ce qui les a provoqués. Retrouvez la réplique du personnage ou imaginez ce qu'il pense.

8 DES GESTES QUI EN DISENT LONG.

Relevez :

1 un geste amical ;
2 un geste de tendresse.

Dites qui le fait, envers qui, pourquoi, et imaginez ce que la personne pourrait dire.

DE PÉTANQUE

Il y a un concours de pétanque sur la place du village. Bernard et Corinne, qui ne connaissent pas grand-chose à la pétanque, se font expliquer les règles.

CORINNE : Pourquoi est-ce qu'ils tracent un cercle avant de jouer ?

FRANÇOIS : À la pétanque, il y a des règles très strictes. Chaque joueur doit lancer sa boule exactement du même endroit.

BERNARD : Je ne comprends pas bien la différence entre tirer et pointer.

RAYMOND : Tirer et pointer, c'est tout l'art de la pétanque. Moi, par exemple. J'étais un bon tireur. Je pouvais chasser une boule qui était collée au cochonnet.

On applaudit à nouveau.

_____

La salle du restaurant est pleine. Corinne fait le service.

CORINNE : Ah oui, le pain... Voilà.

Un client arrive, seul. Corinne le reconnaît.

CORINNE : Ah, quelle bonne surprise ! C'est gentil d'être revenu.

LE CLIENT : Oui. Je passais par là... Mais, vous avez beaucoup de monde, aujourd'hui.

CORINNE : Ah oui... je sais, vous ne supportez pas le monde, vos nerfs...

LE CLIENT : Ça va plutôt mieux.

JOSEPH : Tu oublies de dire que tu dégommais le cochonnet en même temps et que tu le rapprochais des boules de l'équipe adverse. Ce qui fait qu'on ne gagnait jamais.

RAYMOND : Quel menteur tu fais ! Une fois, on a été jusqu'en demi-finale.

JOSEPH : Eh oui, c'est la fois où tu as été malade et où Maurice t'a remplacé.

BERNARD : Je vous laisse à vos souvenirs. Il faut que je retourne à la cuisine.

CORINNE : Oui, et moi, on m'attend au café.

Bernard et Corinne partent. À la terrasse du café, sur la place, Patrick Duval tient une coupe et fait un discours.

PATRICK DUVAL : En tant que président de l'amicale des Joueurs de pétanque, j'ai l'honneur de remettre cette coupe à l'équipe du Cercle de Falicon, les grands vainqueurs de cette année.

Les gens applaudissent. Duval leur fait signe de se taire.

Mais je voudrais aussi en profiter pour vous dire combien je suis content que cette remise se fasse ici... chez Bernard et Corinne Lemoine.

CORINNE : J'en suis ravie.

LE CLIENT : Il n'y a plus de place ?

Corinne lui montre une place dans un coin, celle qu'il avait déjà occupée.

CORINNE : Ah, vous voyez, elle est faite pour vous. Asseyez-vous. (Le client s'assoit.) Mais, vous savez, aujourd'hui, mon mari a fait un menu unique. Il n'aura pas le temps de vous préparer quelque chose de spécial.

LE CLIENT : Qu'est-ce qu'il y a dans le menu ?

CORINNE : Alors... Des tomates au basilic. De l'agneau de Sisteron aux herbes avec du gratin de légumes. Un plateau de fromage et de la mousse de fruits rouges.

LE CLIENT : Ça a l'air très bien.

CORINNE : Oui, mais, enfin, pour votre estomac...

LE CLIENT : Mon estomac va beaucoup mieux.

CORINNE : Bon, eh bien, je vais m'occuper de vous.

UNE RÉUSSITE

Découvrez les situations

1 OBSERVEZ ET FAITES DES HYPOTHÈSES.

Visionnez sans le son.

1 Pourquoi Corinne se penche-t-elle vers le client ?
2 Quelle question peut lui poser Corinne au moment où il quitte le restaurant ?
3 Quel est le comportement de Bernard quand il arrive sur la terrasse du restaurant le journal à la main ?

4 Observez les expressions de Corinne au fur et à mesure que Bernard lit le journal. Qu'expriment-elles ?
5 Comment réagit Laura à la lecture de l'article ?
6 De quoi peut parler l'article que Bernard est en train de lire ?

Observez l'action et les comportements

2 VÉRIFIEZ VOS HYPOTHÈSES.

Visionnez le film avec le son.

1 Que demande Corinne au client quand elle se penche vers lui ?
2 Qu'est-ce que le client a fait pour guérir ?
3 Quel est son métier ?
4 Quel journal Bernard lit-il le lendemain matin ?
5 Quelle rubrique ?
6 La critique est-elle positive ou négative ?

3 C'EST DANS L'ARTICLE DE *NICE-MATIN*.

Complétez l'article.

Plus qu'un restaurant, plus qu'un simple …, Le Bellevue est un endroit aussi chaleureux que … . Que vous y alliez pour … la cuisine de Bernard Lemoine, pour prendre un … servi par sa charmante femme, Corinne, ou pour y voir une … de peinture, vous serez séduit par …, la gentillesse et le … des Lemoine, ce jeune couple de Parisiens venus … à Falicon voilà près d'un an.

4 VOUS EN SOUVENEZ-VOUS ?

Qui prononce ces répliques ?

1 Tirer et pointer, c'est tout l'art de la pétanque.
2 Eh oui, c'est la fois où tu as été malade et où Maurice t'a remplacé.
3 Oui. Je passais par là…
4 Ah, vous voyez, elle est faite pour vous.
5 Ça a l'air très bien.
6 Tout est rangé dans la cuisine.
7 J'ai pris un congé sans solde pendant plusieurs mois.
8 Super ! Ça va nous amener un monde fou.

5 QUELLES BONNES IDÉES !

*La critique de **Nice-Matin** a inspiré Corinne, Laura et Bernard. Retrouvez ce que chacun suggère pour leur restaurant.*

6 DES GESTES POUR LE DIRE.

Regardez les photos, décrivez les expressions et les gestes. Dites ce qu'ils signifient et imaginez ce que pensent les personnages.

7 TOUT EST BIEN QUI FINIT BIEN !

Faites un résumé de l'histoire depuis l'arrivée des Lemoine à Falicon. Ajoutez des commentaires sur l'aspect physique des personnages, sur leur caractère et leurs rapports entre eux. Donnez des détails descriptifs sur les endroits que vous avez vus au cours des douze épisodes.

MÉRITÉE

 Tout le monde est parti sauf le client qui termine son repas. Corinne débarrasse les tables. Bernard arrive de la cuisine.

BERNARD Tout est rangé dans la cuisine. Je vais pouvoir t'aider à refaire les tables.

LE CLIENT Oh, vous avez déjà fermé la cuisine. Excusez-moi, j'aurais bien pris un petit café.

CORINNE Mais... vos insomnies... ?

LE CLIENT Ça va beaucoup mieux.

CORINNE Ah !

Corinne et Bernard, tout sourire, prennent congé du client.

BERNARD Écoutez ça. Non, mais... écoutez ça !
« Plus qu'un restaurant, plus qu'un simple café, Le Bellevue est un endroit aussi chaleureux que gastronomique. Que vous y alliez pour goûter la cuisine de Bernard Lemoine, pour prendre un verre servi par sa charmante femme, Corinne, ou pour y voir une exposition de peinture, vous serez séduit par l'enthousiasme, la gentillesse et le savoir-faire des Lemoine, ce jeune couple de Parisiens venus s'installer à Falicon voilà près d'un an. »

LAURA Super ! Ça va nous amener un monde fou.

Le lendemain

CORINNE Excusez-moi, mais... votre guérison, ça à l'air miraculeux. Qu'est-ce que vous avez fait ?

LE CLIENT C'était à cause de mon travail. J'ai pris un congé sans solde pendant plusieurs mois. Je viens de reprendre.

BERNARD Et c'est quoi, votre métier ?

LE CLIENT Je suis critique gastronomique. Je dirige la rubrique restaurant de *Nice-Matin*.

Bernard et Corinne le regardent sans pouvoir articuler une parole.

Le lendemain matin, Laura et Corinne sont sur la terrasse en train de prendre leur petit déjeuner. Bernard arrive tout joyeux. Il a un journal à la main.

CORINNE Comme ça, on pourra agrandir la terrasse...

BERNARD Moi, j'ai pensé faire une véranda.

LAURA J'ai plein d'idées pour faire des soirées à thèmes... une soirée karaoké, par exemple.

CORINNE Et si on donnait des cours de cuisine !

BERNARD On pourrait organiser une semaine de cuisine exotique...

LAURA Des soirées costumées...

CORINNE On pourrait faire un concours gastronomique...

BERNARD On pourrait créer une chaîne de restaurants.

LAURA Oh, oui ! Dans le monde entier.

Raymond et Joseph vont s'asseoir sur leur banc... et la vie du village continue.

DÉCOUVREZ LA GRAMMAIRE

L'emploi des articles (rappel)

1 L'article défini
Il a **trois fonctions**. Il permet :

• de **généraliser**, de parler des choses en général :
En automne, les touristes sont rares.

• de **spécifier**, de parler d'une personne ou d'un objet particulier :
– soit qu'il soit déjà connu de ceux qui parlent (expérience partagée) : *Bernard retourne à la cuisine.*
– soit qu'il soit unique : *Le Bellevue, le Louvre, la Lune, le Soleil.*
– soit qu'il soit déterminé : *La vie du village, la maison de mes amis.*

• de **reprendre un nom** déjà cité :
– *Bernard a fait un menu unique.*
– *Qu'est-ce qu'il y a dans le menu ?*

2 L'article indéfini

• Il se place **devant un nom introduit pour la première fois** (information nouvelle) :
Bernard a fait un menu unique.

• Il permet de placer la personne, le fait ou l'objet dans une catégorie particulière :
J'étais un bon pointeur.

1 Savez-vous jouer à la pétanque ?

Complétez ces phrases avec des articles ou avec la préposition à ou de suivie de l'article.

Dans … équipe de pétanque, il y a … pointeurs et … tireurs. … pointeurs lancent … boules le plus près possible … cochonnet. … tireurs essaient de dégommer … boules … adversaires qui se trouvent près … cochonnet. En effet, … boules … plus proches … cochonnet rapportent un point … équipe. … partie se joue en quinze points. … équipe qui gagne est celle qui atteint quinze points … première.

2 Répondez au questionnaire.

1 Quel genre de livres lisez-vous ? (Romans, essais, poèmes…)
2 Quels films allez-vous voir ? (Comédies, westerns, comédies dramatiques…)
3 Quels sports aimez-vous ? Quels sports pratiquez-vous ?
4 Quelles valeurs humaines vous paraissent les plus respectables ?

Les articles partitifs

Ils désignent une quantité indéfinie, une partie d'un tout. On les utilise pour désigner :
– des **substances** : *Je voudrais de l'eau, du café, de la bière, des confitures…*
Pour construire une maison, il faut de la pierre, du bois, du ciment…
– des **qualités abstraites** : *Il faut avoir de la patience, du courage, de l'enthousiasme, du savoir-faire…*
– des **éléments naturels** : *Il y a du vent, du soleil. Il tombe de la pluie, de la neige.*

! Les unités comptables et les substances définies ou précédés d'un adjectif prennent un article défini ou indéfini selon le cas :
Donnez-moi un petit café.
(= Une consommation.)
Je voudrais un pain de seigle.
Il a fait preuve d'un grand courage, d'une patience extraordinaire. Il a une volonté de fer.

3 Articles devant des qualités abstraites.

Complétez le texte.

Il faut avoir … courage et … volonté pour monter un restaurant. Il faut également … esprit d'initiative et … savoir-faire. Les Lemoine avaient pris … décision un peu risquée en venant s'installer à Falicon, mais ils ont eu … patience, … sagesse et … savoir-faire nécessaires pour se faire accepter. … compétence de Bernard et … gentillesse de Corinne leur ont valu … sympathie et … reconnaissance des gens. Après quelques mois, ils peuvent fêter … réussite de leur entreprise.

L'absence d'article (article zéro)

• On ne met pas d'article (rappel) :
– **devant les noms de nationalité, de profession et de religion** ;
– dans des **expressions avec** *avoir* : *J'ai peur/soif/ faim/froid/chaud* ;
– **après** *avec* **et** *sans* lorsque l'expression a valeur d'adverbe : *Avec plaisir, avec douceur, sans problème* ;
– **devant les noms de pays et de régions féminins et les villes précédés des prépositions** *à, en* **et** *de* : *En Espagne, en Normandie, à Londres* ;
– **dans la négation de la quantité** : *Pas de problèmes, pas d'argent.*

• On ne met pas non plus d'article :
– **devant un complément de nom exprimant une quantité** *(un kilo de sucre, un litre de lait)*, **un contenu** *(une tasse de thé, une bouteille de vin)*, **une matière** *(une table en bois, une maison en pierre)*, **un type d'utilisation** ou **une destination** *(un costume de ville, une tenue de soirée, une tasse à café, un instrument d'optique…)* ;
– **après** *de* **devant un adjectif pluriel placé avant le nom** : *De beaux jours, de bons gâteaux…* ;
– **après certains verbes ou locutions verbales qui se construisent avec la préposition** *de* : *Parler de politique, avoir besoin d'argent, manquer de pain…* ;
– **dans des titres de journaux, des panneaux routiers, des petites annonces, des télégrammes** : *Grave accident sur l'autoroute A6. Route glissante. Chute de pierres. Vends appartement trois pièces avec salle de bain, terrasse…*

4 Avec ou sans article ?

Complétez le texte.

Mes meilleurs amis sont partis s'installer dans … Périgord pour s'occuper … chevaux. Ils ont … belles bêtes avec lesquelles ils font … longues promenades en … forêt. Ils n'ont pas besoin … argent. Ils ne manquent … rien. Ils passent … agréables journées. Ils n'ont pas à porter de tenues … ville, ni de robes … soie. Lui peut prendre ses cannes à … pêche et aller au bord de … rivière. Elle a tout le temps de suivre ses cours … jardinage. Et quand ils lisent dans le journal : « embouteillages sur le périphérique parisien », ils se félicitent … choix qu'ils ont fait.

Les adjectifs placés avant le nom (adjectifs antéposés)

• **Un petit nombre d'adjectifs** assez courts et d'utilisation très fréquente se placent avant le nom : **petit/grand, jeune/vieux, bon/mauvais, beau, joli, gros, long.**
*Raymond était un **bon** tireur.*

• **La place de certains adjectifs, avant ou après le nom, entraîne une différence de sens :**
Un brave homme (gentil)
≠ *un homme brave* (courageux).
Un curieux personnage (bizarre)
≠ *un personnage curieux* (qui veut tout savoir).
Un grand homme (célèbre, important)
≠ *un homme grand* (de grande taille).
Un pauvre homme (digne de pitié)
≠ *un homme pauvre* (sans argent).
Un triste individu (peu recommandable)
≠ *un individu triste* (sans joie).

• **On peut placer certains adjectifs de qualité avant le nom.**
Ils prennent alors une valeur plus affective, moins descriptive ou objective :
*Une **magnifique** demeure, une **agréable** compagnie.*

5 Place des adjectifs.

Complétez les deux textes avec les mots indiqués entre parenthèses. Ajoutez les articles.

1 Chers amis.
Nous profitons de nos (vacances/grandes). Nous faisons (randonnées/petites) et nous découvrons (paysages/magnifiques). Nous avons eu un peu (temps/mauvais), mais, depuis hier, (temps/beau) est revenu. Nous avons rencontré (homme/brave) qui nous a raconté (histoires/intéressantes) sur son village.
Nous vous faisons (bises/grosses).

2 Raymond et Joseph sont (gens/braves), bien que Joseph soit un (personnage/curieux). Ils vivent dans un village où, s'il n'y a pas (hommes/grands), il n'y a pas non plus (individus/tristes). Mais il se peut bien qu'il y ait (gens/pauvres) et quelques (gens/pauvres) !

1 DISCRIMINATION : *E* CADUC ET GROUPES DE CONSONNES.

Écoutez et écrivez les phrases. Attention aux consonnes doubles.

2 INTONATION.

Faites des projets dans la joie et l'enthousiasme. Lisez d'abord les phrases à voix haute, puis écoutez l'enregistrement et reprenez l'intonation si nécessaire.

1 On fera des fêtes !
2 On invitera tous nos amis !
3 On leur parlera français !
4 On organisera un voyage en France !
5 On ira déjeuner au restaurant Bellevue !

Visionnez les variations

1 COURTOISIE.

Vous avez reçu quelqu'un que vous n'aimez pas beaucoup, mais vous êtes resté(e) poli(e) et vous l'avez accueilli(e) très aimablement. Vous dites ce que vous lui avez dit et votre voisin(e) dit ce que vous pensiez réellement.

> *Exemple :* **Ça me fait plaisir de vous voir./**
> **Ah, si j'avais pu être en voyage !**

Accueillir quelqu'un chaleureusement

1 Quelle bonne surprise ! C'est gentil d'être revenu.
2 Ça nous fait plaisir que vous soyez revenu.
3 On est vraiment contents de vous revoir !
4 Quel plaisir de vous revoir chez nous !

2 ÇA VA MIEUX ?

Jouez les deux scènes avec votre voisin(e). Inversez les rôles.

1 Vous vous inquiétez de l'état de santé d'un(e) ami(e) qui manquait d'appétit, qui avait mal au dos, des problèmes d'estomac, qui ne pouvait pas dormir... Dans un premier temps, votre ami(e) va mieux.

2 Vous le/la rappelez quelques jours plus tard : il/elle va moins bien et répond à vos questions en se plaignant.

Interroger quelqu'un sur sa santé

1 – Mais, vos insomnies… ?
– Ça va beaucoup mieux.
2 – Alors, c'est fini, vos insomnies ?
– Oui, je suis guéri.
3 – Vos insomnies, vous n'y pensez plus ?
– Non, c'est oublié.
4 – Vous dormez mieux maintenant ?
– Oui, ce n'est plus qu'un mauvais souvenir.

3 C'EST BEAU DE RÊVER !

Vous venez de recevoir une importante somme d'argent. Faites au moins cinq projets personnels en changeant chaque fois de structure.

Faire des projets

1 Comme ça, on pourra agrandir la terrasse…
2 Maintenant, on peut penser à agrandir la terrasse.
3 Il y a longtemps qu'on voulait agrandir la terrasse…
4 Enfin, on va pouvoir agrandir la terrasse !

COMMUNIQUEZ

▌1 DIALOGUE.

*Travail à deux. Joseph et Raymond ont lu l'article dans **Nice-Matin**. Imaginez comment Joseph a pu réagir, ce qu'il va dire à Raymond et comment celui-ci va répondre. Écrivez la scène et jouez-la.*

▌2 LA BOURSE AUX IDÉES.

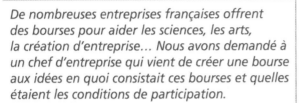

De nombreuses entreprises françaises offrent des bourses pour aider les sciences, les arts, la création d'entreprise... Nous avons demandé à un chef d'entreprise qui vient de créer une bourse aux idées en quoi consistait ces bourses et quelles étaient les conditions de participation.

1 Écoutez l'interview. Prenez des notes sur :
a le montant de la récompense de la bourse aux idées ;
b l'âge des concurrents ;
c le thème de l'année ;
d l'objectif ;
e les critères de sélection des dossiers.
2 Puis lisez les extraits du règlement et notez ce qu'on y apprend de nouveau.

Article 2 : CONDITIONS D'ADMISSION
Peut faire acte de candidature toute personne physique ou toute association domiciliée en France.
Le responsable du projet doit être majeur.
Les projets doivent être réalisables dans l'année.

Article 4 : NATURE DES PROJETS
Les dossiers peuvent porter sur :
– la création de produit ou de matériel innovant ;
– la réalisation d'actions de communication ayant pour objet la sensibilisation du public (affiches, photos, articles dans la presse, animations audio-visuelles...) ;
– des programmes éducatifs spécifiques (classes, ateliers...) ;
– la création d'outils pédagogiques.

Article 5 : REMISE DES DOSSIERS
Les dossiers doivent comprendre une présentation du projet : objectifs, description, modes de réalisation.
Un certain nombre de documents complémentaires tels que *curriculum vitae* du responsable du projet, lettre d'intention, budget prévisionnel, sont exigés. La liste et la description de ces documents se trouvent dans le dossier de candidature disponible dans les mairies.

DATE DE CLÔTURE
Les dossiers sont à envoyer en recommandé ou à déposer dans les mairies, au secrétariat des bourses avant le 31 mai, minuit, le cachet de la poste faisant foi.

▌3 L'APPEL À CANDIDATURES.

Travaillez en groupes. Vous êtes chargés de préparer un message radio pour informer les personnes intéressées qui veulent être candidates à ces bourses. Cet appel à candidature doit faire la synthèse de tous les éléments que vous avez réunis :
– idée générale de la bourse aux idées :
– conditions d'admission des candidats ;
– contenu du dossier de candidature ;
– montant de la bourse attribuée aux lauréats ;
– forme à donner au projet ;
– date de clôture.
Un membre de chaque groupe présentera l'information à l'ensemble de la classe.

▌4 LA SOIRÉE KARAOKÉ.

Lisez le synopsis. Écoutez la scène.
1 Répondez aux questions.

1 Y a-t-il eu une autre scène avant celle présentée ? Laquelle ?
2 Pourquoi est-ce que la soirée doit se passer un lundi soir ?
3 Quel problème est-ce que ça peut poser ?
4 Frédéric a déjà prévenu combien de personnes ?

2 Trouvez :

1 un reproche ;
2 une appréciation positive ;
3 une façon de relancer la conversation.

Synopsis

Laura a eu son bac. Pour fêter son succès, elle décide avec Frédéric et leurs copains d'organiser une soirée karaoké au café Bellevue. Corinne et Bernard, d'abord hésitants, finissent par accepter à condition que la soirée se fasse le jour de fermeture du restaurant, c'est-à-dire un lundi, pour ne pas gêner les clients. Il ne devrait pas y avoir de problèmes sauf que, légalement, on n'ouvre pas un lieu pour une soirée publique le jour de sa fermeture. Bien sûr, un voisin, mécontent de tout ce bruit, prévient la police. D'ailleurs, Joseph l'avait bien dit... Heureusement, tout finira bien.

▌5 À VOUS DE JOUER !

*Reprenez l'idée de la soirée karaoké et écrivez une scène de votre choix. Par exemple : **Laura demande la permission à ses parents** ou **La police, prévenue par un voisin, interrompt la soirée...***

Chambord, le plus beau des châteaux de la Loire

 Pour comprendre Chambord, il faut remonter dans le temps.

Au XVI⁰ siècle, les rois voyageaient beaucoup. Ils emmenaient avec eux une foule de courtisans et de serviteurs. Aucune demeure des nobles de province n'était assez spacieuse ni assez riche pour les accueillir. Ils aimaient particulièrement la douceur des bords de la Loire.

En 1515, le roi François I⁰ʳ est vainqueur à la bataille de Marignan. Il ne rêve alors que de puissance et de gloire. Il veut se faire construire un château à la mesure de son ambition. Léonard de Vinci en fait les premiers plans. La construction débute en 1519. Ce sera Chambord, qui absorbera bientôt toutes les richesses du royaume.

Mais en 1525, à Pavie, le roi de France est fait prisonnier par Charles Quint, empereur du Saint Empire romain germanique. Il est emmené en Espagne, à Tolède.

Quelques mois plus tard, au retour du roi, la construction peut reprendre.

L'aile nord est édifiée en un temps record.

Et en 1539, François I⁰ʳ reçoit à Chambord son vieil ennemi, Charles Quint, qui est surpris par la magnificence du château et les fêtes somptueuses données en son honneur.

François I⁰ʳ meurt en 1547 et le château ne sera terminé qu'au siècle suivant.

La plus belle partie de ce château Renaissance est la terrasse, un labyrinthe de cheminées, d'escaliers, de fausses fenêtres sculptées et décorées de mosaïques de formes géométriques.

L'emblème du roi, la salamandre, et le « F » de François sont partout présents.

Avant de faire construire Chambord, dans la première partie de son règne, François I⁰ʳ menait sa cour au château d'Amboise. C'est là qu'il imposa son style : un mélange de courtoisie, de bonnes manières, d'élégance et de goût. Il invita des gens de science, des poètes et des artistes célèbres comme Léonard de Vinci, qui apporta en France son portrait de *La Joconde*. La cour comprenait environ 15 000 personnes, courtisans et serviteurs. Il fallait 12 000 chevaux pour déplacer tout ce monde ! Une ville de moyenne importance ne comptait pas plus de 10 000 habitants à l'époque…

Le château de Chambord.

1 QU'EST-CE QUE VOUS AVEZ VU ?

1 Quelle image avez-vous vue quand sont apparues ces dates ?
a 1539 ; **b** 1515 ; **c** 1519 ; **d** 1525 ; **e** 1547.

2 À part des scènes de guerre, qu'avez-vous vu sur les tableaux ?

3 Citez tout ce que vous avez remarqué dans la présentation détaillée du château.

2 AVEZ-VOUS BIEN NOTÉ ?

1 Parmi tous les rois et les grands hommes présentés dans la vidéo, desquels vous souvenez-vous ?

2 De quelle bataille gagnée par François I⁰ʳ a-t-on parlé ?

3 Qui a fait les premiers plans de Chambord ?

4 Quand a-t-on commencé à construire le château ?

5 Quand François I⁰ʳ a-t-il reçu Charles Quint à Chambord ?

6 Quelle est la partie la plus extraordinaire ?

7 Quel est l'emblème de François I⁰ʳ ? Où le voit-on dans le château ?

3 QUELLE EN EST LA RAISON ?

1 Pourquoi François I⁰ʳ a-t-il décidé de construire Chambord ?

2 Pourquoi les travaux ont-ils dû être interrompus ?

3 Pourquoi la construction a-t-elle absorbé toutes les richesses du royaume ?

4 Pourquoi François I⁰ʳ y a-t-il invité Charles Quint ?

5 Pourquoi le château n'a-t-il été terminé qu'au siècle suivant ?

La région du Centre, c'est aussi...

Une région au patrimoine architectural exceptionnel avec tous ses châteaux.
« Le jardin de la France » nom donné à la Touraine pour ses vergers et ses fleurs ; la première région de production de céréales dans les plaines de la Beauce.
La deuxième région de production d'énergie avec ses quatre centrales nucléaires.
Une région où la qualité de la vie attire les gens de régions moins favorisées.
C'est une région de faible densité de population (61 hab. au km², tournée vers Paris et vers l'Ouest.

Une terre de contrastes...

Des grandes plaines riches de la Beauce, qui font de la région le premier producteur de blé de l'Union européenne, aux forêts et aux étangs de Sologne qui en font un paradis pour les chasseurs et les pêcheurs, la région offre une grande diversité de paysages. Landes et marais, souvent enveloppés de brumes, d'où s'envolent de multiples oiseaux, ajoutent au mystère et au romantisme de cette terre.

La Sologne.

Paysage beauceron.

...qui a inspiré de nombreux écrivains

Qu'ils soient nés dans cette région, comme Rabelais, Pierre Ronsard, René Descartes, Honoré de Balzac, Marcel Proust, Maurice Genevoix, ou qu'ils l'aient adoptée, comme George Sand, née à Paris, les habitants et les paysages du Val de Loire, de la Sologne ou du Berry ont inspiré de nombreux écrivains qui ont créé des pages parmi les plus belles de la littérature française. Soixante-quinze ans après sa parution, *Raboliot,* de Maurice Genevoix, prix Goncourt 1925, est toujours le livre de référence pour la vie en Sologne.

Raboliot à ce jour :
2 millions d'exemplaires vendus en France.
50 éditions.
Traduit dans 20 langues.
Toujours étudié au collège.

Le Printemps de Bourges

Depuis sa création, en 1977, le Printemps de Bourges est devenu un événement majeur en France et en Europe. En vingt ans, il a été le miroir de l'évolution de la chanson française et du rock et s'est ouvert aux artistes internationaux. Artistes confirmés et jeunes créateurs se rassemblent pendant deux semaines pour donner plus de quatre-vingts concerts. Des noms aussi célèbres que Jerry Lee Lewis, Ray Charles, Gilberto Gil, Nina Hagen, Yves Montand ou Rita Mitsouko, pour n'en citer que quelques-uns, ont composé une affiche qui a réuni près de 3 000 artistes à ce jour. Au rock et à la chanson, viennent s'ajouter d'autres formes de culture : poésie, bande dessinée, cinéma, arts de la rue sont au rendez-vous pour rappeler que la musique est au cœur de tous les arts.

LE PRINTEMPS DE BOURGES
13 > 18 AVRIL 99

1 EN BREF.

1 Il y a dans la région du Centre deux parties très différentes. Lesquelles ?
2 Où ont été construits les châteaux ?
3 Les rois de France et les nobles fortunés s'y faisaient construire de beaux châteaux et la région du Centre attire toujours beaucoup de Français qui veulent y vivre. Quelles en sont les raisons, d'après vous ?

2 DÉBAT.

Quelle place tient la musique dans votre pays ?
Y a-t-il des chanteurs/chanteuses ou des groupes aussi populaires que les groupes américains ou anglais ?
La musique (le rock et ses dérivés en particulier) est-elle un lien entre les jeunes du monde entier ?
Est-elle porteuse d'un message de paix, de tolérance, d'humanité comme certains le pensent ?

BILAN

1 Compréhension écrite.

L'école obligatoire a été inventée à la fin du XIXe siècle pour apprendre à tous les petits Français à lire, écrire et compter. Vaste ambition. Mission (en gros) accomplie. Mais voilà : en cette fin de siècle, ça ne suffit plus. À ces trois objectifs il est temps d'en ajouter un autre : parler au moins une langue étrangère.

Parce que la circulation des hommes, des idées et des marchandises est mondiale ; parce que nous devons vivre dans un espace politique et humain, l'Europe, où coexistent douze langues officielles, celui qui, dans le siècle qui vient, ne parlera qu'une seule langue sera un handicapé social. Un espéranto existe bien, c'est l'anglais, pas celui de Byron, mais celui du business, d'Internet et de la vie quotidienne, mais ce n'est déjà plus une langue étrangère. Il faut apprendre une autre langue et tous les chercheurs s'accordent à dire qu'on n'apprend jamais aussi bien une langue étrangère que par nécessité. Cette nécessité est là !

Pour la société française, c'est une révolution culturelle à accomplir. Manifestement, les parents, si préoccupés de l'avenir de leurs enfants, y sont prêts… Sortons de l'esprit des gens l'idée que l'apprentissage d'une langue étrangère est chose difficile. Non, c'est stimulant. Et facile ! À condition de s'y prendre à temps et de la bonne manière. On connaît la blague : « Comment faites-vous, vous Hongrois, pour vous comprendre dans une langue aussi impossible ? – C'est que nous autres Hongrois, nous sommes si intelligents que même les enfants y arrivent. » Ne regardons pas les polyglottes comme des phénomènes dotés de plusieurs cerveaux quand ils sont simplement des gens qui ont appris à user d'une compétence qui appartient à tous.

D'après Claude Weill, *Le Nouvel Observateur,*
n° 2228, 10/09/1998.

1 VRAI OU FAUX ?

1 Le nouveau défi lancé au système scolaire est l'enseignement d'au moins une langue étrangère.

2 Il y a dix langues officielles différentes dans les pays de l'Union européenne.

3 On apprend bien une langue si on vous y oblige.

4 Les petits Hongrois sont les enfants les plus intelligents parce qu'ils parlent une langue complexe.

5 Les polyglottes sont des gens exceptionnellement doués.

2 ORGANISATION DU TEXTE.

Choisissez un sous-titre pour chacun des trois paragraphes.

a Le point de vue des parents.
b De la nécessité de connaître des langues étrangères.
c Une vaste ambition.
d Un apprentissage qui n'exige pas une intelligence particulière.
e Une mission nouvelle.
f De nombreuses raisons pour apprendre les langues étrangères.

3 REPÉREZ-LE DANS LE TEXTE.

1 De quand date l'école obligatoire en France ?
2 Pourquoi faut-il apprendre des langues étrangères ?
3 Quel rôle l'auteur de l'article attribue-t-il à l'anglais ?
4 Quelle est l'opinion commune sur l'apprentissage des langues étrangères ?
5 Quelle est cette *compétence qui appartient à tous* ?

2 Production écrite.

Vous avez lu le passage du texte ci-dessus où il est dit que l'apprentissage d'une langue est facile. Vous écrivez au magazine pour confirmer cette affirmation ou pour donner une opinion contraire et vous racontez votre expérience d'apprentissage du français.

3 Compréhension orale.

Écoutez et répondez aux questions.

1 Quelle proportion de Français a des connaissances utilisables d'une langue étrangère ?
2 Quelle est la deuxième langue étrangère enseignée dans les lycées et collèges ?
3 Quelle proportion des cadres peut utiliser une langue étrangère ?

4 Production orale.

Imaginez une suite à l'histoire des Lemoine.

TRANSCRIPTIONS

MÉMENTO

GRAMMATICAL

CONJUGAISONS

TRANSCRIPTIONS

DOSSIER 1

COMMUNIQUEZ **p. 15**

3 L'interview.

LE JOURNALISTE : Je voudrais parler avec vous de la nouvelle cuisine. Pour certains critiques, elle n'existe plus. Au contraire, d'autres personnes parlent de « nouvelle nouvelle cuisine ». Quelle est votre opinion ?

LE CHEF : D'abord, il faut rappeler que si Gault et Millau ont lancé l'expression dans les années soixante-dix Voltaire utilisait déjà le terme « nouvelle cuisine » et, au début du XIXᵉ siècle, on disait que la nouvelle cuisine « favorisait la santé, la bonne humeur et la longévité ». Il y a une trentaine d'années, les Français ont commencé à faire plus attention à ce qu'ils mangeaient. La cuisine traditionnelle, excellente, mais lourde et difficile à digérer, devait être remplacée par une cuisine plus légère comme le proposait Fernand Point, un grand chef des années trente.

LE JOURNALISTE : Cuisine plus légère, dites-vous. On a souvent reproché à la nouvelle cuisine de ne rien avoir dans l'assiette !

LE CHEF : Il est vrai que certains chefs s'intéressaient plus à la décoration qu'à la quantité.

LE JOURNALISTE : Sans compter que l'addition était toujours très élevée !

LE CHEF : C'est aussi un des reproches qu'on lui a faits. Mais il faut dire que les produits utilisés sont plus rares, donc plus chers, que ceux utilisés dans la cuisine traditionnelle.

LE JOURNALISTE : Où en sommes-nous aujourd'hui ?

LE CHEF : Je pense que nous sommes revenus à un rapport présentation-qualité-quantité plus équilibré.

LE JOURNALISTE : Les prix, eux, restent très chers dans les grands restaurants.

LE CHEF : Oui. Et je crois qu'ils ne pourront pas baisser. La qualité coûte cher.

LE JOURNALISTE : La nouvelle cuisine française a été imitée dans le monde entier. Cela vous ennuie ?

LE CHEF : Pas du tout. Au contraire. C'est reconnaître notre savoir-faire. Et je pense que la grande cuisine française a encore de beaux jours devant elle.

LE JOURNALISTE : Je vous remercie.

4 Portrait toqué.

1 En soixante-trois ans de métier, Auguste Escoffier (Villeneuve-Loubet, 1846, Monte-Carlo, 1935) est devenu « roi des cuisiniers et cuisinier des rois ». Il a commencé son apprentissage à l'âge de treize ans chez son oncle qui dirigeait un restaurant renommé à Nice. C'est à Paris, puis à Nice, à Lucerne et à Monte-Carlo qu'il a continué à perfectionner son art, avant de s'installer en Angleterre où il a vécu près de trente ans. Décoré de la Légion d'honneur, nommé « empereur des cuisiniers » par l'empereur d'Allemagne Guillaume II, Escoffier a été l'un des chefs qui ont le plus contribué à la renommée de la cuisine française à travers le monde. Ses livres, qui réunissent ses plus célèbres recettes, continuent d'être une référence pour de nombreux professionnels.

2 Fernand Point est né en 1897. Son père dirigeait un hôtel-restaurant à Vienne et sa mère et sa grand-mère étaient aux cuisines. C'est dans de grands hôtels, à Paris et à Évian, que Fernand Point a commencé son apprentissage. En 1924, il est parti rejoindre son père, à Vienne, pour reprendre le restaurant familial, La Pyramide, qui est très rapidement devenu le rendez-vous des gens célèbres de l'époque. Tout en restant classique, il a créé une cuisine fondée sur la qualité des produits et une préparation minutieuse. De nombreux grands chefs actuels ont été ses élèves.

DOSSIER 2

GRAMMAIRE **p. 26**

1 Quels sont les subjonctifs ?

 1 J'espère que vous visiterez bientôt le village de Raymond.
 2 Je souhaite que vous visitiez ce village.
 3 Il est possible que vous veniez à Falicon.
 4 Il est important que vous séjourniez en France.
 5 Je suis sûr que Bernard fait de la bonne cuisine.
 6 Il est indispensable qu'on aille les voir.
 7 J'aimerais que vous soyez plus attentifs.
 8 Je ne doute pas que Laura se fasse vite des copains.
 9 Nous pensons qu'il fait bon vivre dans le Midi.
 10 Il est nécessaire que vous ayez un passeport.

COMMUNIQUEZ **p. 29**

2 Le syndicat d'initiative.

– Qu'est-ce qu'un syndicat d'initiative ?
– C'est une association qui s'occupe des manifestations culturelles et du patrimoine d'une petite ville.
– Quel rôle est-ce qu'il joue dans la vie culturelle ?
– Il joue un rôle important, puisqu'il organise des concerts, des représentations théâtrales, des expositions d'artistes locaux. Il peut aussi proposer des cours de théâtre, de musique, de danse…
– Les personnes qui y travaillent sont bénévoles, n'est-ce pas ?
– Oui. Elles travaillent sans être payées. Et croyez-moi, il faut qu'elles soient très motivées.
Il faut qu'elles fassent partager leur intérêt pour la vie culturelle et pour leur ville, et ce n'est pas toujours facile !
– Quelle différence y a-t-il entre un syndicat d'initiative et un office du tourisme ?
– C'est essentiellement une différence de taille. Le syndicat d'initiative se trouve surtout dans les villages ou les petites villes. L'office de tourisme joue à peu près le même rôle, mais dans des villes importantes. Et les employés sont salariés.
– Pour beaucoup de gens, le syndicat d'initiative a un côté un peu amateur alors que l'office du tourisme paraît plus professionnel. Vous êtes d'accord ?
– Je ne pense pas qu'on puisse nous prendre pour des amateurs. Les gens parlent sans savoir. Je peux vous assurer que nous sommes très actifs et que nous travaillons comme de vrais professionnels.
– Merci. Je suis très heureux que vous ayez pu nous apporter toutes ces précisions.

4 Chez le marchand de meubles.

– Bonjour, Monsieur. Je peux vous aider ?
– Certainement. Je viens de changer d'appartement et il faut que j'achète quelques meubles pour compléter ceux que j'ai déjà.
– Je comprends. Vous cherchez des meubles modernes ? Nous avons aussi de belles copies de meubles anciens.
– Plutôt des meubles modernes. Je ne crois pas que l'ancien aille avec mes autres meubles.
– De quoi avez-vous besoin exactement : de chaises, d'une table, d'un canapé… ?
– J'ai vu que vous aviez des salles à manger en promotion, vous pouvez m'en montrer ?
– Certainement. Tenez, nous avons cet ensemble. Huit chaises, une table, un buffet et deux fauteuils. Nous le laissons à 2 000 euros au lieu de 2 500.
– 2 000 euros. Hum, j'ai peur que ce soit un peu cher.
– C'est une très belle qualité.
– De toute façon, je ne pense pas avoir assez de place pour huit chaises et deux fauteuils. Et le buffet est trop grand.
– Bien. J'ai un autre modèle. Le buffet est plus petit et il n'y a que six chaises. Le voilà. Les finitions sont très belles, également. L'ensemble fait 1 300 euros.
– Ah, oui… oui, c'est vrai. C'est un très bel ensemble. 1 300 euros ? Je ne pensais pas mettre si cher, mais… je vais le prendre.
– Je suis heureuse qu'il vous plaise. Vous souhaitez voir autre chose ?
– Oui. Un canapé pour le salon et une table basse. Ah, une ou deux lampes, également.
– Bien. Tout ça est au fond du magasin. Si vous voulez bien me suivre…

DOSSIER 3

SONS ET LETTRES **p. 42**

1 Distinguez le sens de ces intonations.

 1 Tu pourrais consulter un médecin.
 2 Tu voudrais leur écrire.
 3 On irait voir nos amis.
 4 On passerait quelques jours avec eux.
 5 Tu ferais ça pour moi.

2 Quel sens donnent ces intonations ?

 1 Oui. J'aime cet endroit.
 2 Probablement. J'ai apprécié votre cuisine.
 3 Certainement. J'essaierai de revenir.
 4 Je ferai tout mon possible.
 5 Oui, je reviendrai dès que je le pourrai.

1 Chez le médecin.

LE MÉDECIN : Bonjour, Monsieur Martin, asseyez-vous, je vous en prie. Alors, qu'est-ce qui ne va pas aujourd'hui ?

M. MARTIN : Je me sens très fatigué, nerveux. J'ai des migraines.

LE MÉDECIN : Hum, des migraines... Je vais prendre votre tension... 13/8, c'est parfait. Vous vous sentez un peu stressé en ce moment ? Vous avez des soucis chez vous, au bureau ?

M. MARTIN : Non, non, je n'ai pas de soucis, ni chez moi, ni au bureau. Je penserais plutôt que c'est la pollution.

LE MÉDECIN : La pollution, oui bien sûr, ça pourrait être ça. Vous avez mal aux yeux, à la gorge ? Vous avez pris votre température ?

M. MARTIN : Je n'ai mal ni aux yeux ni à la gorge et je n'ai pas de fièvre. Seulement une grande fatigue et des maux de tête.

LE MÉDECIN : Vous dormez bien ?

M. MARTIN : Non, pas très bien. Il faudrait que vous me donniez quelque chose pour mieux dormir.

LE MÉDECIN : D'accord. Vous ne vous êtes pas remis à fumer ?

M. MARTIN : Non, non !

LE MÉDECIN : Cette fatigue, comment la ressentez-vous ?

M. MARTIN : C'est difficile à dire... Euh... J'ai du mal à me concentrer, au travail. J'ai des trous de mémoire.

LE MÉDECIN : Je vais vous donner du magnésium, en hiver, on en manque souvent, et des pilules pour dormir. Si dans une quinzaine de jours ça ne va pas mieux, vous reviendrez me voir. On fait comme ça ?

M. MARTIN : Oui. Je vous remercie, docteur.

3 Micro-trottoir.

LE JOURNALISTE : C'est important pour vous le bac ?

XAVIER : Bien sûr que c'est important, si on veut poursuivre ses études, ben, il faut l'avoir.

FARIDA : Moi, je trouve que c'est surtout important pour les parents. Chaque fois que je leur demande de sortir, ils me disent de penser au bac. Et encore, je suis en première et je ne passe que l'épreuve de français à la fin de l'année.

LE JOURNALISTE : Ça serait quand même grave, si vous la ratiez, non ?

FARIDA : Ça, oui, ça me ferait perdre des points pour la deuxième partie l'année prochaine en terminale.

LE JOURNALISTE : Et vous, Xavier, quelle est votre opinion ?

XAVIER : Moi, je crois que la sélection se fait trop tôt. Dès la fin de la troisième il faut choisir ses matières à option obligatoires. Quand on rentre en seconde, on sait déjà quelle section on va choisir à l'entrée en première.

LE JOURNALISTE : Il faut quand même une sélection, non ? Tout le monde n'a pas les mêmes goûts, ni les mêmes capacités.

FARIDA : D'accord. Mais quand on entre au lycée, après quatre ans de collège, on n'a que 15 ans et il reste encore trois ans avant le bac. On devrait pouvoir changer d'option en première...

BILAN **p. 48**

3 Compréhension orale.

Aujourd'hui, les familles ne sont pas aussi grandes et aussi unies qu'il y a cinquante ans. On ne garde plus le contact avec tous les membres de sa famille. On choisit ceux qu'on a envie de voir et on ne fréquente pas ceux avec qui les relations ne sont pas bonnes.

En revanche, on peut avoir un petit nombre de bons amis qu'on voit souvent, avec qui on parle de choses personnelles au téléphone et avec qui on part en vacances. Ils deviennent ainsi de véritables membres d'une famille d'un type nouveau fondée sur la qualité des rapports et on aime se retrouver pour former un groupe uni par l'amitié.

DOSSIER 4

SONS ET LETTRES **p. 56**

1 Futur ou conditionnel ?

1 a Les gens viendraient. b Les gens viendront.
2 a Elle se fera des amis. b Elle se ferait des amis.
3 a Nous saurions qui vient. b Nous saurons qui vient.
4 a Vous serez avec nous. b Vous seriez avec nous.
5 a Tu aurais le temps. b Tu auras le temps.

2 Voyelles nasales.

1 Raymond en a pour longtemps chez le médecin ?
2 En attendant, il s'intéresse au monde.
3 Bonjour, Monsieur Lemoine. Je vous dérange ce matin ?
4 Sur l'écran, on voit la maison de Raymond.
5 Ils sont en train de modifier son site à l'écran.

2 Un projet réussi.

LA JOURNALISTE : Monsieur Leroy, pourquoi avez-vous choisi de créer un commerce de musique ?

OLIVIER : J'ai toujours su que je créerais mon entreprise un jour ou l'autre. L'occasion s'est présentée un peu plus tôt que prévu.

LA JOURNALISTE : Parlez-nous de votre expérience.

OLIVIER : Après mes études dans une école de commerce et différents stages, j'ai travaillé comme chef de produits dans une entreprise de peinture.

LA JOURNALISTE : C'est loin de la musique, la peinture !

OLIVIER : Oui, mais j'ai toujours été un passionné de musique.

LA JOURNALISTE : Vous êtes Lyonnais, pourquoi avoir choisi Arles ?

OLIVIER : J'aime beaucoup la région et, un jour, en me promenant dans le centre-ville, j'ai vu une annonce de boutique à vendre. J'ai tout de suite aimé l'endroit.

LA JOURNALISTE : Vous aviez assez d'argent pour acheter un magasin ?

OLIVIER : Non, absolument pas... J'ai fait une étude : il y a peu de magasins de musique en ville et je me suis aussi rendu compte qu'il y avait des cours privés qui enseignaient la musique et que plusieurs professeurs donnaient des leçons particulières. C'est ce qui m'a décidé.

LA JOURNALISTE : Vous êtes allé voir des banques pour un prêt ?

OLIVIER : Oui. J'ai d'abord vu des banquiers qui ont refusé. Je ne me suis pas découragé. J'ai fini par en trouver un qui m'a prêté l'argent nécessaire.

LA JOURNALISTE : Les débuts ont été difficiles ?

OLIVIER : Oh oui ! J'avais mon emprunt à rembourser, le loyer, le stock à constituer... J'ai mal dormi un certain nombre de nuits ! Mais c'est normal. J'ai lancé le magasin en faisant des promotions sur les disques, en contactant les écoles, les professeurs. J'ai créé un site Internet. Et, petit à petit, la clientèle est venue.

LA JOURNALISTE : Vous ne regrettez pas l'aventure, ni les difficultés du début ?

OLIVIER : Ah non, pas du tout, si c'était à refaire, je le referais !

4 À propos d'Internet...

Interview 1

Yann, 21 ans, étudiant en espagnol.

Mardi dernier, j'ai bavardé avec des internautes à Montréal et à Philadelphie. Ils m'ont dit qu'ils passaient beaucoup de temps sur ces forums de discussion. Je trouve ça génial de parler librement de tout et de rien avec des inconnus du monde entier. Mes parents m'ont bien demandé de leur chercher des informations, des données, et je l'ai fait, mais ce que je préfère, c'est cette communication directe, où on peut se laisser aller, choisir les gens, sans que cela ait de conséquence. Je ne suis pas encore équipé en informatique, mais je vais souvent dans les cybercafés. En fait, je suis plus amusé que passionné par Internet. Le plus important pour moi actuellement, c'est de sortir, faire du sport et voir mes copains. Mais je sais qu'Internet, c'est le moyen de communication du XXIe siècle.

Interview 2

Stéphanie, 24 ans, journaliste au magazine de cinéma *Première*.

Il y a un an que je me suis familiarisée avec Internet. Avant, cet univers me paraissait très technique, plutôt masculin. On me disait que ça ne me conviendrait pas. En fait, il n'y a rien de plus facile, et c'est plutôt amusant. J'ai commencé par être stagiaire au service web d'une revue de cinéma. Ensuite, on m'a demandé si je voulais animer le forum du site. J'ai accepté, et on m'a recrutée comme journaliste.

Pour moi, Internet, c'est d'abord un formidable outil de travail. J'y passe plus de la moitié de mon temps. Même en passant des heures au téléphone, on ne peut jamais parler plus de dix minutes avec les vedettes de cinéma. Sur le web, j'arrive à trouver énormément d'informations sur les stars, mais aussi sur des jeunes complètement inconnus. Et, même si les connexions sont parfois très longues à obtenir, quel plaisir quand je trouve des photos jamais publiées d'un tournage de film réalisé en Chine !

Interview 3

Thomas, 24 ans, étudiant dans une école d'ingénieur.

L'informatique, j'ai connu ça tout petit puisque mon père est informaticien. Il m'a dit que c'était aussi facile qu'un jeu, et à dix ans, il m'installait devant un écran. Lorsque j'étais étudiant, on m'a demandé de construire le site de mon université. J'ai travaillé dans des cybercafés pour me faire de l'argent de poche. Aujourd'hui, j'anime le site des anciens élèves de mon école. Je me sers plus de mon ordinateur que de mon téléphone. J'ai des cybercopains tout autour de la planète et mon courrier électronique est plein de messages. Il y a des gens qui disent que le réseau enferme les jeunes dans un monde virtuel. Je pense que c'est au contraire une formidable ouverture sur la vie réelle. Quand je veux sortir, je consulte le site d'une boîte de nuit et je peux voir en direct ce qui s'y passe.

DOSSIER 5

SONS ET LETTRES **p. 70**

2 Le son [ʝ] en finale.
1 Pierre se débrouille bien.
2 D'un coup d'œil il évalue le travail.
3 La nouvelle chaudière est un bon appareil.
4 Leur fille est très gentille.
5 De son fauteuil, Joseph surveille sa famille.

COMMUNIQUEZ **p. 71**

2 Les croissants.
– Garçon, s'il vous plaît, je voudrais un café-crème avec deux croissants.
– Je m'excuse, Monsieur, on n'a plus de croissants.
– Ah… ben, ça ne fait rien, alors, vous avez tout simplement un café, alors, hein, c'est ça, un p'tit café, alors, avec deux croissants.
– Je me suis mal exprimé, je viens de vous dire que nous n'avions plus de croissants. On s'est laissé surprendre, ce matin, on n'a plus du tout de croissants.
– Ah, mais ça change tout alors, ça change tout, je vais prendre autre chose alors, donnez-moi un petit verre de lait, vous avez du lait ?, un verre de lait… avec deux croissants.
– Je viens de vous dire que nous n'en avions plus, de croissants. Des brioches, oui, mais des croissants, non, vous savez les croissants… y a plus de croissants, c'est terminé les croissants !
– Faut pas vous énerver pour ça, ça ne fait rien, mais je vous félicite de votre conscience professionnelle, je prendrai autre chose, n'importe quoi, ce que vous voulez, je ne suis pas le client embêtant, moi, je prendrai ce que vous voulez, je peux pas mieux vous dire, je sais pas moi, du thé, du chocolat au lait, vous avez du thé ? Donnez-moi une petite tasse de thé alors, avec deux croissants.

4 Leur premier jour de travail.
Interview 1
Marie-José Meudec, 32 ans, est vendeuse dans une boutique de vêtements.
« Je garde un super souvenir de ma première journée de travail. Un jour, j'ai lu une annonce pour une boutique où on demandait une jeune fille présentant bien, parlant anglais et aimant les vêtements à la mode. C'était moi. La patronne de la boutique avait à peu près le même âge que moi et on a eu un bon contact immédiat. C'était une boutique très à la mode aux Halles. Dès le premier jour, j'ai eu pour cliente une chanteuse et une présentatrice de télévision. Je me suis sentie très à l'aise et tout à fait dans mon élément. D'ailleurs, je n'ai pas changé de métier… »
Interview 2
Christiane Simon, 52 ans, est assistante de direction dans une entreprise. Elle a commencé à travailler il y a 34 ans.
« Après mon diplôme de secrétaire, j'ai été embauchée comme standardiste dans une petite usine de jouets. Les bureaux étaient sombres et encombrés de cartons. Et en plus, il y avait du bruit, on n'était pas loin des machines. Le jour de mon arrivée, le patron m'a appelée dans son bureau. Il m'a dit que la personne qui téléphonait à notre société devait toujours se sentir bienvenue. Que j'étais son premier contact et qu'elle devait entendre mon sourire. J'étais dans l'ambiance ! Ce qu'il n'a jamais su, c'est que les premiers jours, à chaque fois que j'entendais le téléphone, je me sauvais. C'est une collègue qui répondait à ma place. C'est devenu une amie… »
Interview 3
Xavier Rousseau, 22 ans, étudiant en droit, a déjà fait plusieurs stages en entreprise.
« Après avoir passé ma licence en droit j'ai voulu faire un stage au service juridique d'une entreprise. Ça n'a pas été facile. Finalement, j'ai été choisi parmi une trentaine d'étudiants dans une entreprise de publicité. Je connaissais déjà les lieux, mais ce n'est pas la même chose de venir dans un endroit pour un entretien et d'y venir pour travailler. J'ai tout de suite aimé le cadre : plantes vertes, grandes fenêtres, beaux bureaux. Mes futurs collègues ne se sont pas vraiment occupés de moi. Trop de travail. Des réunions. Des urgences. Le chef de service était en séminaire. Bref, le premier jour je n'ai fait grand-chose, mais j'ai eu envie d'y retourner le lendemain. Et finalement, ça s'est bien passé. »

DOSSIER 6

SONS ET LETTRES **p. 84**

2 Quelle est la cause de l'accord ?
a On était déjà venus dans la région.
b Voilà la maison qu'on avait vue.
c Nos amis nous en avaient parlé.
d Ah, si on l'avait achetée !
e On était pourtant bien décidés à l'acheter.
f Oui, mais on n'en avait pas assez discuté à l'époque.

COMMUNIQUEZ **p. 85**

2 Profession : promoteur.
– Promoteur, c'est le métier qui vous faisait rêver ?
– Non, je voulais être architecte. Mais il y a des problèmes d'emploi dans cette profession, alors j'ai changé de direction tout en restant dans le même domaine.
– En quoi consiste votre métier ?
– Oh, c'est un métier très varié. Nous suivons un projet de construction depuis sa conception jusqu'à sa réalisation et à sa commercialisation. C'est-à-dire qu'il faut que nous soyons techniciens pour nous assurer que les travaux sont bien faits, financiers pour trouver l'argent nécessaire et commerçants pour vendre les maisons ou les appartements.
– C'est très complexe !
– Oui, mais plus c'est difficile, plus j'apprends de choses nouvelles, et c'est ce qui est passionnant.
– Vous avez de longues journées ?
– Oui, longues et variées. Par exemple, je peux commencer par une réunion de chantier le matin de bonne heure, discuter ensuite avec des architectes, puis essayer d'obtenir un permis de construire à la mairie, et tout ça dans la même journée.
– Quelle formation avez-vous ?
– J'avais étudié l'architecture pendant trois ans avant de faire une école de commerce.
– Je suis sûre que vous gagnez bien votre vie.
– Non, pas vraiment. C'est un métier qui rapporte de moins en moins. Je suis arrivé sur le marché immobilier au mauvais moment. Mais j'aime mon métier. Il faut être créatif et attentif à tout ce qui se passe autour de vous. Ma vraie motivation, c'est le plaisir que j'ai à faire ce métier.

4 Critiques de films.
1 Je doute que vous trouviez ça drôle. Et c'est tellement attendu, fabriqué…
2 Si vous n'avez pas encore vu cette excellente adaptation d'un roman de Robert Sabatier, c'est le moment ou jamais.
3 Une des belles réussites du réalisateur, légère mais plaisante. L'intrigue n'en est pas le point fort, mais ce n'est pas le plus important.
4 On tire beaucoup de plaisir de cette bonne production, très bien écrite et filmée et jouée par deux excellents acteurs.
5 Le film ne marquera pas une date dans l'histoire du cinéma, mais le spectacle est assez agréable.
6 Il s'agit d'un magnifique film noir, d'une saisissante cohérence stylistique et thématique.
7 L'histoire policière est tellement sombre qu'on n'y comprend pas grand-chose et qu'on se dit que tout ça n'a aucune importance.
8 Un des plus beaux films sans doute jamais réalisés. Et sans avoir l'air d'y toucher, ce qui est encore plus fort.
9 Comment peut-on dépenser tant d'argent pour un résultat aussi mauvais !

BILAN **p. 90**

2 Compréhension orale.
Un employé italien de la compagnie du tunnel, M. Tinazzi, âgé de 33 ans, a sauvé dix personnes avec sa moto, avant d'être lui-même victime de l'incendie. Le directeur de la société italienne qui exploite le tunnel a rendu hommage à son courage et à son sens du devoir qui lui ont coûté la vie. D'importants travaux de modernisation avaient été réalisés en 1990, en particulier la construction de 18 refuges espacés de 600 mètres. Mais le tunnel est ancien : il date des années 50 et ces travaux restaient insuffisants pour assurer la sécurité des passagers. Des spécialistes avaient déjà signalé qu'il n'y avait pas de tunnel de service pour permettre les secours d'urgence ni de système de ventilation efficace pour faire partir la fumée.

DOSSIER 7

SONS ET LETTRES **p. 98**

1 Faites la différence.
1 Tu viens danser ? Tu viens de danser ?

Transcriptions

2 Je lui ai envoyé. Je le lui ai envoyé.
3 Vous me montrez vos photos ? Vous montrez vos photos ?
4 Il l'avait donné. Il l'avait donné.
5 Il faudrait leur dire. Il faudrait le leur dire.

COMMUNIQUEZ **p. 99**

2 Les Français et les médias.

1 Moi, je ne lis jamais de journaux. J'achète un magazine de temps en temps. Quelquefois, j'en lis chez le coiffeur. Mais je ne rate jamais les informations de 20 heures. J'écoute la radio dans ma voiture. Je n'ai pas d'ordinateur. Peut-être l'année prochaine…

2 Au bureau, on est abonnés au *Figaro* et au *Monde*. Je les lis tous les jours. Pas tout, bien sûr. Ça dépend de l'actualité. Je suis abonné à un magazine d'art, un mensuel. Quand je suis chez moi, je regarde le journal de 20 heures à la télévision. Mais je rentre souvent tard, alors j'écoute la radio dans la voiture ou avant de me coucher pour avoir les dernières nouvelles du jour. Je suis branché sur Internet, mais je ne m'en sers pas pour m'informer.

3 Je n'achète presque jamais de quotidiens, mais je suis abonné à deux magazines d'informations générales. Si vraiment il y a une actualité très brûlante, j'achète *Libération* ou *Le Monde*. Comme je ne travaille pas, je regarde les informations au journal de 13 heures et à 20 heures, aussi. Si je mets la radio, c'est pour écouter de la musique, pas les nouvelles. J'ai un ordinateur chez moi et je pense me brancher sur Internet prochainement, mais je ne suis pas sûr que je suivrai les informations sur le réseau.

4 Je lis tout, je regarde tout, j'écoute tout. Je suis une passionnée de l'information. Je passe deux heures par jour à lire des quotidiens ou des magazines. Je prends mon petit-déjeuner en écoutant France Info. À la télévision, je regarde souvent LCI, la chaîne d'informations continues, j'essaye aussi de regarder des journaux télévisés étrangers, même si mon anglais n'est pas parfait. Je ne suis pas encore branchée Internet, mais c'est prévu pour cette année.
Et je l'utiliserai pour suivre les informations !

4 Brèves…

L'année commence bien pour le marché automobile français qui a vu ses ventes augmenter de 13 % au mois de février. Les constructeurs français sont bien placés puisque les ventes de voitures de marques françaises atteignent 57 %. L'effort que les grandes marques ont fait sur la politique des prix aura donc été utile.
France Telecom annonce la baisse de certains de ses tarifs à partir d'aujourd'hui. Moins 10 % pour les communications internationales et moins 11 % pour les appels longue distance en France. Les horaires qui ont déjà des tarifs réduits ne changent pas.
Mais la demande des usagers concernant la baisse du prix de l'abonnement n'aura pas été entendue puisqu'il augmente de 10 F.
La France est l'un des premiers pays à avoir signé le traité sur la suppression des mines antipersonnel qui ont déjà tué plus d'un million de personnes dans le monde. On espère que beaucoup d'autres pays auront signé avant l'été et, en particulier, que les pays qui fabriquent ces mines et qui refusent de signer ce traité auront changé d'avis.

DOSSIER 8

SONS ET LETTRES **p. 112**

2 Intonation : s'inquiéter et rassurer.

1 – Il n'est pas encore rentré… – Ne t'inquiète pas, il va arriver.
2 – Il est parti seul faire du ski… – Rassure-toi, il n'y a pas de danger.
3 – Je lui avais pourtant dit de ne pas y aller… – Arrête, il n'y a pas de quoi s'inquiéter.
4 – L'heure avance et il n'est toujours pas là… – Puisque je te dis qu'il ne court aucun risque.
5 – J'ai peur qu'il lui soit arrivé quelque chose… – Mais non, il a dû rencontrer quelqu'un.

COMMUNIQUEZ **p. 113**

2 Une bonne recette.

Recette des petits farcis
Coupez la partie supérieure des tomates, des courgettes rondes et des oignons, et partagez en deux des aubergines et des poivrons. Évidez soigneusement les légumes en gardant l'intérieur. Faites cuire pendant une bonne heure 500 g de viande de bœuf, 2 oignons et un verre de vin rouge, et hachez le tout en rajoutant l'intérieur des légumes, du persil haché, 3 gousses d'ail écrasé, 2 œufs, 50 g de parmesan râpé, du sel et du poivre. Remplissez les légumes avec la farce ainsi obtenue, recouvrez de chapelure et d'un filet d'huile et faites cuire une demi-heure au four. Les farcis pourront être consommés chauds ou froids.

4 Le discours du maire.

Mes chers concitoyens. Je suis heureux que nous soyons réunis à nouveau pour notre fête annuelle qui a toujours le même succès. Une fois encore, nous avons pu y faire venir de nombreux artisans de la région. C'est parce que vous participez de plus en plus activement aux préparatifs de cette fête que nous pouvons continuer une tradition ancienne de plus d'un demi-siècle. Je voudrais profiter de votre présence pour rendre hommage à ceux qui animent la vie culturelle de notre commune car c'est grâce à leur dévouement et à leur compétence qu'elle existe. C'est d'abord au conseil municipal que vont mes remerciements les plus chaleureux car, sans lui, rien ne serait possible. Je voudrais aussi remercier M. Lacoste, responsable du syndicat d'initiative, et son équipe, tous bénévoles, comme vous le savez, et qui ont tous envie de faire connaître notre culture et notre patrimoine. Patrimoine qui s'est enrichi récemment. En effet, nous venons d'acquérir un tableau d'un jeune artiste-peintre ayant beaucoup de talent et qui vient de s'installer à Falicon. Je ne vous dis pas son nom. Vous le découvrirez en venant admirer son œuvre dans la grande salle de la mairie. Je vous remercie de votre attention et souhaite à toutes et à tous une très bonne soirée.

DOSSIER 9

SONS ET LETTRES **p. 126**

2 De quel acte de parole s'agit-il ?

1 Tu n'aurais pas dû dire ça !
2 On aurait pu leur écrire !
3 J'aurais pu y penser tout seul !
4 On aurait dû les en empêcher !
5 Vous auriez pu faire attention !

COMMUNIQUEZ **p. 127**

2 Notre grand sondage sur les jeunes.

LA JOURNALISTE : Est-ce que vous avez l'impression de vivre la plus belle époque de votre vie ?
DJAMEL : Moi, oui, parce qu'on n'a pas encore vraiment de soucis ni de responsabilités…
LAURENCE : Eh bien moi, je ne trouve pas. Parce qu'il y a le lycée, les examens, le choix d'une orientation… Moi, je ne sais même pas encore ce que je veux faire, alors…
ÉRIC : Oui, mais, les études, les examens, c'est normal, ça. Mais on a des copains, on aime rire, il a raison Djamel, on n'a pas encore de vraies responsabilités !
LA JOURNALISTE : Est-ce que vous auriez aimé vivre à une autre époque ? Celle-ci vous semble-t-elle particulièrement difficile pour les jeunes ?
DJAMEL : Non, moi je n'aurais pas aimé vivre à une autre époque. Bien sûr, il y a le sida, le chômage, la pauvreté, ça fait peur, mais chaque époque a eu ses problèmes.
LAURENCE : Oui, je suis d'accord. Nos parents, ils avaient pas forcément plus de chance. Ma mère, elle, n'avait pas d'argent de poche et puis ses parents ne lui auraient jamais laissé la liberté que j'ai.
ÉRIC : Ouais, peut-être, mais les gens respectaient plus les valeurs morales. Je trouve que la société actuelle est de plus en plus violente et raciste, et ça, c'est dangereux.
LA JOURNALISTE : En parlant de valeurs, qu'est-ce qui est important pour vous ?
LAURENCE : Pour moi, c'est l'amitié. Le respect de l'autre et… euh, l'égalité. Tout le monde devrait avoir les mêmes chances au départ.
DJAMEL : Ah oui, pour moi aussi, l'amitié c'est vraiment ce qu'il y a de plus important. Et puis la famille et les droits de l'homme.
ÉRIC : Je suis d'accord, mais il y a l'amour et le travail, ça compte aussi.
LA JOURNALISTE : Si je vous dis : La défense des droits des travailleurs, la lutte contre le racisme, la défense de la démocratie, la lutte contre l'exclusion, qu'est-ce que vous mettriez en premier ?
DJAMEL : La lutte contre le racisme et contre l'exclusion.
LAURENCE : Il y a un an ou deux, j'aurais mis la lutte contre le racisme en premier. Maintenant, c'est la lutte contre l'exclusion que je mettrais. Il y a de plus en plus de gens qui dorment dans

la rue et qui n'ont rien à manger, à notre époque, ce n'est pas normal.

ÉRIC : Oui, mais pour qu'il n'y ait plus de racisme ni d'exclusion, pour que tout le monde ait du travail, il faut qu'on vive dans une vraie démocratie, alors c'est peut-être ce que je mettrais en premier.

4 Conversation.

PAUL : Allô, Pierre ? C'est Paul.

PIERRE : Paul. Quelle bonne surprise. Je suis content de t'entendre. Il y a si longtemps. Où es-tu ?

PAUL : À Paris pour quelques jours.

PIERRE : À Paris ? Mais pourquoi tu ne m'as pas prévenu que tu venais ? On aurait pu arranger quelque chose. Malheureusement, je pars ce soir.

PAUL : Je suis désolé. J'aurais voulu t'appeler avant de venir. Mais j'ai eu tellement de travail.

PIERRE : Du travail ! Parlons-en ! Tu sais que je risque de ne plus en avoir bientôt.

PAUL : Ce n'est pas vrai ? Qu'est-ce qui se passe ?

PIERRE : L'entreprise a des difficultés. D'ailleurs c'est normal, ça fait des mois que les patrons font n'importe quoi.

PAUL : J'espère que ça va s'arranger… Tu aurais dû faire comme moi et venir t'installer en province.

PIERRE : Peut-être… En parlant de province, tu ne m'as pas dit pourquoi tu étais à Paris.

PAUL : Ma fille se marie.

PIERRE : Déjà, mais quel âge elle a ?

PAUL : Vingt-cinq ans.

PIERRE : Vingt-cinq ans ! Qu'est-ce que le temps passe !

PAUL : Oui ! À propos de temps qui passe, tu es sûr qu'on ne pourra pas se voir d'ici ce soir ?

PIERRE : Si, si. Je vais m'arranger. Laisse-moi ton numéro, je te rappelle.

BILAN p. 132

2 Compréhension orale.

Les télétravailleurs ont remplacé leur voiture par un ordinateur. Ce sont des gens qui exercent leur profession à distance et qui n'ont d'autre bureau que leur appartement ou leur maison. Ils ne sont pas tous salariés, la plupart sont des travailleurs indépendants. Secrétaires, formateurs, traducteurs, documentalistes, graphistes ou animateurs de sites à distance, ils utilisent le réseau pour communiquer avec leurs clients et transmettre leurs travaux.

Pour sortir de leur isolement, certains s'adressent à des entreprises virtuelles. Cyberworkers est l'une d'elles. On y trouve un « coin café », un forum en ligne où l'on peut venir télédiscuter à partir de 20 heures et où, certains jours, une réunion est programmée. Une bibliothèque permet de télécharger les derniers ouvrages utiles. Un kiosque rassemble les dernières nouvelles en matière de télétravail et l'on y trouve aussi une liste de bureaux… virtuels eux aussi.

DOSSIER 10

COMMUNIQUEZ p. 141

2 Que la fête commence !

– Monsieur Martin, je crois que vous avez créé votre agence d'événements dans les années soixante-dix ?

– Oui, en 1972, précisément.

– Pouvez-vous nous dire en quelques mots quels sont les services que votre agence propose dans la préparation d'un mariage ?

– Certaines personnes viennent nous voir pour nous demander de nous occuper de tout : des fleurs à la musique, en passant par le menu, la location de voitures, un photographe… d'autres ne viennent que pour un seul point, par exemple la location d'un orchestre ou la commande d'un feu d'artifice. Nous offrons vraiment un service à la carte.

– Beaucoup de mariages se font sans passer par une agence d'événements.

– Tout à fait. Mais en trente ans, j'ai vu une nette évolution. Et de plus en plus de familles confient l'organisation de cette journée à des professionnels.

– En parlant d'évolution, vous êtes bien placé pour nous parler de l'évolution du mariage depuis vos débuts. Nous sommes au mois de juin, est-ce toujours le mois des mariages ?

– Oui, 60 % des mariages sont célébrés entre juin et septembre, avec deux fortes pointes en juin et en septembre.

– À cause du beau temps ?

– Oui, à cause du climat, des vacances… mais aussi pour des raisons de superstition. Il y a des mois où on dit qu'il ne faut pas se marier. Les mois de mai et de novembre par exemple…

– Les gens se marient de plus en plus tard et de moins en moins. Vous l'avez constaté ?

– Oui, bien sûr. Cependant le nombre de mariages a augmenté en 1996 et 1997.

– Mais les gens se marient de moins en moins à l'église…

– C'est exact. Mais ceux qui se marient à l'église le font pour des raisons profondes et réfléchies plus que pour des raisons d'habitudes culturelles.

– Est-ce que les traditions se respectent encore ?

– Absolument. Par exemple, les jeunes filles refusent souvent de louer leur robe de mariée, et, même si elles ne rêvent pas toutes de robes de « princesse », elles tiennent à conserver ce symbole. Et le blanc domine toujours, même si le rose ou le beige ont fait leur apparition. J'ajouterai l'importance des photos, le désir d'un jour inoubliable, du « plus beau jour de la vie »…

– Même si un tiers des Français divorce, près de la moitié dans les grandes villes ?

– Le divorce ne fait pas partie de ma spécialité.

– Monsieur Martin, je vous remercie.

3 Une belle histoire.

LE JOURNALISTE : Stéphanie a 25 ans, Antoine, 26. Dans quelques mois ils diront *oui* à monsieur le maire. Une histoire d'amour comme il y en a tant d'autres, me direz-vous. Oui, sauf que cet amour a commencé tôt. Du moins pour Antoine.

ANTOINE : Je me souviens, j'avais 16 ans, c'était au lycée. J'ai vu Stéphanie et j'ai tout de suite eu le coup de foudre, mais je n'ai pas osé le lui dire, on n'était pas dans la même classe et j'étais timide…

LE JOURNALISTE : Études à Paris pour Stéphanie, service militaire pour Antoine, la vie sépare ceux qui s'aiment… et les réunit aussi, parfois… C'est au cours d'une soirée chez des amis, au Havre, où tous deux sont retournés pour chercher un emploi, qu'ils se sont retrouvés dix ans plus tard.

STÉPHANIE : Je l'ai à peine reconnu, mais je l'ai regardé…

LE JOURNALISTE : Rires, regards complices, souvenirs, souvenirs…

ANTOINE : Moi, j'ai ressenti exactement ce que j'avais ressenti dix ans plus tôt. Alors, je lui ai tout dit : comment j'étais tombé amoureux d'elle dès que je l'avais vue, comment je l'attendais pour la voir passer, les renseignements que je demandais aux copains…

STÉPHANIE : Il m'a presque demandée en mariage à la fin de la soirée.

LE JOURNALISTE : Ce soir-là, ils se sont découverts, il leur reste toute la vie pour se connaître…

DOSSIER 11

SONS ET LETTRES p. 154

1 Le *h* aspiré.

1 Le héros et l'héroïne du film étaient en Hollande.

2 Ils étaient par hasard dans le hall de l'hôtel.

3 La hauteur du hall était impressionnante.

4 Ils sont allés dehors.

5 Une voiture les a heurtés et ils se sont mis à hurler.

COMMUNIQUEZ p. 155

2 Art.

MARC : […] Tu as vu Serge ces derniers jours ?

YVAN : Pas vu. Et toi ?

MARC : Vu hier.

YVAN : En forme ?

MARC : Très. Il vient de s'acheter un tableau.

YVAN : Ah bon ?

MARC : Mmm.

YVAN : Beau ?

MARC : Blanc.

YVAN : Blanc ?

MARC : Blanc. Représente-toi une toile d'environ un mètre soixante sur un mètre vingt… fond blanc… entièrement blanc… en diagonale, de fines rayures transversales blanches… tu vois… et peut-être une ligne horizontale blanche en complément, vers le bas…

YVAN : Comment tu les vois ?

MARC : Pardon ?

YVAN : Les lignes blanches. Puisque le fond est blanc, comment tu vois les lignes ?

MARC : Parce que je les vois. Parce que mettons que les lignes soient légèrement grises, ou l'inverse, enfin il y a des nuances dans le blanc ! Le blanc est plus ou moins blanc !

YVAN : Ne t'énerve pas. Pourquoi tu t'énerves ?

MARC : Tu cherches tout de suite la petite bête. Tu ne me laisses

pas finir !
YVAN : Bon. Alors ?
MARC : Bon. Donc, tu vois le tableau.
YVAN : Je vois.
MARC : Maintenant tu vas deviner combien Serge l'a payé.
YVAN : Qui est le peintre ?
MARC : Antrios. Tu connais ?
YVAN : Non. Il est coté ?
MARC : J'étais sûr que tu poserais cette question !
YVAN : Logique…
MARC : Non, ce n'est pas logique…
YVAN : C'est logique, tu me demandes de deviner le prix, tu sais bien que le prix est en fonction de la cote du peintre…
MARC : Je ne te demande pas d'évaluer ce tableau en fonction de tel ou tel critère, je ne demande pas une évaluation professionnelle, je te demande ce que toi Yvan, tu donnerais pour un tableau blanc agrémenté de quelques rayures transversales blanc cassé.
YVAN : Zéro centime.
MARC : Bien. Et Serge ? Articule un chiffre au hasard.
YVAN : Dix mille.
MARC : Ah ! Ah !
YVAN : Cinquante mille.
MARC : Ah ! Ah !
YVAN : Cent mille…
MARC : Vas-y…
YVAN : Quinze ?… Vingt ?!…
MARC : Vingt. Vingt briques.
YVAN : Non ?!
MARC : Si.
YVAN : Vingt briques ??!
MARC : … vingt briques.
YVAN : … Il est dingue !…
MARC : N'est-ce pas ?
© Yasmina Reza, Art.

4 Les conseils d'un assureur.
– Monsieur Delarue, quelles sont les principales causes des accidents de la route ?
– Elles sont essentiellement humaines. Bien sûr, une voiture en mauvais état ajoute au risque, mais seulement 2 % des accidents seraient dus à des problèmes mécaniques. Et, grâce au « contrôle technique » obligatoire des voitures tous les deux ans, on ne voit plus de voitures en très mauvais état.
– La vitesse est toujours la cause numéro un des accidents graves, n'est-ce pas ?
– Oui, hélas. Malgré toutes les campagnes de prévention routière dont je suis un grand défenseur, les limitations de vitesse ne sont pas encore suffisamment respectées. L'excès de vitesse est une cause à laquelle il faut souvent ajouter la fatigue et l'alcool…
– J'aimerais que vous nous parliez en particulier des accidents des deux-roues.
– C'est un problème douloureux puisque ce sont surtout les adolescents qui en sont victimes. Je n'entrerai pas dans le détail des chiffres, mais sachez seulement que, depuis 1996, le nombre d'accidents a encore augmenté.
– La vitesse, toujours ?
– Oui, la vitesse et l'imprudence. Les adolescents ont besoin de s'affirmer. C'est pour cela qu'ils roulent vite, qu'ils prennent des risques et qu'ils ne respectent pas toujours les règles. Une vespa, un vélomoteur, une moto ne sont pas seulement pour eux des moyens de transport. Ce sont des objets auxquels ils s'identifient et qui leur permettent de s'affirmer dans la société.
– On ne peut pas changer l'adolescence. Alors que peut-on faire ?
– Prévenir, informer, contrôler… et punir aussi, dans le propre intérêt des jeunes. N'oublions pas qu'un conducteur de deux-roues a sept fois plus de risques d'être tué qu'un conducteur de voiture !

DOSSIER 12

SONS ET LETTRES **p. 168**

1 Discrimination : e caduc et groupes de consonnes.
1 Je vais me marier.
2 Il l'a dit ! Il l'aime ! Je te dirai tout ce qu'il a dit.
3 Ne me dis rien au téléphone. Je vais aller te trouver.
4 Je n'arrête pas de dire qu'il le savait depuis longtemps !
5 Tu le lui rappelleras quand tu le féliciteras.

COMMUNIQUEZ **p. 169**

2 La bourse aux idées.
– Bonjour, Monsieur Bontemps. Votre entreprise offre 2 000 euros aux lauréats de la bourse aux idées que vous venez de créer. Alors, première question, combien de personnes récompensez-vous ?
– Nous avons choisi, pour la première année, de récompenser deux lauréats.
– Qui se partagent la somme de 2 000 euros ?
– Mais non. Nous offrons 2 000 euros à chacun des deux lauréats.
– Sur quels critères se fondent vos choix ?
– Nous demandons que le projet présenté soit original, fiable, très bien documenté, et qu'il corresponde à un vrai besoin.
– Le thème de cette année est bien la ville ?
– Plus précisément, nous cherchons des idées pour améliorer la qualité de vie des habitants des villes soumis au stress, au manque de temps, à la pollution, aux problèmes de transport…
– J'ai cru comprendre que ces bourses étaient ouvertes à tout le monde.
– Oui et non. C'est vrai que nous n'avons pas mis de limite d'âge. Nous demandons néanmoins un CV et une lettre d'intention, qui est un résumé du projet et qui doit faire la preuve d'une réflexion sérieuse. C'est une façon de sélectionner…
– Et selon vos impressions, à la lecture de ces deux documents, vous étudiez le dossier ou pas ?
– Précisons d'abord que je ne suis pas le seul à lire les dossiers. Nous faisons appel à des professionnels pour les analyser.
– Comment les évaluez-vous ?
– En fonction de l'originalité des idées et des possibilités de réalisation pratique.
– Est-ce que vous avez un exemple ?
– Tout à fait. Je viens de lire un dossier qui traite de la lutte contre le bruit. Je peux vous assurer qu'il y a beaucoup d'idées à mettre en œuvre.
– J'aimerais vous poser une dernière question. Vous récompensez l'auteur des projets, c'est bien, mais après… ?
– Il est prévu dans les statuts du règlement que les idées retenues seront présentées à des responsables des domaines concernés. Et nous continuons à nous intéresser à nos lauréats après la remise des bourses.
– Monsieur Bontemps, je vous remercie pour toutes ces informations.

4 La soirée karaoké.
INT. JOUR-CAFÉ
Laura travaille à l'ordinateur. Frédéric arrive dans le café et vient l'embrasser.
FRÉDÉRIC   Alors, tu as demandé à tes parents ?
LAURA   Oui. Ils veulent bien. Mais à condition qu'on fasse la soirée un lundi soir.
FRÉDÉRIC   Un lundi ? Je crois pas que ça pose de problème. J'en ai déjà un peu parlé autour de moi. Pour l'instant, on est une quarantaine.
LAURA   Quoi ! Tu aurais quand même pu attendre que je te dise qu'ils étaient d'accord !
FRÉDÉRIC   J'étais pas inquiet. Ils sont tellement sympa, tes parents ! J'ai téléphoné à Olivier, tu sais mon copain musicien dont je t'ai parlé. Il vient samedi avec son matériel. Un vrai pro. Ça va faire du bruit.
LAURA   Justement, en parlant de bruit, il faudra y aller doucement. En principe, on n'a pas le droit de faire une soirée publique le jour de la fermeture.
FRÉDÉRIC   Ce n'est pas une soirée publique. T'invites des copains pour fêter ton bac !
LAURA   Hum… T'expliqueras ça aux voisins.

BILAN **p. 174**

3 Compréhension orale.
Les Français et les langues étrangères
50 % des Français de 15 ans et plus estiment n'avoir aucune connaissance utilisable de langue étrangère. 36 % ont des notions d'anglais, 14 % d'espagnol, 11 % d'allemand. L'espagnol a remplacé l'allemand comme deuxième langue dans les lycées et les collèges depuis la deuxième moitié des années soixante-dix. La pratique varie beaucoup selon les groupes sociaux. Seuls 18 % des cadres et professions intellectuelles supérieures en activité estiment n'avoir aucune connaissance de langue étrangère utilisable, contre 75 % des ouvriers.

MÉMENTO GRAMMATICAL

■ LA PHRASE SIMPLE ET SES TRANSFORMATIONS.

On se reportera au mémento grammatical de *Reflets 1*, p. 217, pour les notions de base sur les transformations interrogative, négative et exclamative.

1 La transformation passive (voir p. 69)

Auteur de l'action (sujet) *Les Lemoine*	Action (verbe) *préparent*	Objet de l'action (COD) *la soirée.*
→ *La soirée* Objet de l'action (sujet)	*est préparée* Action (verbe au passif)	*par les Lemoine.* Auteur de l'action (complément d'agent)

> ❗ La transformation passive n'est possible que si le verbe actif admet un COD. L'objet de l'action (le COD) est mis en valeur en tête de la phrase passive.

> ❗ S'il n'est pas important, l'agent (le sujet de la phrase active) peut être supprimé :
> → *La soirée est préparée.* (Équivalent de sens = On prépare la soirée.)

> ❗ Avec les verbes *pouvoir, devoir, vouloir*, c'est l'infinitif qui se met au passif :
> → *Les affiches peuvent être imprimées tout de suite.*

• Verbes pronominaux de sens passif

En général, les verbes pronominaux ne peuvent pas se mettre au passif.
Cependant, certains verbes pronominaux peuvent être l'équivalent d'un passif :
La soirée s'organise. (= La soirée est organisée./On organise la soirée.)
Cette expression s'emploie de moins en moins souvent. (= Cette expression est employée de moins en moins souvent.)

> ❗ Dans ce cas, le sujet de la phrase pronominale n'est jamais une personne.

• *Se laisser, se faire* + infinitif *(voir p. 97)*

Ces deux verbes suivis de l'infinitif sont des équivalents de sens du passif :
Mes parents se sont fait construire une maison. (= Une maison a été construite pour mes parents.)
Ils se sont laissé influencer. (= Ils ont été influencés.)

> ❗ Le participe passé de *faire* et de *laisser* reste invariable dans ce cas d'emploi.

2 La mise en valeur

On peut mettre l'objet de l'action en valeur grâce à :
– la transformation passive *(voir ci-dessus)* ;
– *c'est... qui, c'est... que* (tournure qui permet de mettre un élément de phrase en valeur) :
C'est ton ami qui est venu. (= Ton ami est venu.)
C'est lui que j'ai vu passer. (= Je l'ai vu passer.)
C'est à eux que j'ai parlé. (= Je leur ai parlé.)
– la transformation d'un verbe en un nom qui devient le sujet d'une nouvelle phrase (procédé de nominalisation) :
L'exposition sera inaugurée dimanche prochain.
L'inauguration de l'exposition aura lieu dimanche prochain.

3 La modalisation

Voir p. 152.

MÉMENTO GRAMMATICAL

▪ LE GROUPE DU NOM

Se reporter au mémento grammatical de *Reflets 1*, p. 218, pour la structure du groupe du nom.
Pour les cas d'emploi des articles, se reporter aux remarques du dossier 12, p. 166-167 de cet ouvrage.

1 Les compléments du nom (voir p. 41)

Un nom peut être complété par un autre nom précédé d'une préposition, le plus souvent **de** ou **à**. Le sens est à déduire de la juxtaposition des deux noms.
- Matière : *Une maison **de/en** pierre.*
- Contenu : *Une tasse **de** café.*
- Fonction, destination : *Une tasse **à** café, une tenue **de** soirée.*
- Lieu : *Une ville **de** province.*
- Identification : *La fille **aux** yeux verts, le garçon **à** la veste rouge.*

2 Les adjectifs qualificatifs

- **Les adjectifs de couleur** *(voir p. 152)*
L'adjectif est invariable :
– si c'est un nom de fruit ou de fleur :
*Des chaussures **marron**, des murs **orange*** ;
– si il est modifié par un autre adjectif :
*Des portes **vert** bouteille, des façades **brun** rouge.*

- **Place de l'adjectif qualificatif** *(voir p. 167)*
Le plus souvent, les adjectifs qualificatifs se placent après le nom, sauf :
– certains adjectifs très usuels **(vieux/jeune, grand/petit, beau, joli, bon/mauvais, vrai/faux, nouveau/ancien)** qui se placent avant le nom ;
– des adjectifs auxquels on donne une valeur subjective : *Un **superbe** appartement, un **extraordinaire** succès.*
Les adjectifs s'accordent en genre et en nombre avec le nom auquel ils se rapportent :
*Les trois premiers **vrais beaux** jours de l'année **dernière**.*

- **Changement de sens selon la place** *(voir p. 167)*
Certains adjectifs comme : **affreux, brave, cher, certain, dernier, drôle, faux, grand, même, parfait, pauvre, propre, sale, unique.**
*Un individu **sale** (pas propre) ≠ un **sale** individu (peu recommandable)*

3 Les pronoms

Ils remplacent des noms (pro-noms).

- **Pronoms possessifs**
Voir p. 139.

- **Pronoms indéfinis**
Voir p. 125.

- **Pronoms relatifs**
Voir p. 153.

- **Pronoms compléments**
Voir p. 96-97.

- **Place des pronoms compléments à l'impératif affirmatif**
À la forme affirmative de l'impératif, les pronoms compléments se placent après le verbe :
*Donne-**lui** à boire.* Mais : *Ne **lui** donne pas à boire.*
*Prête-**leur** ta voiture.* Mais : *Ne **leur** prête pas ta voiture.*
L'ordre des doubles pronoms est également différent :
Le, la, les + moi, nous : *Donne-**le-nous**.* Mais : *Ne **nous le** donne pas.*
Moi, toi, lui, leur + en : *Donne-**lui-en**.* Mais : *Ne **lui en** donne pas.*

MÉMENTO GRAMMATICAL

■ LA COMPARAISON

1 Le comparatif

• Avec un adjectif ou un adverbe :
*Il saute **aussi** haut **que** son ami.*
*Il court **moins** vite **que** lui.*
• Avec un verbe :
*Il travaille **plus que** lui.*
*Il rit **autant qu'**elle.*
• Avec un nom (expression de la quantité) :
*Il y a **moins de** monde qu'hier.*
*Ils ont **autant de** garçons que de filles.*

❗ **Formes irrégulières :**
Bon, meilleur, mieux
Mauvais, pire,
Petit, plus petit que/moindre

2 Les doubles comparatifs (voir page 83)

3 Le superlatif (le plus, le moins)

Il s'emploie même s'il ne s'agit que de deux choses ou de deux personnes à comparer :
*De ces deux enfants, Quentin est **le plus** intelligent.*

4 Le superlatif absolu

On l'exprime en utilisant :
– un adverbe d'intensité devant l'adjectif :
*Elle est **très/fort/extrêmement** belle.*
– des préfixes d'intensité : **extra-, sur-, super-, archi-** :
*C'est **archi**faux, c'est **sur**fait.*

■ LA FORMATION DES MOTS

1 La suffixation

• On forme des **noms** :
a) à partir d'un verbe :
– pour les noms masculins avec les suffixes **-age, -ment, -eur** :
*Allumer ➜ l'allum**age**.*   *Commencer ➜ le commence**ment**.*   *Chanter ➜ le chant**eur**.*
– pour les noms féminins avec les suffixes **-ion, -ance, -euse** :
*Définir ➜ la défin**ition**.*   *Ressembler ➜ la ressembl**ance**.*   *Danser ➜ la dans**euse**.*
b) à partir d'un adjectif avec les suffixes **-té, -esse, -eur** :
*Propre ➜ la propre**té**.*   *Vieille ➜ la vieill**esse**.*   *Blanc ➜ la blanch**eur**.*

• On forme des **verbes** à partir d'un nom ou d'un adjectif avec les suffixes **-er** et **-ir** :
*Conseil ➜ conseill**er**.*   *Maigre ➜ maigr**ir**.*

• On forme des **adverbes** à partir du féminin d'un adjectif avec le suffixe **-ment** :
*Froid ➜ froide**ment**.*

• On forme des **adjectifs** à partir d'un verbe avec les suffixes **-able** et **-ible** :
*Porter ➜ port**able**.*   *Voir ➜ vis**ible**.*

2 La préfixation

On utilise un préfixe :
– pour former le contraire d'un adjectif :
in-, im-, ir- : ***In**connu, **im**possible, **ir**respectueux.*
mé-, mal- : ***Mé**connu, **mal**heureux.*
– pour former le contraire d'un nom ou d'un verbe :
dé-, des-, dés- : ***Dé**faire, **dés**espérer, **dés**ordre.*
– pour exprimer la répétition d'une action :
r-, re-, ré- : ***R**acheter, **re**faire, **ré**chauffer.*

MÉMENTO GRAMMATICAL

■ LE GROUPE DU VERBE

Se reporter à *Reflets 1*, p. 219-221.

1 Changements phonétiques et orthographiques

Le changement de personnes peut entraîner des changements phonétiques et orthographiques avec certains verbes.

• **Verbes ayant un e caduc dans l'avant-dernière syllabe de l'infinitif :**
acheter, élever, geler, se lever, se promener.

J'achète [aʃɛt]	J'achèterai [aʃɛtrɛ]
Nous achetons [aʃtɔ̃]	Vous achetez [aʃte]
J'appelle [apɛl]	J'appellerai [apɛlrɛ]
Nous appelons [aplɔ̃]	Vous appelez [aple]

• **Verbes ayant un é dans l'avant dernière syllabe de l'infinitif :**
J'espère [ɛspɛr]
Nous espérons [ɛsperɔ̃]   Vous espérez [ɛspere]

• **Verbes terminés en -*yer* :**
essayer et aussi *appuyer, balayer, s'ennuyer, envoyer, nettoyer, payer, tutoyer, vouvoyer.*

J'essaie [esɛ]	J'essaierai [esɛrɛ]
Nous essayons [esɛjɔ̃]	Vous essayez [esɛje]

• **Verbes terminés en -*cer* :**
annoncer, avancer, commencer, forcer, menacer, placer, prononcer.

Je place [plas]	Nous avançons [avɑ̃sɔ̃]	Vous avanciez [avɑ̃sje]
Nous plaçons [plasɔ̃]	Je plaçais [plasɛ] (Le ç s'emploie devant *a, o, u* et se prononce [s].)	

• **Verbes terminés en -*ger* :**
arranger, manger, nager, protéger, ranger.

Je mange [mɑ̃ʒ]	Nous mangions [mɑ̃ʒjɔ̃]
Nous mangeons [mɑ̃ʒɔ̃]	Je mangeais [mɑ̃ʒɛ] (Le e après le *g* permet de conserver la prononciation [j] devant *a, o, u.*)

2 Les temps composés

Les temps composés de l'auxiliaire *être* ou *avoir* et du participe passé marquent tous l'antériorité par rapport au temps simple indiqué par leur auxiliaire.

Auxiliaire	*être* + participe passé Accord avec le sujet	*avoir* + participe passé Accord avec le COD s'il est placé avant le participe passé
Verbe	Verbes pronominaux 14 verbes et leurs composés	Tous les autres verbes
Passé composé	Je suis allé(e)/Je me suis levé(e).	J'ai mangé.
Plus-que-parfait	J'étais entré(e)/Je m'étais couché(e).	J'avais couru.
Futur antérieur	Je serai parti(e)/Je me serai habillé(e).	J'aurai fini.
Conditionnel passé	Je serais resté(e)/Je me serais servi(e).	J'aurais pu.
Infinitif passé	Être venu(e)/S'être préparé(e).	Avoir bu.

3 Les tableaux de conjugaison

Voir p. 188-191.

4 Valeurs et emplois des modes et des temps

a) Le mode indicatif
C'est le mode du réel. On considère qu'un fait se déroule à un moment donné dans le temps.

• **Le présent**
– Action en train de s'accomplir : *Les Lemoine **arrivent** en voiture.*
– Vérité générale : *Les hommes **sont** mortels.*
– Valeur de futur : – *Tu **viens** ? – Oui, j'**arrive** !*
*Je le **vois** demain.*

– Ordre, conseil : *Vous me **cherchez** cette documentation.*
– Récit (même dans un récit qui se passe dans le passé).

• **Le passé composé**
– Action ou fait passé présentés comme révolus : *J'ai terminé.* (Aspect accompli.)
– Résultat actuel d'une action passée : *Ils **sont arrivés** ce matin.* (= Ils sont là.)
– Action qui va se terminer dans un avenir immédiat : *J'**ai fini** dans dix minutes.*

• **L'imparfait**
– Action passée présentée comme si elle était en train de s'accomplir : *Il **écoutait** les nouvelles* (quand ses amis sont arrivés).
– Circonstances d'un événement : *Il **faisait** froid et il **pleuvait*** (quand je suis parti).
– État passé : *J'**étais** content. Je **voulais** le dire à tout le monde.*
– Habitude ou répétition d'un événement dans le passé : *Je **déjeunais** tous les jours à la cantine.*
– Hypothèse : *Si tu **passais** me voir, (je t'expliquerais l'affaire).*
– Suggestion : *Si nous **allions** voir un film ?*
– Souhait : *Ah, si j'**étais** riche !*
– Politesse : *Je **voulais** vous demander si...*
– Dans le style indirect, après un verbe introducteur au passé : *Il m'a dit que vous **alliez** partir.*

• **Le plus-que-parfait**
– Action ou événement antérieur à un autre fait du passé
– Condition non réalisée dans le passé : *Si tu **étais venu**, (je te l'aurais donné).*
– Expression de regrets : *Ah, si j'**avais su** !*

• **Le futur**
– Action ou événement futur (probabilité) : *Ils **arriveront** à midi.*
– Prédiction : *Il **fera** beau la semaine prochaine.*
– Directive et conseils : *Vous **ajouterez** du sel et du poivre.*

• **Le futur antérieur**
– Action ou événement futur antérieur à un autre fait futur :
*J'**aurai terminé** mon travail quand ils reviendront.*

• **Le passé simple** (temps du récit au passé littéraire)
– Action ou événement présentés comme révolus : *Il **sortit** vers midi et il prit un taxi.*

b) **Le mode conditionnel**

• **Le conditionnel présent**
– Hypothèse : *(Si tu voulais), nous **pourrions** partir ensemble.*
– Politesse, atténuation de la force d'un énoncé : *J'**aimerais** vous parler.*
– Probabilité, événements incertains : *Un grave accident **se serait produit** sur l'autoroute...*
– Futur du passé dans le discours indirect : *Il a dit qu'il **passerait** nous voir.*

• **Le conditionnel passé**
– Hypothèse sur une action ou un événement passé qui aurait pu se produire : *(Si tu étais venu,) je te l'**aurais donné**.*
– Regret ou reproche : *J'**aurais dû** vous écrire./Tu **aurais dû** lui écrire.*

c) **Le mode subjonctif**
Ce mode sert à exprimer une action ou un événement souhaité ou imaginé et une émotion ou un sentiment.
Il s'emploie :
• après des verbes exprimant :
– la volonté, le souhait, la nécessité : *Il faut que nous le **fassions**.*
– le doute, une émotion, un sentiment, un jugement :
*Je ne pense pas qu'on **puisse** réussir.*
*Je suis heureux qu'il **parte**.*
• après certaines conjonctions : *Bien que tout **aille** bien, j'ai quelques inquiétudes.*

d) **L'impératif**
Il permet d'exprimer un ordre, une directive ou une défense :
Travaillez.
*Ne **touchez** pas à ce tableau !*

e) L'infinitif

L'infinitif présent ou passé s'emploie :
– dans toutes les fonctions d'un nom :
Partir, c'est *mourir un peu.* (Proverbe.)
Avant de démarrer, **vérifie** *la pression des pneus.*
Après **avoir rangé** *ses affaires, il a quitté le bureau.*
– après des verbes :
Il commence à **pleuvoir.**
Tu l'as vu **entrer** ?
– pour donner des directives (dans les modes d'emploi et dans les recettes) :
Brancher *la prise, puis* **allumer** *l'appareil.*

f) Le participe

– Le participe présent et le participe passé s'emploient comme verbes :
Se sentant *malade, il est allé consulté son médecin.*
Ayant fermé *la porte, il se retourna.*
– Le participe passé s'emploie pour former les temps composés :
Elle était **venue** *pour leur parler et elle est* **repartie.**
– Le participe présent s'emploie, précédé de *en,* pour former le gérondif :
En parlant, *il regardait la rue.*

▋ LA PHRASE COMPLEXE

La phrase complexe se compose d'au moins deux propositions. Ces propositions sont liées entre elles au moyen d'une conjonction de coordination (*mais, ou, et, donc, or, ni, car*) ou de subordination (*que, après que, alors que, parce que, pour que…*).

Principales conjonctions introduisant des propositions subordonnées
(Les conjonctions en caractères gras sont suivies du subjonctif.)

Valeur	Conjonctions
Temps	Alors que, au moment où, aussi longtemps que, aussitôt que, chaque fois que, depuis que, dès que, pendant que, une fois que, **avant que, jusqu'à ce que.**
Cause	Comme, étant donné que, parce que, puisque, d'autant plus que, c'est que.
Conséquence	De sorte que, si bien que, tant… que, tellement… que.
But	**Afin que, pour que.**
Opposition	Alors que, tandis que.
Concession	Même si, **bien que, quoi que, quelque… que.**
Condition	Si, au cas où, **à condition que, à moins que, pourvu que.**
Comparaison	Ainsi que, autant que, comme, de même que, d'autant plus/moins que, tel que, le même que, autre que.

▋ LE DISCOURS INDIRECT ET LA CONCORDANCE DES TEMPS

• **Le discours indirect** est introduit par des verbes comme *dire, rapporter, déclarer que…*
(Voir page 54.)
Le présent de la phrase au discours direct se met à l'imparfait au discours indirect. Le futur se met au conditionnel.
Il faut prévoir la transformation des pronoms personnels, des adjectifs et des pronoms possessifs et des adverbes de temps :
Je te rendrai tes photos dans deux jours.
➜ *Il lui a dit qu'***il lui** *rendrait* **ses** *photos* **deux jours après.**

• **L'interrogation indirecte** est introduite par des verbes comme *demander, chercher à savoir…* (Voir page 68.)
Les transformations à prévoir sont les mêmes que dans le discours indirect.
Il faut penser de plus à :
– éliminer le point d'interrogation ;
– rétablir l'ordre sujet-verbe, si nécessaire ;
– introduire la question par *si* si la réponse à la question directe est du type oui/si/non ;
– transformer *qu'est-ce qui* en *ce qui* et *qu'est-ce que* en *ce que.*
Pourquoi ne viendraient-ils pas nous voir ?
➜ *Il veut savoir pourquoi ils ne viendraient pas nous voir.*

TABLEAUX DE CONJUGAISON

INFINITIF	INDICATIF				SUBJONCTIF	CONDITIONNEL	IMPÉRATIF	PARTICIPE
	Présent	Passé composé	Imparfait	Futur	Présent	Présent	Présent	Présent/passé
Faire et **défaire**, satisfaire, plaire, se taire…	je **fais** tu fais il/elle fait nous **fais**ons vous **faites** ils/elles **font**	j'ai **fait** tu as fait il/elle a fait nous avons fait vous avez fait ils/elles ont fait	je **fais**ais tu faisais il/elle faisait nous faisions vous faisiez ils/elles faisaient	je **fer**ai tu feras il/elle fera nous ferons vous ferez ils/elles feront	que je **fasse** que tu fasses qu'il/elle fasse que nous fassions que vous fassiez qu'ils/elles fassent	je **fer**ais tu ferais il/elle ferait nous ferions vous feriez ils/elles feraient	fais faisons faites	faisant / fait(e)
Falloir	il **faut**	il a **fallu**	il **fallait**	il **faudra**	qu'il **faille**	il **faudra**it	n'existe pas	fallu
Mettre et **admettre**, permettre, promettre, transmettre…	je **mets** tu mets il/elle met nous **met**tons vous mettez ils/elles **mett**ent	j'ai **mis** tu as mis il/elle a mis nous avons mis vous avez mis ils/elles ont mis	je **mett**ais tu mettais il/elle mettait nous mettions vous mettiez ils/elles mettaient	je **mett**rai tu mettras il/elle mettra nous mettrons vous mettrez ils/elles mettront	que je **mette** que tu mettes qu'il/elle mette que nous mettions que vous mettiez qu'ils/elles mettent	je **mett**rais tu mettrais il/elle mettrait nous mettrions vous mettriez ils/elles mettraient	mets mettons mettez	mettant / mis(e)
Ouvrir et **découvrir**, offrir, recouvrir, souffrir…	j'**ouvre** tu ouvres il/elle ouvre nous ouvrons vous ouvrez ils/elles ouvrent	j'ai **ouvert** tu as ouvert il/elle a ouvert nous avons ouvert vous avez ouvert ils/elles ont ouvert	j'**ouvr**ais tu ouvrais il/elle ouvrait nous ouvrions vous ouvriez ils/elles ouvraient	j'**ouvr**irai tu ouvriras il/elle ouvrira nous ouvrirons vous ouvrirez ils/elles ouvriront	que j'**ouvre** que tu ouvres qu'il/elle ouvre que nous ouvrions que vous ouvriez qu'ils/elles ouvrent	j'**ouvr**irais tu ouvrirais il/elle ouvrirait nous ouvririons vous ouvririez ils/elles ouvriraient	ouvre ouvrons ouvrez	ouvrant / ouvert(e)
Partir et **mentir**, ressentir, sentir, sortir…	je **pars** tu pars il/elle part nous **part**ons vous partez ils/elles **part**ent	je **suis parti(e)** tu es parti(e) il/elle est parti(e) nous sommes parti(e)s vous êtes parti(e)s ils/elles sont parti(e)s	je **part**ais tu partais il/elle partait nous partions vous partiez ils/elles partaient	je **part**irai tu partiras il/elle partira nous partirons vous partirez ils/elles partiront	que je **parte** que tu partes qu'il/elle parte que nous partions que vous partiez qu'ils/elles partent	je **part**irais tu partirais il/elle partirait nous partirions vous partiriez ils/elles partiraient	pars partons partez	sentant / senti(e)
Plaire	je **plais** tu plais il/elle plaît nous **plais**ons vous plaisez ils/elles plaisent	j'ai **plu** tu as plu il/elle a plu nous avons plu vous avez plu ils/elles ont plu	je **plais**ais tu plaisais il/elle plaisait nous plaisions vous plaisiez ils/elles plaisaient	je **plair**ai tu plairas il/elle plaira nous plairons vous plairez ils/elles plairont	que je **plaise** que tu plaises qu'il/elle plaise que nous plaisions que vous plaisiez qu'ils/elles plaisent	je **plair**ais tu plairais il/elle plairait nous plairions vous plairiez ils/elles plairaient	plais plaisons plaisez	plaisant / plu
Pleuvoir	il **pleut**	il a **plu**	il **pleuvait**	il **pleuvra**	qu'il **pleuve**	il **pleuvrait**	n'existe pas	pleuvant
Pouvoir	je **peux** tu peux il/elle peut nous **pouv**ons vous pouvez ils/elles **peuv**ent	j'ai **pu** tu as pu il/elle a pu nous avons pu vous avez pu ils/elles ont pu	je **pouv**ais tu pouvais il/elle pouvait nous pouvions vous pouviez ils/elles pouvaient	je **pourr**ai tu pourras il/elle pourra nous pourrons vous pourrez ils/elles pourront	que je **puisse** que tu puisses qu'il/elle puisse que nous puissions que vous puissiez qu'ils/elles puissent	je **pourr**ais tu pourrais il/elle pourrait nous pourrions vous pourriez ils/elles pourraient	n'existe pas	pouvant / pu
Prendre et **apprendre**, comprendre, entreprendre, surprendre…	je **prends** tu prends il/elle prend nous **pren**ons vous prenez ils/elles **prenn**ent	j'ai **pris** tu as pris il/elle a pris nous avons pris vous avez pris ils/elles ont pris	je **pren**ais tu prenais il/elle prenait nous prenions vous preniez ils/elles prenaient	je **prend**rai tu prendras il/elle prendra nous prendrons vous prendrez ils/elles prendront	que je **prenne** que tu prennes qu'il/elle prenne que nous prenions que vous preniez qu'ils/elles prennent	je **prend**rais tu prendrais il/elle prendrait nous prendrions vous prendriez ils/elles prendraient	prends prenons prenez	prenant / pris(e)
Savoir	je **sais** tu sais il/elle sait nous **sav**ons vous savez ils/elles savent	j'ai **su** tu as su il/elle a su nous avons su vous avez su ils/elles ont su	je **sav**ais tu savais il/elle savait nous savions vous saviez ils/elles savaient	je **saur**ai tu sauras il/elle saura nous saurons vous saurez ils/elles sauront	que je **sache** que tu saches qu'il/elle sache que nous sachions que vous sachiez qu'ils/elles sachent	je **saur**ais tu saurais il/elle saurait nous saurions vous sauriez ils/elles sauraient	sache sachons sachez	sachant / su(e)

TABLEAUX DE CONJUGAISON

INFINITIF	INDICATIF				SUBJONCTIF	CONDITIONNEL	IMPÉRATIF	PARTICIPE
	Présent	Passé composé	Imparfait	Futur	Présent	Présent	Présent	Présent/passé
Suivre	je suis tu suis il/elle suit nous suivons vous suivez ils/elles suivent	j'ai suivi tu as suivi il/elle a suivi nous avons suivi vous avez suivi ils/elles ont suivi	je suivais tu suivais il/elle suivait nous suivions vous suiviez ils/elles suivaient	je suivrai tu suivras il/elle suivra nous suivrons vous suivrez ils/elles suivront	que je suive que tu suives qu'il/elle suive que nous suivions que vous suiviez qu'ils/elles suivent	je suivrais tu suivrais il/elle suivrait nous suivrions vous suivriez ils/elles suivraient	suis suivons suivez	suivant / suivi(e)
Vendre et descendre, entendre, répondre, perdre...	je vends tu vends il/elle vend nous vendons vous vendez ils/elles vendent	j'ai vendu tu as vendu il/elle a vendu nous avons vendu vous avez vendu ils/elles ont vendu	je vendais tu vendais il/elle vendait nous vendions vous vendiez ils/elles vendaient	je vendrai tu vendras il/elle vendra nous vendrons vous vendrez ils/elles vendront	que je vende que tu vendes qu'il/elle vende que nous vendions que vous vendiez qu'ils/elles vendent	je vendrais tu vendrais il/elle vendrait nous vendrions vous vendriez ils/elles vendraient	vends vendons vendez	vendant / vendu(e)
Venir et appartenir, devenir, obtenir, se souvenir...	je viens tu viens il/elle vient nous venons vous venez ils/elles viennent	je suis venu(e) tu es venu(e) il/elle est venu(e) nous sommes venu(e)s vous êtes venu(e)s ils/elles sont venu(e)s	je venais tu venais il/elle venait nous venions vous veniez ils/elles venaient	je viendrai tu viendras il/elle viendra nous viendrons vous viendrez ils/elles viendront	que je vienne que tu viennes qu'il/elle vienne que nous venions que vous veniez qu'ils/elles viennent	je viendrais tu viendrais il/elle viendrait nous viendrions vous viendriez ils/elles viendraient	viens venons venez	venant / venu(e)
Vivre et survivre	je vis tu vis il/elle vit nous vivons vous vivez ils vivent	j'ai vécu tu as vécu il/elle a vécu nous avons vécu vous avez vécu ils/elles ont vécu	je vivais tu vivais il/elle vivait nous vivions vous viviez ils/elles vivaient	je vivrai tu vivras il/elle vivra nous vivrons vous vivrez ils/elles vivront	que je vive que tu vives qu'il/elle vive que nous vivions que vous viviez qu'ils/elles vivent	je vivrais tu vivrais il/elle vivrait nous vivrions vous vivriez ils/elles vivraient	vis vivons vivez	vivant / vécu(e)
Voir et entrevoir prévoir (sauf au futur : je prévoirai)	je vois tu vois il/elle voit nous voyons vous voyez ils/elles voient	j'ai vu tu as vu il/elle a vu nous avons vu vous avez vu ils/elles ont vu	je voyais tu voyais il/elle voyait nous voyions vous voyiez ils/elles voyaient	je verrai tu verras il/elle verra nous verrons vous verrez ils/elles verront	que je voie que tu voies qu'il/elle voie que nous voyions que vous voyiez qu'ils/elles voient	je verrais tu verrais il/elle verrait nous verrions vous verriez ils/elles verraient	vois voyons voyez	voyant / vu(e)
Vouloir	je veux tu veux il/elle veut nous voulons vous voulez ils/elles veulent	j'ai voulu tu as voulu il/elle a voulu nous avons voulu vous avez voulu ils/elles ont voulu	je voulais tu voulais il/elle voulait nous voulions vous vouliez ils/elles voulaient	je voudrai tu voudras il/elle voudra nous voudrons vous voudrez ils/elles voudront	que je veuille que tu veuilles qu'il/elle veuille que nous voulions que vous vouliez qu'ils/elles veuillent	je voudrais tu voudrais il/elle voudrait nous voudrions vous voudriez ils/elles voudraient	veux (veuille) voulons voulez (veuillez)	voulant / voulu(e)

conjugaison

Imprimé en Italie par Rotolito
Dépôt légal éditeur 9587-02/2001 - Collection n° 28 - Edition 02
15/5120/9